Une envoûtante surprise

*

Un désir inavouable

NIKKI LOGAN

Une envoûtante surprise

Collection : Azur

Cet ouvrage a été publié en langue anglaise
sous le titre :
THE MORNING AFTER THE NIGHT BEFORE

Traduction française de
YOHAN LEMONNIER-MEHEU

HARLEQUIN
83-85, boulevard Vincent-Auriol, 75646 PARIS CEDEX 13
Service Lectrices — Tél. : 01 45 82 47 47

www.harlequin.fr

ISBN 978-2-2803-2745-9 — ISSN 0993-4448

Prologue

Satan portait-il des pulls en cachemire ? se demanda Izzy Dean, en observant son supérieur, Harry Mitchell. Il était confortablement installé derrière son bureau, au douzième étage d'une tour située en plein centre de Londres. Le tissu de son costume semblait si doux ! Cela n'empêchait pas Izzy de réprimer à grand-peine une furieuse envie de le gifler.

— Vous avez l'air en colère, Dean…

— Vraiment ? lança-t-elle avec ironie.

Quitte à mettre fin à sa carrière, autant le faire avec panache, non ? Elle qui avait passé son enfance à astiquer les comptoirs de restaurants sordides, elle était tentée de faire ravaler à son supérieur ce sourire suffisant, après avoir fait irruption dans son bureau comme une furie.

— Izzy ?

Son regard revint se poser sur les traits parfaits de Mitchell, et sur ses yeux bleus, aux longs cils noirs. Sous le feu de ses pupilles marine, elle se sentit saisie, malgré elle, par une fièvre tout à fait hors de propos.

— Vous êtes en colère, reprit-il.

— Quel sens de l'observation ! s'exclama-t-elle sans se départir de sa mauvaise humeur.

— En parlant de ça, votre rapport…

— Mon rapport est parfaitement rédigé.

— En effet, techniquement, il n'y a rien à redire, mais…

— Les chiffres sont corrects, que je sache ! s'exclama-t-elle en ramenant une mèche derrière son oreille.

— Vous êtes la plus qualifiée du service dans ce domaine. Bien sûr, que les chiffres sont corrects.

— Dans ce cas, c'est que le rapport est satisfaisant, et je ne vois aucune raison valable pour me forcer à le retravailler.

Mitchell se passa nerveusement une main dans les cheveux. Une délicieuse fragrance masculine flotta par-dessus le bureau et vint taquiner les narines d'Izzy.

« Non, c'est mon chef, se dit-elle. Il ne peut pas sentir bon ! »

— Vous êtes donc prête à vous contenter d'un rapport « satisfaisant » ? demanda-t-il.

— Oh, je vous en prie, je travaille ici depuis plus longtemps que vous ! Mes collègues connaissent la valeur de mon travail.

— De quel travail parlons-nous ? De ce dernier rapport, ou de vos travaux précédents ? Je viens de consulter certains de vos premiers travaux pour Broadmore Natale, et ils sont remarquables.

« Enfin un peu de reconnaissance… » songea-t-elle.

Mais il n'avait pas terminé sa phrase, apparemment.

— Rien à voir avec ce dernier rapport. Combien de temps comptez-vous vous reposer sur vos lauriers, Dean ?

— Je n'avais pas compris qu'on devait être nominé au prix Pulitzer pour rédiger ce genre de rapport ! protesta-t-elle en plaquant ses deux mains sur son bureau.

Mitchell fit le tour du bureau et se planta face à elle.

— Ce rapport est plat, sans âme, et je veux savoir pourquoi, insista-t-il avec une pointe d'accent qui trahissait sa colère rentrée.

Izzy serra les poings pour ne pas se laisser décontenancer par cette soudaine proximité.

— Je peux vous rédiger un rapport au sujet de mon rapport, si ça vous fait vraiment plaisir ! s'exclama-t-elle.

Puis elle tourna les talons et claqua la porte de verre du bureau, avant de rejoindre son poste. Au moins avait-elle réussi à mettre un peu de distance entre eux. Lorsqu'il se trouvait près d'elle, elle avait beaucoup de mal à réfléchir.

Dictateur !

Personne, dans ce bureau, ne rédigeait les documents avec la moindre nuance de style littéraire. Pourquoi aurait-elle dû le faire ? Certes, il lui était arrivé, à ses débuts, de fleurir un peu ses comptes rendus, mais elle avait bien vite été rattrapée par les échéances et s'en était tenue aux faits et aux chiffres. N'était-ce pas pour cela qu'on la payait ?

Mitchell avait malheureusement dit vrai. Elle se sentait de moins en moins à l'aise dans cette entreprise, aussi bien que dans cette... existence, mais cela lui faisait mal au cœur que Mitchell ait été le premier à s'en apercevoir.

Elle embrassa la vaste pièce du regard et observa ses collègues, occupés à des tâches dénuées d'intérêt, obsédés par la seule perspective de toucher leur salaire à la fin du mois. Oui, elle était la meilleure dans son domaine, et les autres venaient souvent la voir pour qu'elle jette un œil à leurs rapports avant qu'ils ne les remettent à la hiérarchie. Ils lui demandaient ce service parce qu'elle était la plus efficace. Mais cela ne la rendait pas heureuse pour autant.

D'une pichenette, elle fit hocher la tête du petit hérisson qui trônait sur son bureau, puis elle décrocha de sa veste son badge d'accès et contempla le visage souriant et enthousiaste sur la photo. Le sien. Elle se souvint de son premier jour dans cette entreprise, de la joie qu'elle avait ressentie à l'idée d'accéder à un emploi enviable dans une société aussi prestigieuse. Elle se souvint de la façon dont elle avait ignoré les mises en garde de ses parents, et dont elle s'était enivrée avec ses colocataires pour fêter l'événement.

Où était donc passé ce bel enthousiasme ?

Elle remit le badge en place sur sa veste et vit, du coin de l'œil, qu'elle avait un message sur son téléphone portable. Elle le consulta distraitement.

> Quand vous aurez fini de vous apitoyer, pourriez-vous revenir, que nous terminions cette discussion ?

Mitchell avait vraiment un don pour se faire haïr. Le sang lui monta à la tête et elle dut agripper le rebord de son bureau pour se maîtriser. Puis les nuages qui obscurcissaient son horizon depuis des semaines s'écartèrent, et elle sut ce qu'elle devait faire, quel cap donner à sa vie.

Elle était malheureuse, Mitchell avait raison. Sans même s'en rendre compte, elle avait perdu son tonus légendaire, et personne ne voulait d'une employée apathique.

Devait-elle retourner le voir et lui promettre de faire des efforts, puis tout tenter pour trouver des sources de satisfaction dans ce travail ennuyeux ?

Son téléphone sonna une nouvelle fois. Elle leva les yeux vers la baie vitrée derrière laquelle se trouvait Mitchell et elle le vit, le regard tourné vers elle. Elle comprit alors que c'était en partie pour se trouver sous le feu de ce regard volcanique qu'elle venait travailler chaque jour.

Elle venait pour avoir le plaisir de croiser le fer avec le Prince Harry, que ce soit par e-mail ou en réunion. Il était sa caféine, son électrochoc. Il lui rappelait qu'elle était en vie, malgré les apparences.

Le travail de Mitchell consistait en partie à dire à Izzy comment elle devait se comporter. Dans ces conditions, pourquoi prenait-elle ses remarques comme des attaques personnelles ? Certes, il avait un côté parfaitement insupportable, mais il n'y était pour rien si Izzy avait fait de lui son défibrillateur personnel.

Peut-être pourrait-elle réussir à travailler avec lui, plutôt que contre lui, et ainsi retrouver sa place dans l'entreprise ? Mitchell ferait peut-être même un allié de choix.

Son regard tomba alors sur l'écran de son téléphone.

Je ne vais pas attendre toute la journée, Dean !

« Allié, tu parles… », songea Izzy en reposant le téléphone d'une main que la colère faisait trembler. Une pensée fulgurante s'imposa alors à elle. Pourquoi n'y avait-elle pas songé avant ?

Elle se leva, défroissa sa jupe d'un geste machinal et invoqua mentalement l'image de Scarlett Johansson. Puis, sans baisser les yeux face à son regard furieux, elle se dirigea vers le bureau de Mitchell d'un pas chaloupé, jusqu'à ce qu'ils ne soient plus séparés que par une vitre. Elle était devenue le centre d'attention de tout le personnel. Mitchell ne s'était pas départi de sa colère, mais quelque chose brillait désormais dans ses yeux. Etait-ce une étincelle de désir qu'elle discernait ?

Izzy s'humecta les lèvres et se pencha vers la vitre afin que son souffle y dépose un voile. Puis elle porta lentement son index à sa bouche et le suça, avant de le passer sur sa lèvre inférieure humide. La poitrine de Mitchell se souleva, tandis que son regard gourmand s'attardait sur sa bouche. Elle traça alors quelques lettres dans la buée, pour venir former deux mots. L'un était grossier, l'autre était terriblement grossier. Mitchell plissa les yeux pour mieux lire, puis ses pupilles s'enflammèrent de rage.

— J'espère que le message est suffisamment clair pour vous, monsieur, lâcha Izzy sans élever la voix.

Mitchell leva un sourcil, puis elle effaça son message éphémère avec sa manche, avant de retourner à son bureau, sous les regards interloqués de ses ex-collègues. Nul doute que, depuis quelques secondes, elle ne faisait plus partie du personnel.

Elle vida sa corbeille sur la moquette, avant d'y déposer son téléphone, ses clés, sa lotion pour les mains, son hérisson qui continuait de dodeliner de la tête, ainsi qu'une photo de Tori, Poppy et elle lorsqu'elles étaient à l'école.

Et, sans plus de formalité, elle quitta les lieux, l'esprit et le pas léger.

Personne ne pipa mot, et s'il y eut un au revoir elle ne l'entendit pas à travers le bourdonnement de son propre rythme cardiaque. Elle entra dans l'ascenseur et se retourna pour faire face à Harry Mitchell, décontenancé, debout dans son aquarium. Son visage était un cocktail intéressant d'émotions disparates.

Elle y lut la même déception que dans les yeux de ses parents quelques années auparavant. Il y avait aussi de l'incrédulité face à ce suicide professionnel. Et quelque chose qui ressemblait à… un regret. Elle-même ressentait quelque chose de proche, sans parvenir à se l'expliquer. Les portes de l'ascenseur se refermèrent alors sur cet univers qu'elle avait longtemps pris pour son nouveau foyer.

1.

— Je suis quoi ? murmura Izzy face à son miroir, tout en se maquillant. Une fée ratée ?

Elle n'aurait pas dédaigné quelques pouvoirs magiques, pour devenir belle sans effort, ou pour faire grossir un peu sa poitrine, mais tout ce qu'elle avait en commun avec Harry Potter, c'était la chambre exiguë sous l'escalier, celle-là même où, quelques jours auparavant, ses colocataires et elle-même stockaient leur bazar.

Cet escalier menait à un appartement en mezzanine qu'elle adorait, mais qu'elle n'avait plus les moyens de s'offrir. La pièce sous l'escalier était vraiment minuscule. C'était une chambre de pauvre.

Non seulement elle avait été contrainte d'expédier le plus gros de ses affaires chez ses parents, faute de place, mais elle avait forcé Poppy et Alex à faire de même. Pour compenser la perte de son salaire, elles devaient louer la mezzanine et se serrer à trois dans un espace plus restreint.

Sa chambre… sa belle chambre…

Elle essuya son mascara et fit un nouvel essai sur l'autre œil.

— C'est le prix de la liberté, déclara-t-elle à voix haute.

De la liberté et du respect de soi. Depuis toujours, elle s'était efforcée de vivre en accord avec ses principes.

— Izzy ?

Poppy frappa à la porte avant de passer la tête dans l'embrasure. Elle eut le tact de faire comme si elle n'avait pas vu l'amas de vêtements accrochés à des cintres et suspendus à la porte.

— Tu comptes vraiment rater ta fête du début à la fin ?

D'habitude, Izzy adorait faire la fête et être le centre de

toutes les attentions, afin de compenser toutes ces années à évoluer dans l'anonymat le plus total. Mais le thème « félicitations pour ton chômage » n'était pas vraiment engageant — même si Poppy l'avait aidée à voir la chose sous un autre angle : « félicitations pour avoir quitté un emploi qui te rongeait l'âme ».

Izzy s'extirpa de son recoin à maquillage, entre le mur et le lit une place…

Voilà à quoi elle était réduite : elle était au chômage et elle dormait dans un lit d'enfant.

Le prix de la liberté.

— C'est Tori que j'entends rire comme ça ? demanda Izzy. Elle est arrivée depuis longtemps ?

— La vraie question, c'est : depuis combien de temps es-tu là-dedans ? Il est presque 20 heures…

— Oh…

Le placard qui lui servait de chambre était trop petit pour accueillir une horloge, et elle ne portait jamais de montre.

— Alors, il est grand temps que je rejoigne tout le monde !

Quelle mouche l'avait donc piquée de vouloir organiser cette fête ? Sans doute, deux jours auparavant, avait-elle trouvé l'idée fantastique. Et, d'ici deux jours, nul doute que son état d'esprit aurait encore évolué. Elle était en plein brouillard, à tel point qu'elle avait envisagé de prendre contact avec sa mère pour lui en parler. Puis elle s'était souvenue que c'était une très mauvaise idée.

— Allez, Iz, insista Poppy, tu vas t'amuser, je t'assure, mais il faut te jeter à l'eau !

Il y avait tellement de monde ! C'étaient tous ses amis, bien sûr, mais… Est-ce qu'ils le prendraient mal, si elle s'éclipsait pour aller au cinéma ?

Elle s'arrêta sur le seuil du salon. Ils ne seraient pas les premiers qu'elle aurait abandonnés ainsi… Non, le moment était mal choisi pour penser à ses parents ou à son enfance. C'était l'heure des grands sourires et de la franche camaraderie !

Elle suivit Poppy jusque dans la cuisine, tête baissée, jusqu'à ce qu'une main charitable lui place un verre rempli dans la main.

— Dis-moi que c'est du champagne..., supplia Izzy.

— Je n'en sais rien, c'est mon frère qui s'est occupé de la boisson.

Grâce au ciel, c'était bien du champagne. Elle vida sa première coupe tout en lavant quelques verres sales, puis elle en avala une seconde en découpant des légumes qu'elle plaça sur un petit plateau.

Les convives s'abattirent sur le plateau comme un vol de mouettes sur un chalutier.

— Mon Dieu, j'adore ces trucs ! s'exclama une fille brune, en plongeant généreusement un énorme morceau de carotte dans la sauce épaisse. Ch'est toi qui as préparé cha ? articula-t-elle, la bouche pleine.

— C'est une spécialité de l'homme de la maison, répondit Izzy. En tout cas, merci d'être venue, Sally.

Elle fit passer le plat.

— Salut, Richard !

— J'adore ces grignotages sur le pouce, déclara-t-il en saisissant un brocoli.

Elle traversa la foule des invités en faisant circuler son plateau, saluant les uns et les autres tandis qu'ils trempaient leurs légumes à tour de rôle.

— Qu'est-ce que tu vas faire, maintenant ? lui demanda l'une de ses voisines, en forçant la voix pour couvrir la musique.

— Je n'en sais rien. Je vais sans doute prendre un peu de temps pour moi.

— Oh... je pensais que tu avais déjà autre chose en vue, répliqua son interlocutrice, avec une pointe de regret dans la voix.

Non, elle n'avait absolument rien en vue ! C'était pourtant ce qu'aurait fait l'Izzy qu'ils connaissaient, l'Izzy raisonnable, efficace et organisée... La nouvelle Izzy, en revanche, semblait décidée à suivre ses principes et à vivre dans le présent.

Elle prit le temps d'avaler une bouffée d'air près de la fenêtre avant de tenter une nouvelle traversée avec son plateau bien dégarni. A la faveur d'un petit mouvement des invités, elle aperçut la chevelure tricolore de Tori. Elle était assise sur les genoux d'un homme qui... n'était pas son petit ami. Oh...

Y avait-il de l'orage dans l'air ? Des gens passèrent devant elle, et elle perdit le couple de vue. Elle reprit sa progression en direction de la cuisine en servant chacun avec diligence.

Peut-être une carrière de serveuse lui ouvrait-elle les bras ? Elle semblait avoir un don, et le bar situé en bas de la rue serait sans doute prêt à l'engager… même si elle n'avait pas la moindre expérience dans ce domaine.

Le dernier morceau de courgette disparut juste avant qu'elle n'atteigne la porte de la cuisine. Une fois de plus, son don pour les estimations lui avait permis de calculer au plus juste. Que ce soit pour les légumes ou pour les comptes d'une grande société, son talent pour les chiffres et pour l'optimisation faisait des merveilles.

Elle ne regrettait pas d'avoir démissionné. Ce travail lui avait offert un salaire plus que confortable et lui avait permis un train de vie échevelé, mais c'était à peu près tout. Elle n'aurait plus à encaisser cette masse de travail, cette tension perpétuelle et ce supérieur hiérarchique insupportable.

Boucler un budget n'était pas un accomplissement en soi, mais elle avait mis du temps pour en prendre conscience.

Poussant un soupir, elle entreprit de regarnir le plateau.

Lorsqu'il était sorti, ce soir-là, pour passer un peu de temps avec une femme, c'était à une femme en particulier qu'il pensait. Pas à celle dont il touchait les fesses en cet instant. Mais la beauté installée sur ses genoux était bien réelle, elle. Il pouvait bien consentir à lui accorder encore un petit quart d'heure.

Elle, au moins, était heureuse de le voir, contrairement à Izzy Dean…

Quel tempérament de diva capricieuse, cette Izzy ! Certes, elle excellait dans son travail, mais ce n'était pas une excuse. Il fallait bien avouer qu'elle était jolie, également, avec ce je-ne-sais-quoi de Keira Knightley. Il avait largement eu le temps de l'admirer, depuis son siège, derrière sa baie vitrée.

Mais qu'elle aille au diable, après tout !

L'entreprise pourrait tout à fait se débrouiller sans elle et ses expertises pointues. Et pourtant il était là, chez elle, pour l'inciter à revenir. On lui avait confié cette mission ingrate sous prétexte qu'il était son supérieur direct. Rifkin, le directeur des ressources humaines, sans l'affirmer explicitement, avait laissé entendre qu'il était responsable de son départ précipité. Comme si Izzy et son refus chronique de l'autorité n'étaient pas le cœur du problème ! Harry avait eu beau argumenter, Rifkin lui avait fait remarquer que ce n'était pas le premier employé sous ses ordres qui quittait ainsi son poste.

C'était donc sa faute.

De son point de vue, le nombre d'années en poste ne permettait pas de préjuger des compétences d'un employé. Même si, dans le cas d'Izzy, il s'agissait du meilleur élément de l'équipe. Cela dit, Rifkin n'avait pas lu ce qu'elle lui avait écrit sur la vitre…

— Hé, beau gosse, si tu t'intéressais un peu à moi ? ronronna la beauté assise sur ses genoux, tandis qu'il regardait Izzy faire la navette avec son plateau de légumes.

A regret, il plongea dans le regard alcoolisé de la jeune femme.

— Tu es sûre que tu es vraiment à l'aise ? demanda-t-il une nouvelle fois, pour tâcher de s'en débarrasser.

— Oui, tout va bien, affirma-t-elle en remuant légèrement les fesses.

— Ça va, Tori ? s'enquit une brunette qui passait à leur hauteur.

Tori… Voilà, c'était cela qu'elle avait marmonné en l'abordant, tandis qu'il était absorbé dans la contemplation d'Izzy Dean. L'arrivée de cette jeune femme brune lui offrait une porte de sortie inespérée.

— Ça va nickel, Poppy, affirma Tori avec des grands gestes un peu trop amples, je m'amuse comme une folle. Est-ce que tu as rencontré Harry ?

La brune lui tendit la main.

— Enchantée. Poppy Spencer, je vis ici.

Une façon élégante de marquer son territoire, et de lui demander ce qu'il fichait là et qui l'avait invité. Il avait certes été un peu hors jeu pendant quelques années, mais il n'avait nullement oublié les codes en vigueur. Il serra la main de Poppy, ce qui lui offrit le prétexte idéal pour se relever sans vexer Tori.

— Ravi de faire votre connaissance, lui dit-il sans se présenter pour autant. Vous êtes donc l'héroïne de cette fête ?

— Non, c'est une fête en l'honneur de ma colocataire. Elle vient de démissionner d'un boulot très déplaisant.

— Et vous fêtez toujours les départs de cette manière ?

— Non, mais cette fois ça en vaut la peine. Cela faisait des mois qu'Izzy était malheureuse. Un emploi pourri, un chef pourri… Elle est bien mieux loin de tout ça.

« Pourri ? » se demanda Harry.

— Vous ne pensez pas qu'on peut adapter son travail à sa personnalité ? Et réciproquement ? demanda-t-il à voix haute.

— Elle a fait suffisamment d'efforts comme ça. Vous aurez beau le polir, un étron reste un étron.

Harry faillit bien s'étouffer. Elle venait, sans le savoir, de fouler aux pieds sa carrière tout entière et de remettre en question ses talents professionnels. Le coup était rude à encaisser.

— Je vous sers quelque chose, Harry ? proposa Poppy.

C'était l'occasion de se débarrasser définitivement de son encombrante admiratrice.

— Oui, avec plaisir. Et je serai ravi de faire la connaissance de la reine de la fête, pour la féliciter de sa… liberté retrouvée.

Et pour la ramener au bureau, par la peau du cou s'il le fallait !

— Izzy doit se cacher dans la cuisine. Les boissons sont là-bas aussi.

Se cacher ? Cela ne ressemblait pas à l'Izzy Dean qu'il connaissait. Isadora Dean était toujours le centre de toutes les attentions, et elle se montrait toujours charmante et accueillante, tout en agitant sa magnifique chevelure blonde. Il se serait attendu à ce qu'elle profite à plein d'une telle fête donnée en son honneur.

Lorsqu'il se leva, Tori le saisit par la cravate pour le mener vers la cuisine.

— Izzy, déclara-t-elle en entrant dans la pièce avec Poppy, j'ai ici un homme sans son verre, c'est inacceptable !

Isadora émergea de derrière le frigo et son sourire chaleureux mourut sur ses lèvres lorsqu'elle le vit.

— Qu'est-ce que vous fichez ici ?

— Izzy ! s'exclama Poppy d'un ton choqué.

— Bonsoir, Dean, répondit simplement Harry en lui adressant un salut de la tête.

— Qu'est-ce qu'il fiche ici ? répéta Izzy comme s'il n'était pas présent dans la pièce.

— Ben… c'est un invité, non… ? demanda Tori d'une voix aiguë.

— C'est mon chef ! s'écria Izzy.

Tori lâcha aussitôt sa cravate, et les trois femmes firent front, dans un bel ensemble de visages hostiles et de solidarité féminine.

— Ex-chef, déclara-t-il.

Même s'il espérait réparer cette erreur le plus vite possible.

— Harry Mitchell, annonça-t-il en tendant la main, pour achever les présentations.

— C'est vraiment vous ? demanda Poppy.

— Mais vous êtes supermignon ! ajouta Tori. En bonne copine d'Izzy, je vous imaginais vieux et laid !

— Toz ! s'exclama Izzy. Tu ne crois pas que tu en as déjà fait assez en te frottant contre lui ?

Tori eut un roulement d'yeux aguicheur, telle une adolescente.

— C'est bon, Izzy, comment est-ce que tu voulais que je sache ?

Izzy saisit son verre comme on attrape une arme.

— Pourquoi êtes-vous venu ?

— Pour vous voir.

— J'espère que vous n'êtes pas là pour la supplier de revenir ! s'esclaffa Poppy. Parce que vous auriez pu économiser un ticket de métro.

La supplier, la cajoler, lui promettre une augmentation — il était prêt à tout pour la faire revenir.

— Un mail a circulé, qui invitait toute l'équipe, et j'en fais partie…

— Non, vous ne faites pas partie de l'équipe, vous êtes mon supérieur hiérarchique.

Harry fut heureux de l'entendre utiliser le présent et non le passé. Il retrouvait un peu de l'Isadora qu'il connaissait : pugnace, combative et haletante lorsqu'elle se mettait en colère — situation qu'il provoquait plus souvent qu'à son tour.

— Eh bien, je suis venu malgré tout, et je suis ici, maintenant.

— Vous n'êtes pas le bienvenu, précisa Izzy en articulant chaque mot.

Il repensa à la façon dont elle avait quitté le bureau, ses lèvres humides, son souffle sur la vitre… Il toussa pour se reprendre.

— Ça pourrait être pire… Au moins, je n'emménage pas ici !

— Quoi ? lança Izzy.

— Il y a un type, là-bas, qui a apporté deux gros sacs. Alors que moi, vous savez que je ne suis là que pour quelques heures.

— Comment ça, là-bas ? répéta Poppy.

— Allez voir par vous-même, suggéra-t-il avec douceur.

Après tout, vu qu'elle l'avait sauvé des griffes d'une bimbo envahissante, il pouvait bien se montrer agréable avec elle.

Poppy s'éclipsa en jetant un regard d'excuse à Izzy, et disparut dans le vacarme que la porte de la cuisine n'étouffait qu'imparfaitement.

Une de moins… Et encore une à écarter du chemin. Il devait parler avec Izzy Dean seul à seul. Il préférait éviter de se ridiculiser en public.

— Il semble plutôt mignon, lança-t-il à l'adresse de Tori.

Elle résista environ dix secondes avant de céder.

— Désolée, Iz…, dit-elle avant de se lancer à la poursuite de Poppy.

— C'est chez moi, ici, Mitchell, affirma Izzy d'une voix atone.

— Harry.

Son air indigné lui fit — comme de coutume — l'effet d'une bombe érotique.

— Vous n'étiez pas invité.

— Je ne suis pas entré par effraction. La porte était grande ouverte, et je pense que la loi est de mon côté, sur ce coup-là.

— Pas si on se réfère aux lois contre le harcèlement professionnel.

— Vous n'êtes plus mon employée.

Et c'était justement pour cette raison qu'il s'autorisait à laisser ses hormones s'exprimer plus que de coutume.

Elle saisit une bouteille de champagne et remplit sa coupe en en renversant un peu au passage. Le liquide coula le long de ses doigts.

— Vous voulez vraiment me faire croire que vous étiez désœuvré au point de vous pointer à la fête d'adieu de l'une de vos employées qui vient juste de vous dire d'aller vous faire f…

— Attention, Dean. Vous voulez vraiment me lancer ça au visage une seconde fois ?

La colère d'Izzy retomba comme un soufflé.

— Pourquoi êtes-vous venu ?

— Isadora, comment voulez-vous que nous améliorions notre communication s'il n'y a pas de discussion ?

— Izzy ! s'étrangla-t-elle. Personne ne m'appelle Isadora !

— C'est le nom que j'ai dans mes dossiers.

— Ça ne veut pas dire que j'aime être appelée comme ça !

Et voilà qu'elle lui donnait l'autorisation tacite de l'appeler par son petit nom…

— Très bien, mais dans ce cas je veux que vous m'appeliez Harry.

— Je ne vous appelle pas du tout, car vous partez.

— Je n'ai pas eu le temps de boire un verre !

— Si je vous sers à boire, vous partirez ensuite ?

— Probablement, puisque je viens de laisser filer ma chance avec cette fille aux cheveux colorés.

Sa provocation eut exactement l'effet escompté.

— Tori n'est pas n'importe quelle fille, et elle est prise.

— Je n'avais pas remarqué.

Izzy lui tendit une bière fraîche, comme s'il s'agissait d'une grenade dégoupillée.

— Intéressant, comme endroit, dit-il après avoir savouré une gorgée de bière.

La boisson l'aida à calmer sa colère intérieure. Il n'arriverait pas à la convaincre de revenir, s'il était hors de lui.

— Oui, on y est bien.

Elle n'était pas décidée à céder un pouce de terrain, de toute évidence.

— C'est une ancienne usine ?

Izzy prit une longue inspiration, comme si elle prenait la mesure de son impolitesse.

— Une caserne de pompiers. Nous occupons l'ensemble du dernier étage et la petite tourelle qui se trouve au-dessus.

— Une tourelle ?

— C'est ma chambre… C'était ma chambre.

Harry ouvrit la bouche, mais elle l'interrompit.

— Ce n'est pas une invitation, précisa-t-elle.

— Ne vous en faites pas, je suis très bien dans mon appartement qui donne sur la Tamise.

Izzy sourit pour elle-même.

— Vue sur le fleuve. La frime… Pourquoi est-ce que ça ne m'étonne pas ?

— Je ne vois pas en quoi le fait d'avoir des fenêtres qui donnent sur la Tamise vous transforme en frimeur.

— Disons que c'est un tel cliché…

En réalité, Harry avait besoin d'entendre le clapotis de l'eau. C'était capital pour sa santé mentale, mais il ne l'aurait jamais avoué devant elle. Alors, autant la laisser croire ce qu'elle voulait.

Il s'adossa au bar avec décontraction, dans l'espoir qu'elle oublierait sa promesse de quitter les lieux une fois sa bière avalée.

— Quand commencez-vous à chercher un nouvel emploi ?

Ses pupilles s'enflammèrent, mais elle garda son calme.

— Pas tout de suite, je m'offre un peu de temps pour moi.

— Sympathique…

— Ne commencez pas ! répliqua-t-elle en avalant une gorgée, et ne me dites pas qu'avec le salaire que vous touchez vous ne vous offrez pas régulièrement des vacances de rêve.

— Détrompez-vous. Si je veux conserver le salaire en question, j'ai tout intérêt à éviter de prendre trop de congés. Cela fait cinq ans que je n'ai pas pris de vacances dignes de ce nom.

Ce n'était, au passage, que la stricte vérité.

— Ça explique bien des choses, non ?

— Comment ça ?

— Si vous preniez un peu de repos de temps en temps, vous seriez peut-être un peu moins imbuvable au bureau.

Manifestement, le champagne lui déliait la langue et lui donnait le courage de vider son sac.

— Vous trouvez que moi, je suis imbuvable ?

— Absolument.

Le regard de Harry fut absorbé par la teinte de miel de la peau d'Isadora.

— Vous pensez donc qu'un cadre devrait toujours se montrer agréable avec ses employés ? demanda-t-il pour s'arracher à sa contemplation.

— Je pense qu'une saine relation de travail doit se fonder sur l'entraide, pas sur l'oppression.

— Une entraide dans le cadre de laquelle je vous paie pour travailler ?

— Vous n'imaginez pas à quel point je pourrais être plus efficace, si j'avais à cœur de gagner votre respect.

Aïe, sacré coup bas…

Au moins, elle avait parlé au présent, une fois de plus. Harry tâcha de se rassurer en songeant soudain que tout cela n'était peut-être qu'une manœuvre pour obtenir une augmentation. Si c'était le cas, la stratégie paierait, puisqu'on l'avait autorisé à augmenter son salaire de 10 000 livres par an.

— J'ai trente-trois personnes sous mes ordres, je n'ai pas vraiment le temps de faire ami-ami avec chacun.

D'autant moins qu'il prenait plaisir à convoquer la séduisante Isadora dans son bureau sous le moindre prétexte.

— Oh… pauvre petit bouchon ! s'exclama-t-elle ironiquement en terminant son verre. De toute façon, ce n'est plus mon problème, vu que je ne suis plus votre employée et que je ne le redeviendrai jamais !

Harry se rapprocha d'elle, bien plus qu'il ne s'était jamais autorisé à le faire. Quelle sensation troublante, enivrante, dangereuse…

— Jamais ?

— Non.

— Et si je vous augmentais, vous reconsidéreriez sûrement votre position, non ?

— Non, répéta-t-elle, vexée par sa remarque, en croisant les mains sur sa poitrine.

Sa poitrine… ses longs doigts posés sur la courbe sensuelle de ses seins…

— Tout le monde a un prix, affirma-t-il.

— C'est pour ça que vous êtes là ? Vous êtes venu savoir combien cela vous coûterait de me récupérer ?

Il ne fallait pas qu'elle se fasse des idées, et qu'elle se sente supérieure aux autres, songea Harry.

— Nous avons investi beaucoup d'argent dans notre équipe, c'est toujours déplaisant de voir un investissement quitter le navire… et emporter des informations stratégiques.

— J'ai signé une clause de confidentialité, vous vous rappelez ? Les secrets de Broadmore Natale sont en sécurité avec moi, rassurez-vous.

Harry avait confiance. Izzy était peut-être une princesse, mais elle était professionnelle et discrète. Et séduisante, par-dessus tout !

Harry en avait assez de ce petit jeu. Rifkin pouvait aller au diable : il n'allait pas continuer indéfiniment à la supplier.

— Je vais donc leur dire que vous avez refusé.

— Oh ! On vous a envoyé me récupérer ? demanda Izzy, qui venait manifestement de comprendre.

Harry ne répondit rien, se contentant d'admirer les courbes de son corps tandis qu'elle passait son poids d'un pied sur l'autre, faisant joliment jouer ses hanches.

— Ça doit vraiment vous coûter, d'être ici, hein ? reprit-elle.

Vous n'avez pas idée !

— Au moins, j'aurai essayé, répondit Harry. Puis-je récupérer votre carte d'accès ?

Toute étincelle de connivence quitta alors le regard d'Izzy.

— Le service de sécurité ne peut pas simplement la désactiver ?

— Ces cartes coûtent dix livres, répliqua-t-il.

Izzy sembla vexée de constater qu'elle ne valait pas davantage à ses yeux. Harry nota mentalement que c'était chez elle un levier puissant.

— Puisque c'est si important, lui dit-elle, suivez-moi.

Harry but une gorgée de bière et la posa, aux trois quarts pleine, sur le comptoir de la cuisine.

Il emboîta le pas à Izzy, tout en savourant la vision de son joli postérieur.

2.

— Attention ! lui dit-elle, afin qu'il ne cogne pas sa tête gonflée d'orgueil contre le chambranle du passage menant à la mezzanine.

En y réfléchissant, une cicatrice n'aurait fait que le rendre encore plus séduisant…

— Vous plaisantez ! C'est chez vous, ça ?

Izzy pivota et constata qu'il était extrêmement proche d'elle. Sa chambre était vraiment minuscule, en effet. Et dans un désordre innommable.

— Pourquoi n'êtes-vous pas dans la petite tourelle ? insista-t-il.

En quoi cela le regardait-il ? se demanda-t-elle.

— Poppy l'a louée à quelqu'un d'autre. Je vais trouver cette carte d'accès, et ensuite vous pourrez y aller.

— Votre meilleure amie vous a mise à la porte ?

— Bien sûr que non. Elle ne m'a rien demandé. C'est moi qui ai voulu changer d'endroit pour faire des économies.

— C'est très bien de faire des économies, mais j'ai un placard, chez moi, plus grand que cette chambre.

— Vous êtes toujours aussi courtois ?

Izzy n'eut pas plus tôt lancé la question qu'elle fut stupéfaite de le voir rougir. Il était donc humain, finalement ?

— C'est que… cela ne me semble pas juste.

— Au contraire, on arrive tout *juste* à y entrer ! répondit-elle sur le ton de l'humour.

— C'est votre départ qui vous force à faire ça ? demanda-t-il, avisant son ridicule petit lit et ses affaires entassées.

La présence de Harry dans cette chambre minuscule, le

champagne qui lui montait à la tête, son parfum mâle — tout concourait à lui faire perdre pied. Pourtant, l'ego monumental de son ex-supérieur hiérarchique la ramena sur terre.

— Cela va peut-être vous choquer, mais le monde ne tourne pas autour de vous, vous savez ?

— Donc, vous avez choisi de vivre ici parce que…

— Parce que je gère mon argent avec prudence, prétendit-elle, et parce que ce sera plus simple pour Poppy de louer l'autre chambre.

Cela n'avait rien à voir avec le fait qu'elle avait vécu comme une reine, en brûlant ses économies par les deux bouts. Malheureusement, elle s'était habituée au luxe, jusqu'à en devenir dépendante.

Il y avait toujours eu un contraste flagrant entre ses envies et ce que l'existence semblait disposée à lui offrir.

Harry s'adossa au mur pendant qu'elle entreprenait de retrouver la carte d'accès. Celle-ci ne se trouvait pas dans la pile d'affaires qu'elle avait jetées à la hâte sur son bureau… Sa veste ! Où était donc la veste qu'elle portait le dernier jour qu'elle avait passé dans l'entreprise ? Elle pivota et se retrouva face à l'imposante carrure de Harry.

— Excusez-moi…

Harry se plaqua contre le mur et Izzy se faufila entre lui et son lit. Il eut la galanterie de porter son regard sur un point au-dessus de sa tête, plutôt que dans son décolleté. Elle trouva enfin la veste dans l'amas de vêtements suspendus contre la face extérieure de la porte. Elle détacha la carte d'accès de la poche.

— Et voilà, annonça-t-elle en lui plaquant le morceau de plastique sur la poitrine.

Leurs doigts s'effleurèrent, et elle sentit sous sa chemise la chaleur de sa peau.

— Sérieusement, murmura-t-il lorsque leurs regards s'accrochèrent, je vous demande de bien réfléchir à ma proposition.

— Sérieusement, répéta-t-elle en prenant une voix grave pour l'imiter, je ne reviens jamais sur mes décisions.

— Jamais ?

— Jamais.

— Même sur les mauvaises ?

— En particulier sur celles-là. J'en assume les conséquences, et je vais de l'avant.

Il fallait reconnaître qu'elle avait de l'expérience, dans ce domaine.

— Ce travail m'a tuée, avoua-t-elle avec une franchise qui la prit elle-même par surprise, et il était grand temps que j'arrête.

— Mais vous n'étiez en poste que depuis quelques années !

— Ce n'est pas de la lassitude, c'est… que ce boulot ne me convenait pas, au fond.

— On peut vous proposer de changer de secteur, de changer de travail, mais en interne.

Izzy se rappela alors que sa main était toujours posée sur le torse de Harry. Elle replia les doigts et mit fin à ce contact.

— Pourquoi essayez-vous à ce point de me retenir ? Qu'avez-vous à y gagner ?

— Une excellente employée. La meilleure qu'il m'ait été donné de fréquenter.

— Pfft… Nous passions nos journées à nous disputer.

Il glissa sa main dans la poche de son pantalon et se décolla un peu du mur, ce qui le rapprocha légèrement d'elle. Izzy ne recula pas. Par principe. L'espace était minuscule, certes, mais c'était son domaine.

— C'est vous qui veniez me défier en permanence, déclara-t-il.

Il était étrange de l'affronter dans ces circonstances. Il la dominait d'une tête, mais elle eut la sensation que c'était elle qui tenait toutes les cartes en main.

— Vous avez pris un certain nombre de mauvaises décisions, avança-t-elle.

Un sourire fleurit sur les lèvres de Harry.

— C'est votre opinion, mais je les ai prises en connaissance de cause.

— Si votre objectif, c'est que votre équipe soit composée uniquement de toutous obéissants, pourquoi prendre la peine de venir ici ?

— Parce qu'il est sain de laisser la controverse s'exprimer…

— Pas si c'est purement décoratif…

— … et parce que j'aime les femmes qui ont du chien.

— Et qui sont bien dressées ?

Harry eut la sagesse d'ignorer sa réplique.

— Du chien et de la jugeote.

— D'accord… Donc, toutes ces fois où nous nous sommes pris le bec, si vous deveniez rouge pivoine, c'était en fait une manifestation de votre respect pour moi ?

— Selon vous ?

Elle croisa les bras avec détermination, ce qui eut pour effet de rehausser sa poitrine menue. Harry, cette fois, n'en perdit pas une miette. Comprenant son erreur, elle laissa finalement ses bras ballants.

— Allons, Dean, reprit-il d'un ton caressant, vous ne me contredirez pas quand je dis que nos petites disputes donnaient un coup de fouet à nos journées ?

Parfois, c'était à lui qu'elle aurait bien aimé donner un bon coup de fouet…

— Cela vous surprendra sans doute, mais ce sont surtout les marques de respect pour mon travail et pour ma personne qui me donnent un coup de fouet.

— Vous pensez que je ne vous respecte pas ? demanda Harry, étonné.

— Vous ne respectez pas mon opinion, ni celle de personne, d'ailleurs.

— Etre en désaccord ne veut pas dire manquer de respect. Et je vous ferai remarquer qu'il nous est arrivé de trouver un terrain d'entente.

C'était vrai, et ces rares moments l'avaient chaque fois prise au dépourvu, car Harry semblait d'une sincérité absolue.

— Vous savez ce que je commence à penser ? demanda-t-il.

— Régalez-moi.

— Je me dis que toutes ces disputes, ce n'est rien de plus que de la tension sexuelle déguisée.

La petite pièce résonna aussitôt de l'éclat de rire d'Izzy.

— Vous plaisantez, j'espère ?

— Pas du tout, affirma-t-il avec un sourire de prédateur en chasse.

— Parce que… quoi ? Vous êtes irrésistible ?

— Parce qu'il y a entre nous une étrange alchimie. J'ai longtemps cru que cela ne venait que de moi, mais votre comportement, face à la vitre de mon bureau, l'autre jour, m'a amené à me poser des questions.

« Non, non, non… », songea Izzy. Pas d'alchimie ! Harry était certes beau comme un dieu, mais il n'était pas question de le suivre sur ce terrain miné.

— Vous ne maîtrisez pas vos propres hormones, voilà tout, déclara-t-elle.

— Vous ne le ressentez donc pas ? insista-t-il.

Ce n'était pas une question, c'était une provocation délibérée, car ils connaissaient tous les deux la réponse à cette question.

— Pas particulièrement, prétendit-elle.

— Le 1er février de cette année, nous étions dans le même ascenseur. C'était l'heure de pointe et nous avons été tassés l'un contre l'autre. Nous n'avons pas prononcé un mot, mais il nous a fallu un moment, une fois sortis, pour chasser ce frisson particulier.

— Non, nous ne…

— Le 3 avril… J'ai refusé une de vos idées et vous avez passé une partie de la journée à me fusiller du regard, en conséquence de quoi j'ai passé la journée à réprimer une réaction insistante de mon anatomie.

Izzy aurait dû être outrée par cette confession scabreuse, mais elle en fut… extrêmement troublée. Elle se souvint avoir parfois envoyé un paquet d'ondes dans sa direction, mais elle ne se serait jamais doutée qu'il pouvait les recevoir.

— Pure invention, rétorqua-t-elle.

— Vous pourrez vérifier dans mon agenda. Vous avez toujours attisé ma curiosité.

— Pourquoi ?

— Vous savez ce qu'on dit ? Les gens se battent comme ils bais…

— Stop ! s'exclama-t-elle, le sang cognant contre ses tempes. Vous vous trompez de dicton.

Si elle voulait s'extirper du bourbier que devenait cette conversation, elle allait devoir emprunter un peu de la belle confiance sexuelle de Tori. Elle ramena ses cheveux en arrière et planta son regard dans celui de Harry.

— Vous n'avez jamais tenté d'approche.

— Bien sûr que non, c'était inapproprié.

— Et maintenant, ça ne l'est plus ?

— Vous ne semblez pas disposée à me repousser, on dirait ?

— C'est que ma chambre est encombrée, et qu'il n'y a pas de place. Ce n'est pas du tout parce que vous êtes séduisant.

Zut, ce n'était pas du tout ce qu'elle aurait dû dire…

— Vous me trouvez donc séduisant ? demanda-t-il en levant un sourcil.

— Séduisant, je ne sais pas. Suffisant, c'est certain.

— Vous êtes attirée par moi.

— Attention, vous risquez la poursuite judiciaire.

— Pour quel motif ? demanda-t-il en pouffant.

— Harcèlement sexuel d'une employée.

— Je vous rappelle que vous avez démissionné.

— Eh bien… harcèlement sexuel tout court, dans ce cas.

— Vous auriez pu me demander de partir, mais vous ne l'avez pas fait…

— Peut-être que je m'attendais à ce que vous vous comportiez en gentilhomme ?

— Ah, les bonnes manières ! Les siècles précédents avaient inventé là un bon moyen de gérer les frustrations sexuelles… Un peu comme nos disputes.

— Eh bien, vous pourriez renouer avec ces traditions et vous montrer chevaleresque en débarrassant le plancher.

De nouveau, Harry éclata de rire. Dieu, que son rire était sexy !

— Nous pourrions aussi trouver un moyen plus traditionnel d'évacuer cette tension ?

— Non, déclara-t-elle en se retrouvant étrangement à bout de souffle.

— Vous avez déjà quelqu'un ? Pas moi.

Izzy cherchait en vain la moindre trace de second degré dans ses propos, mais il semblait tout à fait sérieux. Il était impossible qu'un homme tel que lui s'intéresse à elle : ce genre de chose ne lui arrivait jamais.

— Si, vous êtes marié à votre carrière, objecta-t-elle.
— Ma carrière et moi sommes en union libre.
— Elle vous laisse du temps pour coucher à droite à gauche ?
— Vous pensez donc que je ne cherche que ça avec vous ? Le sexe ?
— Quoi d'autre ? Vous voulez jouer aux échecs ?
— Quelque chose me dit que vous seriez très douée aux échecs. Non, je vous propose de passer un peu de bon temps. Un peu d'exploration, de caresses appuyées, de langues entremêlées, de souffles haletants. A quand remonte votre dernier grand moment d'érotisme ?

Il pensait réellement qu'elle allait répondre à cette question ?
— Je vous trouve tout de même très sûr de vous !
— Vous ne m'avez toujours pas demandé clairement de partir.

Cette simple évidence la laissa sans voix. Il jouait le jeu de la séduction avec un art consommé, et elle, de son côté, répondait à ses avances, même si elle le faisait avec prudence.

La pièce était si petite qu'ils pouvaient à tout instant se lancer dans les ébats qu'il venait d'évoquer, sans même avoir à faire un pas l'un vers l'autre. Ils n'étaient plus collègues, à présent, et elle devait admettre qu'une certaine alchimie opérait entre eux.

Il lui proposait une petite pause agréable qui ne déboucherait pas nécessairement sur du sexe. Et il était, en tout état de cause, l'homme idéal pour une histoire sans lendemain.
— Du bon temps, mais... pas trop longtemps ? murmura-t-elle.
— Du très bon temps, Izzy, mais pas trop longtemps, comme vous voudrez.

« Oui, oui, oui ! » lui hurlait sa libido, décuplée par les trois coupes de champagne.
— Parce que... vous avez une carrière à mener ? demanda-t-elle.
— Parce que je ne cherche pas à m'investir dans une relation.
— En revanche, vous êtes disponible pour une histoire d'un soir.
— Vous êtes libre de refuser, Iz.

Iz…

Il avait utilisé son diminutif, c'était le coup de grâce. Il venait de parvenir à la séduire par sa virilité brute et par l'atmosphère d'intimité qu'il avait réussi à créer autour d'eux. Elle allait mettre ses doutes en veilleuse, et profiter de ces instants qu'elle en venait, maintenant, à attendre avec impatience. Il était beau, il était australien, et il sentait diablement bon ! Il embrassait peut-être comme un dieu ? Comment le savoir sans essayer ? Car c'était sans doute la dernière fois de sa vie qu'elle voyait l'exaspérant Harry Mitchell.

Le séduisant Harry Mitchell.

Oui, tout la poussait à présent à céder à ses avances

— Je peux toucher votre costume ? demanda-t-elle, enhardie.

— Mon… costume ? répéta-t-il doucement, un peu amusé.

Elle tendit les mains et effleura le tissu soyeux. Il se tint parfaitement immobile tandis qu'elle palpait ses épaules, avant de venir poser ses mains sur ses pectoraux.

— C'est magnifique, dit-elle. J'avais envie de faire ça depuis mon départ, l'autre jour.

— C'est votre jour de chance, vous allez pouvoir me faire tout ce que vous voulez, cette nuit.

Tout ce que vous voulez…

— C'est une situation nouvelle pour moi, confessa-t-elle, je ne sais pas vraiment comment m'y prendre.

— Vous pouvez me demander de partir, ou faire un pas vers moi. Vous pouvez aussi toucher mon costume si vous en avez envie. C'est comme il vous plaira.

Elle lui avait demandé d'agir en gentleman et, maintenant qu'elle obtenait ce qu'elle désirait, sa seule envie était qu'il la soulève de terre et la brutalise amoureusement. Elle voulait qu'il fasse le premier pas, qu'il lui impose son corps. Etrangement, en sa présence, ses doutes s'évanouissaient. Elle ne pensait plus aux mauvais souvenirs du lycée, où aucun garçon ne voulait l'embrasser car elle était toujours la plus timorée, la moins jolie, la plus… sale, la plus pauvre.

« Isadora est une clocharde », répétèrent les voix surgies de son passé.

Mais cette nuit elle n'était pas pauvre, elle était riche d'un univers d'opportunités, et le cœur de Harry qu'elle sentait battre sous ses doigts montrait bien — malgré sa nonchalance affichée — qu'elle n'était plus le vilain petit canard.

Elle planta son regard dans le sien et fit résolument un pas pour venir se coller à lui avant de saisir sa nuque.

— Toutes les fois où j'ai imaginé refermer mes doigts autour de ton cou, ce n'était pas vraiment à ça que je pensais, susurra-t-elle.

Elle s'accrocha à lui et hissa son visage à hauteur du sien. La surprise fit place au désir dans le regard de Harry, et il la saisit par les hanches avant de l'embrasser avec force. Leurs langues s'effleurèrent, leurs dents se choquèrent doucement. D'une main, il pressa une de ses fesses, de l'autre, il se mit à pétrir sa poitrine.

C'était bon, c'était terriblement indécent…

Elle l'avait imaginé doué pour l'amour. Elle était bien en dessous de la vérité… Oui, il embrassait bien, mais il parvenait surtout à faire émerger chez elle une bestialité enfouie. Elle se dépouilla de ses dernières inhibitions et s'abandonna à l'étreinte. La nouvelle Izzy n'était plus timorée, elle prenait des risques ! Cela faisait une éternité qu'on ne l'avait pas embrassée avec une telle passion, et elle avait hâte de voir ce qu'il lui réservait pour la suite.

Lorsqu'il la fit basculer sur son petit lit, elle se rendit compte que ses hanches ondulaient malgré elle.

— Comment est-ce que tu arrives à dormir là-dessus ? demanda-t-il entre deux baisers, tout en se glissant tant bien que mal sur elle.

— Je dors mal.

Puis ce fut de nouveau un déluge de baisers, de caresses, de frôlements, d'effleurements, de massages furtifs. Et, malgré sa poitrine menue, il lui donna l'impression qu'elle était un mannequin au décolleté généreux. Elle aussi se montra généreuse, et leurs corps se frottèrent jusqu'à ce que leurs vêtements atteignent un point proche de la combustion.

Ils se dévêtirent en toute hâte et, bientôt, leurs peaux s'unirent.

— Ça ne fonctionne pas, annonça-t-il brusquement.

Le passé la heurta alors de plein fouet. Toutes les fois où on l'avait rejetée, toutes les petites humiliations lui revinrent en plein visage.

Evidemment, il vient de comprendre que je ne suis finalement pas si intéressante que ça!

Elle amorça un geste, comme pour couvrir sa poitrine, mais Harry la saisit, changea de position et la jucha sur lui, à califourchon.

Oh… d'accord!

Il entreprit alors de la caresser de plus belle et d'embrasser sa poitrine presque dénudée.

— Tu es… vraiment… doué, haleta-t-elle, tandis qu'il lui mordillait le lobe de l'oreille.

— Merci, murmura-t-il contre son cou.

Ils s'explorèrent ainsi des heures durant. Peut-être des jours. Dehors, Londres aurait aussi bien pu sombrer dans la Tamise, elle s'en moquait.

— Iz, peut-être que nous devrions ralentir un peu, non?

Elle le chevauchait depuis si longtemps que ce mouvement devait commencer à être un peu douloureux pour lui. Elle l'avait fait pour l'exciter au plus haut point, sans prévoir que cela la mettrait elle-même dans un émoi terrible.

Elle repensa alors à ses rares partenaires, tout en adoptant une position plus confortable. Il y avait eu du bon et du moins bon, mais globalement ils étaient tous assez médiocres, que ce soit dans leur technique ou leur comportement. Et voilà qu'elle approchait de l'orgasme à toute vitesse avec un parfait inconnu, et sans rapport sexuel à proprement parler!

Sa décision fut prise en l'espace d'un halètement. Elle voulait savoir de quoi il était capable. Vraiment capable.

— On ne va pas s'arrêter, annonça-t-elle, hors d'haleine.

— D'accord, gémit-il avec une satisfaction évidente.

— Et tu passes la nuit ici.

— Compris, chef.

Izzy prit une profonde inspiration, car elle savait que, lorsqu'elle ôterait son soutien-gorge rembourré, il serait impossible de dissimuler le modeste galbe de ses seins. Mais après tout, même s'il était déçu, ce n'était qu'une aventure d'un soir, et elle ne lui devait rien.

— On va voir si tu es à la hauteur de tes prétentions, dit-elle en se débarrassant du sous-vêtement.

Il la contempla avec un scintillement dans le regard.

— Oh que oui !

— Eh bien… tu vois qu'on arrive à se mettre d'accord, de temps en temps, annonça-t-elle en s'attaquant à sa ceinture.

3.

Izzy contempla le dos bronzé de l'homme allongé à côté d'elle, et comprit pourquoi certaines personnes s'éclipsaient sur la pointe des pieds, après une histoire d'un soir, la honte au ventre. C'était une expérience enivrante, à la faveur de la nuit, mais dans la froide lumière du matin la situation devenait très gênante.

Elle s'était levée pendant la nuit et l'espace exigu l'avait contrainte à enjamber, nue et sans élégance, le corps de Harry. Son corps brûlant. La chambre était devenue un vrai sauna du fait de sa simple présence.

Elle hésitait à le réveiller car elle n'appréciait pas particulièrement l'idée de se montrer nue devant lui en plein jour, de le laisser contempler tous les petits défauts qu'elle essayait d'ordinaire de cacher.

L'appel de sa vessie se fit bientôt impérieux, et elle mobilisa ses muscles abdominaux pour parvenir à s'asseoir sans déranger le Prince Harry, qui dormait près d'elle. Couverte d'un drap, elle se tortilla lentement pour s'extirper furtivement du lit minuscule.

— Joli numéro, murmura une voix mâle derrière elle, au moment où elle atteignait la porte.

Elle ramassa son pantalon de pyjama, tombé au sol à la faveur de leurs ébats nocturnes, et l'enfila.

— Tu ne dormais pas ?

— Non, et tu n'as pas essayé de me réveiller.

— J'ai attendu pendant des heures, sans bouger. Tu aurais pu me le dire…

A force de contorsions, elle parvint à enfiler son haut

de pyjama, tout en conservant le drap contre sa poitrine. Lorsqu'elle eut terminé, elle le lui lança. Il s'en drapa pour conserver un peu de chaleur, avec la lenteur de celui qui n'a pas l'intention de se lever de sitôt.

— Tu veux passer à la salle de bains en premier ? proposa-t-elle avec une politesse un peu incongrue.

— J'y suis déjà allé tout à l'heure, expliqua-t-il avec une pointe d'accent plus marquée que d'ordinaire. J'ai croisé un type. Poppy n'avait pas l'air ravie qu'il soit là…

C'était le pompon… Voilà que Harry jouait les commères.

Izzy ouvrit la porte, faisant tinter les cintres qui y étaient suspendus. Une fois en sécurité dans la salle de bains, les pieds posés sur le petit tapis épais, elle fit le point en se mordillant l'intérieur de la joue.

Alors, quelle était la suite du plan ?

Devait-elle lui demander de partir ? L'inciter à rester ? Lui proposer de prendre le petit déjeuner avec les autres colocs ? Chaque option lui semblait terrifiante. La nuit avait été fantastique et elle se félicitait de cette première expérience d'un soir, mais…

Pourquoi ne s'est-il pas éclipsé au petit matin, comme tous les lâches de son espèce ?

Elle passa une main dans sa chevelure emmêlée et rouvrit la porte, décidée à mettre les choses au clair.

— Alors…, commença-t-elle.

Mais Harry était déjà debout, habillé de son costume de la veille.

— Alors, on se voit lundi ? lança-t-il en rangeant sa cravate dans sa poche, tout en lui tendant sa carte d'accès.

Elle cilla.

— Au bureau ? ajouta-t-il.

Elle comprit alors pourquoi il avait passé la nuit avec elle. Quel manipulateur arrogant !

— Je ne vais pas revenir, Harry.

— Bien sûr que si. Tout ira bien entre nous, désormais.

Il plaisantait ? C'était forcément une mauvaise blague.

— On se connaît mieux, non ? demanda-t-il.

— Tu suggères que notre séance acrobatique de cette nuit t'a incité à me respecter davantage, sur le plan professionnel ?

— Izzy…

— Non. Pour toi, je suis « Mlle Dean ».

— Après les quatre orgasmes de cette nuit, j'imaginais que nous pourrions être un peu plus proches, non ?

— Ce sont mes amis qui m'appellent « Izzy ».

— Et tes amants ?

Mieux valait lui faire croire qu'elle multipliait ce genre d'aventure, plutôt que de le laisser penser qu'ils avaient partagé un moment unique.

— Ils ne m'appellent pas.

— Ça ne m'étonne pas, si tu leur réserves le même accueil le lendemain matin.

Harry devait vraiment apprendre à n'utiliser sa bouche que pour embrasser et… caresser. Dès qu'il parlait, son ego gigantesque masquait le soleil.

— Tu sais quoi ? Nous devrions en rester là.

— Je ne comprends plus, dit-il en fronçant les sourcils. Je croyais que les histoires sans lendemain ne te gênaient pas ?

— C'est le cas, je n'attends rien de plus ! s'écria-t-elle, sans doute un peu trop fort. Mais si tu crois que coucher avec moi va te permettre de me ramener au bureau et d'y instaurer une saine ambiance, tu te trompes complètement.

Voilà où se situait le problème de Harry. Il demeurait persuadé qu'elle était la source de tous ses maux, sans jamais remettre en question ses propres compétences, sans envisager le moins du monde ses propres failles.

— Nous avons parlé, nous avons résolu les problèmes, et maintenant tout va bien entre nous, non ?

— Tu rêves ! Il neigera en enfer avant que nous soyons sur la même longueur d'onde.

Harry rangea la carte d'accès dans sa poche.

— Tu es vraiment quelqu'un d'étrange, Isadora Dean.

— Désormais, je suis libre d'être aussi étrange que je le souhaite, affirma-t-elle en se redressant de toute sa taille, et tu n'auras plus à te soucier de moi. Merci beaucoup pour cette nuit, et bonne chance pour la suite de ta carrière.

Mais Harry n'abandonna pas si facilement. Il marcha vers la porte et s'arrêta à quelques centimètres d'elle.

— Tu te trompes, murmura-t-il dans un souffle, tout contre son oreille, je me soucierai toujours de toi.

— Il n'a pas dit ça ? s'emporta Poppy, sa fourchette garnie d'œuf brouillé suspendue entre son assiette et sa bouche.

— Je t'assure, ce sont ses propres mots.

— J'adore ! Ça, c'est de la réplique !

— Tori !

— O.K., d'accord, désolée. C'est un salaud…, répondit Tori.

— Je te remercie.

Les autres clients du café s'agitaient. Certains s'arrêtaient prendre un espresso sur le chemin du travail, d'autres, comme Izzy et ses amies, profitaient de leur samedi matin autour d'une tasse brûlante et de viennoiseries. La musique forte et le brouhaha des conversations leur offraient une certaine intimité au milieu de la ruche.

Izzy évoqua en deux mots la nuit qu'elle venait de passer.

— Je t'avoue que vu la tête que tu avais quand j'ai quitté la cuisine, hier soir, je n'imaginais pas que tu allais coucher avec lui.

— Moi non plus, Pops…

— Moi, si, carrément, déclara Tori, il est trop mignon ! Et son accent…

— Heureusement que je te connais…, soupira Izzy.

— Quoi ? Je sais apprécier les belles choses, c'est tout. Alors, raconte : il est juste agréable à regarder, ou est-ce qu'il est aussi… efficace qu'il en a l'air ?

Izzy piqua un fard carabiné.

— Je prends ça pour un oui, reprit Tori.

— Je n'aime pas parler de ce genre de choses, rétorqua Izzy.

— C'est toi qui nous as lancées sur le sujet, fit remarquer Poppy avec à-propos.

— Disons que je n'aime pas entrer dans les… détails.

— Je suis certaine que Prince Harry n'est pas aussi pudique avec ses copains, ce matin.

Izzy dut reconnaître qu'elle avait sans doute raison. Harry était certainement un habitué des aventures sans lendemain.

— Est-ce que tu ressens quelque chose pour lui ? demanda Tori.

— Oui, mais rien de bon.

En vérité, il se fiait aux apparences, il restait campé sur des préjugés, comme tout le monde l'avait toujours fait avec elle depuis son enfance.

— Est-ce qu'il a déjà sacrifié un rein pour toi ?

Izzy se contenta de hausser un sourcil.

— Et tu comptes le revoir ?

— Sûrement pas !

— Alors tu ne lui dois rien, et tu dois continuer ta route avec confiance.

Voilà pourquoi Tori était son amie depuis le collège : une logique implacable, cachée sous des coiffures improbables.

— Oui, tu dois avoir raison…

— Alors vas-y, raconte !

Izzy hésita, prit son souffle et confessa les détails de sa nuit torride à ses deux amies, la façon elle s'était sentie femme, le frisson de briser un interdit… Elle leur avoua qu'il lui semblait encore le sentir contre elle, sur elle… en elle.

Et ne put s'empêcher d'ajouter que Harry était un parfait idiot.

Ses amies l'écoutèrent avec attention, ponctuant son récit de petits cris enthousiastes.

— Donc, Mitchell est un nul au bureau et un dieu au lit, résuma Tori.

— En gros, oui.

Le serveur vint vérifier que tout allait bien, avant de s'éclipser.

— J'ai vu que tu avais entouré des petites annonces dans le journal. Rien d'intéressant ? demanda Poppy.

— Non, sauf si je voulais refaire la même chose que chez Natale.

— Et ce n'est pas le cas ?

— Non, il est temps d'aller de l'avant.

— Tu quittes la finance ?

— Oui, mais je reste dans les chiffres.

— Tu voulais faire quoi, quand tu étais petite ? demanda Tori après un moment d'intense réflexion.

Izzy évitait de replonger dans les souvenirs d'une enfance qui s'était déroulée sous le signe de la pauvreté la plus extrême. Elle avait même dû travailler après l'école pour payer les excursions et les manuels scolaires. Sa mère l'avait eue à quinze ans et avait dû renoncer à toute carrière professionnelle. Contre toute attente, et à contre-courant des préjugés de ses camarades de classe, Izzy n'avait pas suivi le même chemin et avait étudié. Bien sûr, ses tenues austères et son emploi du temps surchargé l'avaient tenue éloignée des garçons.

— Je crois me souvenir que je voulais travailler avec les animaux.

Adolescente, elle mettait à profit le moindre moment de liberté pour fuir la ville et trouver un peu de paix auprès des animaux.

— Ne me dis pas que tu aimais les cochons et les vaches ? demanda Tori d'un air désolé.

— Les animaux sauvages, précisa Izzy. Les daims, les castors…

— C'est vrai, maintenant que tu le dis, je me souviens que tu prenais souvent soin des hérissons, à Trenton.

— Et des loutres, compléta Poppy.

— Mais je ne suis pas certaine qu'il y ait beaucoup d'employeurs prêts à me rémunérer pour ramper dans les sous-bois à la recherche d'animaux sauvages.

— Tu pourrais faire du bénévolat.

— Si je pouvais continuer à manger et à me loger, ça m'arrangerait, Pops.

— Alors trouve un groupe écologiste dont tu pourrais optimiser la gestion financière. Je doute que ce soit le point fort de ces gens-là.

L'idée était intéressante. Elle resterait ainsi dans le domaine des chiffres, tout en changeant radicalement de contenu.

— Encore faut-il qu'il y ait un poste vacant…

— Tu n'as jamais attendu qu'on vienne te chercher, Izzy, lui rappela gentiment Poppy. Propose-leur de travailler à la commission. Cinquante pour-cent des profits que tu génères.

Ils verront vite que tu leur es indispensable et ils te supplieront de rester.

— C'est vrai que j'ai longtemps travaillé de l'autre côté de la barrière, chez Natale. Je sais comment fonctionnent le mécénat et les sponsors.

— Tu possèdes donc un atout stratégique ! s'exclama Tori en claquant des doigts.

— Et tu ne leur fais prendre aucun risque : si tu ne ramènes pas de profits, tu n'es pas payée.

— Sans compter que je pourrais travailler avec mon remplaçant chez Broadmore…

— Eh bien, voilà ! conclut Tori.

Il y avait quelque chose de terriblement grisant à l'idée de devenir maîtresse de son destin. Elle en avait plus qu'assez de recevoir des ordres.

— Je trinque à l'avenir ! annonça Izzy en levant sa tasse de tchaï.

Les tasses se heurtèrent

— A l'avenir ! répétèrent-elles en chœur.

Rifkin ignorait tout de sa véritable identité. Il se serait répandu en excuses s'il avait su que celui à qui il venait de passer un savon n'était autre que le fils de Weston Broadmore, propriétaire de l'entreprise et de l'empire financier associé.

Harry avait dû encaisser de sévères critiques sur son manque de tact dans les relations humaines. Il n'en ressortait pas indemne, mais c'était précisément pour affronter ce genre de situation qu'il avait parcouru la moitié du globe et qu'il était venu travailler ici incognito. Seul le chef de la sécurité de leurs locaux, au Royaume-Uni, était dans la confidence et avait signé une clause de non-divulgation.

Chez lui, en Australie, il était Harrison Broadmore.

Cette toquade de partir à l'autre bout du monde, son père l'avait prise pour une volonté de faire un audit discret sur les filiales. En réalité, Harrison voulait déterminer s'il était capable d'être reconnu pour ses qualités propres, et non en tant que « fils de ». Qui était-il sans son argent, son réseau, ses diplômes ?

Il était parti pour se trouver lui-même, découvrir son potentiel réel.

Rifkin était à peu près aussi sévère et exigeant que son père, mais ses critiques avaient l'avantage d'être vierges de toute affectivité, de tout passif issu de son enfance. Il ne semblait pas surpris que Harry ne soit pas parvenu à ramener Dean dans le giron de l'entreprise. Et, bien sûr, il serait tombé à la renverse s'il avait soupçonné de quelle façon s'était achevée leur entrevue.

Le départ d'Izzy n'était pas sans conséquences, et sa charge de travail avait été répartie entre ses collègues. Rifkin savait qu'en mettant la pression sur son équipe, il toucherait Harry personnellement. Il y avait décidément une indéniable communauté d'esprit avec son père…

C'est ainsi que Harry se retrouvait au bureau un dimanche, afin de faire lui-même une partie du travail, et d'alléger la charge de son équipe.

Il ouvrit son tiroir et tomba par hasard sur le passe d'Izzy. Neuf jours s'étaient écoulés depuis la fête qui avait eu lieu chez elle. Neuf jours depuis qu'il avait franchi la ligne rouge, qu'il avait couché avec une employée. Il avait trahi l'un des principes directeurs enseignés par son père. Un père qui, pourtant, ne se privait pas de courir après toutes les jupes de son entourage.

La mère de Harry faisait d'ailleurs partie du personnel lorsque Weston, déjà grisonnant, s'était entiché de cette jeune femme. Il ne s'agissait donc pas de se montrer inflexible, mais, surtout, de ne pas se faire prendre. « Pas de photos » était la règle d'or.

Contrairement à ce que prétendaient les médias, Harry était très différent de son père. Coucher avec quelqu'un par intérêt n'était pas son genre, malgré ce que « Dean » pouvait penser de lui. *Dean…* Il ne pouvait même pas s'autoriser à penser à elle en employant son diminutif, car il l'avait trop employé dans la chaleur de leurs étreintes, et ces deux syllabes avaient sur lui l'effet d'un tison ardent. Il avait du travail !

Il reposa la carte d'accès sur le bureau. Elle faisait partie du passé, et il devait travailler deux fois plus, désormais, pour éviter à son équipe d'avoir à assumer ses propres erreurs.

Il se passa les deux mains sur le visage, puis son regard voyagea de Canary Wharf à la pile de dossiers amoncelés, dont certains avaient été traités par Dean.

C'étaient désormais les siens et il l'acceptait de bonne grâce, car il se serait ouvert les veines plutôt que d'offrir à Rifkin ou à son père l'occasion de rire de son échec.

Au moins pourrait-il montrer au monde quel genre d'homme il était.

4.

Izzy se passa une main dans les cheveux, défroissa sa robe, prit trois grandes inspirations avant de sortir des toilettes au dix-neuvième étage de l'immeuble de Broadmore Natale. Son ancien territoire.

Le vigile l'avait accueillie avec un large sourire, comme si elle revenait au bercail. Ce qui n'était pas le cas. Elle avait évité comme la peste le douzième étage, et était même allée jusqu'à prendre un faux rendez-vous avec l'assistant de Mitchell pour s'assurer qu'il ne se trouverait pas dans le bâtiment.

Elle ne risquait donc pas de tomber sur lui !

— Tanya, dit-elle à la jeune femme qui lui tenait la porte de la salle de conférences, ça me fait plaisir de te revoir.

— Moi aussi, Izzy, bonne chance.

Ces dernières semaines, Izzy avait fini par s'habituer à l'étonnement qu'elle provoquait dans le gotha des grands investisseurs, en venant représenter le Fonds de protection des loutres. Car elle avait convaincu une organisation de défense des loutres de la recruter.

« Des loutres ? Sérieusement ? » semblaient toujours dire les sourcils de ses interlocuteurs, arqués de façon comique.

Certes, elle ne gagnait pas des fortunes et n'avait pas encore réussi à s'imposer, mais lorsqu'elle se couchait, le soir, elle le faisait avec le sentiment du devoir accompli, au service d'une cause juste.

C'était une récompense en soi, qui valait dix fois sa perte de salaire.

— Merci à tous pour votre présence, déclara Tanya, voici comment vont se dérouler les choses.

Différentes organisations de défense des droits de l'homme et des animaux allaient maintenant défiler devant les investisseurs. En fonction de la façon dont le classement avait été fait, Izzy serait à la lettre A, comme animaux, ou plus probablement à la lettre L, comme loutre. Cela lui laissait un peu de temps pour se détendre.

Se détendre...

Alors qu'elle était en territoire ennemi...

Quatre heures passèrent avant qu'on ne la sollicite. Elle allait certainement avoir comme interlocuteurs Darcy McLennan, de l'événementiel, et Kevin Busby, du service commercial. Ils avaient compté parmi ses meilleurs éléments et, humainement, c'étaient des gens bien. Peut-être rencontrerait-elle son remplaçant au service financier. Quel que soit le scénario, elle aurait face à elle des visages amis.

Elle entra donc dans la salle avec une certaine confiance. Darcy et Kevin semblèrent surpris de la voir, mais elle leur adressa un sourire, puis se tourna vers le reste des personnes présentes... et se figea.

Un regard d'acier.

Perçant.

Izzy vacilla de façon imperceptible, puis se dirigea vers la chaise vide qui l'attendait, de son côté de la table. Elle serra la main de Darcy, puis de Kevin.

— Monsieur Mitchell, comment allez-vous ? dit-elle enfin en se tournant vers son dernier interlocuteur.

Cette présentation fut un séjour en enfer, mais en bon petit soldat elle fit son travail, comme durant les répétitions avec Poppy et Tori. Kevin et Darcy sourirent, quoique surpris de sa demande. Harry semblait s'ennuyer poliment.

— Les loutres..., dit-il en observant le document qu'elle lui avait confié. Est-ce que ce ne sont pas des nuisibles, qui s'introduisent dans les jardins des riverains des zones fluviales pour se prélasser dans leurs piscines ?

— Vous venez de décrire les habitudes de la moitié de

votre carnet d'adresses, mais vous continuez de faire des affaires avec eux, non ?

Darcy s'étrangla, avant de se détendre en entendant Harry éclater de rire.

— Pourquoi ne pas nous livrer le fond de votre pensée, mademoiselle Dean ?

Il voulait se lancer sur le terrain du sarcasme ? Soit, elle y excellait.

— Ne nous voilons pas la face. En termes de budget, il suffirait que l'un de vos employés renonce à son parking privatif pour que le Fonds de protection des loutres puisse agir efficacement sur le terrain. Vous seriez une aide précieuse pour nous, même si nous sommes de taille modeste…

Mitchell s'ennuyait et ne s'en cachait pas.

— Je vais être honnête avec vous, mademoiselle Dean…

— Voilà qui va nous changer.

Il ignora sa remarque.

— Vous n'êtes pas dans nos cinq favoris.

La surprise qui s'afficha sur les visages de Kevin et de Darcy prouvait qu'il parlait en son seul nom. Ce ne serait pas la première fois qu'il déciderait sans consulter son équipe… Izzy sentit que c'était fichu. Pour autant, elle ne s'abaisserait pas à le supplier.

— C'est un peu décevant, mais peu importe, je ne faisais que m'échauffer.

— Vraiment ? Vous ne tenez pas en place, on dirait ?

— Vous seriez surpris de voir ce que je peux accomplir quand je suis vraiment motivée par mon travail.

Il ne cilla même pas, le mufle !

— Je le serai sans doute, répliqua-t-il, quand vous serez à pied d'œuvre.

— Quand ça ?

— Lorsque je vous aurai signé un chèque de 50 000 livres.

Izzy eut le souffle coupé, mais parvint tout de même à articuler une réponse audible.

— Je croyais que nous ne faisions pas partie des cinq favoris ?

— En effet. Vous êtes sixième. Et, comme vous le faisiez

si justement remarquer, vous ne demandez pas beaucoup. Il suffit que je récupère 10 000 livres sur chacun des cinq autres budgets. Ils le sentiront à peine passer.

— Euh… merci…

— Ne me remerciez pas. Vous serez sous le feu des projecteurs. Vous travaillerez main dans la main avec Darcy pour la couverture médiatique, et avec Kevin pour rendre votre projet visuellement attirant. J'espère tirer profit de cette initiative en termes de relations publiques. Vous organiserez en outre plusieurs événements par an liés à votre cause.

S'était-elle montrée aussi autoritaire avec leurs partenaires, lorsqu'elle se trouvait à sa place ?

Oui, de toute évidence.

Et voilà qu'elle se retrouvait une nouvelle fois à travailler pour lui…

Zut !

— Mademoiselle Dean, un mot, je vous prie ?

Bon sang, l'ascenseur était sur le point de s'ouvrir vers la liberté, mais il l'avait rattrapée avant. Elle se retourna avec lenteur.

— Monsieur Mitchell…

— Bien joué, murmura-t-il après avoir vérifié que personne ne les épiait.

— Qu'est-ce que tu veux dire ?

— Rien de plus que : bien joué.

— Ce n'est pas un jeu. Le FPL a tout autant le droit que n'importe quelle autre organisation de demander l'aide de Broadmore.

— Et pourquoi ne pas avoir inscrit ton vrai nom sur le formulaire ? Par souci de transparence ?

— Le président du FPL signe toujours les documents, je n'ai pas cherché à dissimuler.

Pas trop, en tout cas…

— Cela fait partie de mes nouvelles attributions de tout vérifier dans la liste des demandeurs, juste pour être sûr, dit-il.

— Sûr de quoi ?

— Qu'ils méritent leur place. Nous finançons certains d'entre eux depuis plus de dix ans…

— Parce qu'ils le méritent, pas du tout en raison de manigances internes, argumenta-t-elle, défendant ainsi son ancien emploi.

Et tant pis si, ce faisant, elle desservait les intérêts du FPL.

C'était tout de même incroyable. A peine avait-elle mis les pieds dans cet immeuble qu'aussitôt Harry mettait en doute son intégrité !

— Si cela te défrise à ce point, pourquoi nous avoir retenus ?

— Parce que tu es une ex-employée fraîchement débarquée. En ne retenant pas ta proposition, j'aurais pu passer pour quelqu'un de rancunier, et tu aurais pu me le reprocher.

Il la connaissait donc si mal que ça ?

— Il te suffisait de ne retenir que cinq prétendants et le tour était joué, pourtant ?

L'ascenseur s'ouvrit. Il était vide. Harry la poussa doucement à l'intérieur.

— Je me suis senti un peu sous pression.

— Parce que je suis une ancienne employée ?

— Parce que nous avons couché ensemble, lui glissa-t-il à l'oreille.

Ce ne fut qu'alors qu'elle remarqua que Harry s'était stratégiquement positionné entre elle et la caméra de surveillance, tout en appuyant nonchalamment la main sur l'Interphone. Il ne voulait manifestement pas de témoin à cette conversation.

Si elle ne le connaissait pas si bien, elle aurait juré qu'il cherchait à la protéger. Mais Harry Mitchell ne s'intéressait qu'à lui-même.

— Tu me crois capable d'utiliser ça contre toi ? demanda-t-elle, agacée.

— A ta place, je le ferais.

— Je ne suis pas comme toi !

— Tu as pourtant fait jouer ta connaissance de l'entreprise pour que ton dossier arrive pile sur le bon bureau…

— Ce que tu insinues est…

— Est… ?

— Immoral.

— Il n'y a aucune morale dans le monde des affaires.

Et dire qu'elle avait trouvé son cynisme séduisant, ce fameux soir…

— C'est ton monde, répliqua-t-elle, ce n'est plus le mien.

— Ne me dis pas que tu ne comptais pas sur tes relations passées avec ton ancienne équipe pour te faciliter les choses ?

— Comment aurais-je pu savoir que tu ferais partie du jury, vu que ça n'apparaissait nulle part dans le dossier ?

Elle venait de toucher un point sensible, et le lut aussitôt dans ses yeux.

— Que faisais-tu dans ce jury, Harry ? Tu es censé n'être présent qu'à l'étape suivante, pour soumettre les dossiers candidats au conseil. Tu n'avais rien à faire dans cette pièce…

— Il se trouve que la personne qui se chargeait de cette étape pour moi, auparavant, est partie sans préavis…

Le ton était lourd de reproches.

— Mais sans préjudice pour l'entreprise et dans un total respect de la loi, rétorqua-t-elle. N'élude pas la question.

— On n'est jamais mieux servi…

Izzy fut submergée par la colère — ou était-ce l'effet de décélération de l'ascenseur ? — et elle s'agrippa à la main courante.

— C'est vraiment adorable. Même sans être mon patron, tu trouves le moyen de suggérer que je ne suis pas compétente…

— Oh ! mais tu es compétente dans de nombreux domaines…, ajouta-t-il, soudain charmeur.

Quelque chose sonnait faux dans la façon qu'il avait de se comporter. Il cachait quelque chose, et cela encouragea Izzy à pousser un peu plus son avantage.

— Fais attention, je pourrais utiliser ce que tu me dis contre toi.

— A quoi bon, vu que tu as déjà obtenu ce que tu voulais ?

Il était donc intimement persuadé qu'elle manœuvrait comme un stratège. La porte coulissante s'ouvrit, mais elle appuya sur le bouton de fermeture pour la bloquer. Harry se tourna vers elle, surpris.

— Pour ta gouverne, si je me suis rapprochée de Broadmore, c'est en effet parce que je sais comment vous procédez. Et, oui, j'espérais bénéficier de mes contacts dans la place pour trouver une oreille attentive et ouverte aux idées novatrices. Je ne me doutais pas le moins du monde que tu ferais partie du jury, et je ne comptais pas utiliser notre relation de travail ou notre… bref… à mon avantage. J'avais même l'intention de laisser tout ça derrière moi.

— Moi, pour tout laisser derrière moi, comme tu dis, ça va me coûter 50 000 livres…

— Je ne suis plus très certaine de vouloir de ton argent, si je dois sans cesse me justifier et quémander, répliqua-t-elle entre ses dents, en priant pour qu'il ne la prenne pas au mot.

Ce n'était pas de son argent qu'il s'agissait, c'était l'avenir de la fondation qu'elle mettait en péril en agissant ainsi.

— Ah, Izzy, toujours cet esprit d'équipe chevillé au corps ! Je ne suis pas certain que ceux qui t'emploient seraient heureux de t'entendre parler ainsi… Je me trompe ?

— Bon, ça suffit. J'ai fait mon travail et je n'ai rien à me reprocher. A toi de voir si tu veux donner suite au dossier ou pas. Moi, je dors sur mes deux oreilles.

— Seule, dans ce lit minuscule et froid.

— Huit heures de sommeil d'affilée. Depuis combien de temps n'as-tu pas eu ça, Harry ?

Elle le planta sur ces mots et jaillit de l'ascenseur.

— J'ai hâte de travailler avec vous, Izzy ! lança-t-il dans son dos.

Elle ne prit même pas la peine de se retourner.

5.

— Les défenseurs des loutres sont des gens très motivés, glissa Harry en jetant un regard moqueur aux activistes en bottes d'égoutier.

Ils étaient certes un peu désorganisés et pas toujours efficaces, mais ils offraient gratuitement de leur temps. Izzy avait hésité à recruter ses parents pour l'occasion, mais ce n'était sans doute pas le meilleur moyen de renouer le contact avec eux, après tout ce temps.

— Les membres de ton équipe sont les seuls, ici, à être payés pour revégétaliser cette zone, lui rappela-t-elle avec un aplomb qui la surprit elle-même

Deux semaines s'étaient écoulées, mais leur relation ne semblait pas vouloir s'améliorer.

— Tu n'imagines tout de même pas qu'ils seraient venus bénévolement ?

— Et toi non plus ?

— Tu as bien conscience qu'il y a quelques semaines encore tu aurais été l'un d'entre nous, et que tu aurais passé ton temps à consulter ta montre ?

Oui, elle en avait bien conscience, et elle n'avait pas encore trouvé sa place de l'autre côté de la barrière.

— Nous y gagnons tous les deux, répondit-elle. Le FPL y trouve de la main-d'œuvre, et Natale, une belle opération de cohésion de groupe.

C'est du moins ainsi qu'elle lui avait vendu cette journée passée autour d'un plan d'eau, à réhabiliter les lieux d'habitat naturel des loutres.

— Boire quelques pintes au pub est aussi une saine activité de cohésion de groupe.

— Mais là nous sommes dehors, en pleine nature, il fait beau et nous nous rendons utiles.

— Le travail qu'ils font au bureau est également utile, objecta-t-il.

— Utile aux actionnaires, rétorqua Izzy.

De l'autre côté du plan d'eau, un journaliste était en train d'interroger à la fois un représentant du FPL et un communicant de Natale. Pendant ce temps, un photographe immortalisait leurs efforts conjugués. Il ne s'agissait que d'un journal local, mais c'était un début à ne pas négliger.

— Je me serais attendue à ce que tu te charges toi-même de l'entretien avec la presse, que tu te mettes en avant.

— Non, j'ai mieux à faire.

— Tu te réserves pour la couverture du *Time Magazine* ?

— Je ne suis pas un grand aficionado des médias, déclara-t-il avec un regard perçant.

— Tsss… Harry… Ce n'est pas comme ça qu'on devient calife à la place du calife.

— Je pense qu'on peut tutoyer les sommets sans forcément se jeter en pâture aux médias.

— Tu me surprends. Je t'aurais cru enclin à chercher à capter l'attention des caméras.

A ses yeux, Harry était même taillé pour la communication. Quelque chose dans son comportement ne cadrait pas avec ce qu'on attendait de lui. Un homme de son acabit était fait pour vivre dans la lumière. Avait-il donc quelque chose à cacher ?

— Les médias peuvent devenir une véritable foire d'empoigne, fit-il valoir.

— Tu parles d'expérience ?

— Disons que j'ai beaucoup observé.

— Donc, tu ne te chargeras d'aucune opération de communication pour Natale Broadmore ?

— Dans l'idéal… non.

— C'est noté. Y a-t-il d'autres règles implicites dont je devrais avoir connaissance ?

— Je te dirai ça au fur et à mesure.

Elle faillit ajouter quelque chose, mais un bruit de succion se fit entendre derrière eux. C'était Alex, le frère de Poppy, qui venait à la rescousse.

— C'est quoi, la suite du programme ? demanda-t-il.

Traduction : « Tu veux que je lui colle mon poing sur la figure ? »

Alex dévisagea Harry d'un œil expert.

— Harry, voici Alex, mon… colocataire.

— Encore un ? Mais ce n'est pas si petit, alors, cet appartement ?

— Assez petit pour qu'on entende clairement à travers les cloisons, expliqua Alex d'un air entendu.

Elle adorait Alex… la plupart du temps. Et puis c'était très pratique d'avoir un homme musclé, quand on vivait entre filles, dans leur quartier. Mais parfois il était un peu encombrant.

— Alex avait un peu de temps libre, il est passé nous aider. Merci, Alex.

— Je prends mes ordres du Q.G.

Harry eut un instant d'incompréhension.

— Le… Q.G. ?

— Ma sœur, Poppy.

— Ah oui, les sœurs…

— Vous en avez une ?

— Plusieurs, en fait.

C'était la première information vaguement personnelle qu'Izzy entendait à son sujet. Si l'on exceptait ses mensurations… impressionnantes.

— Plusieurs ! La vache, avec une, je suis déjà débordé…

— Ne m'en parlez pas !

Et en un tour de main, Harry venait de mettre Alex dans sa poche.

— On dirait que ta mission est remplie, soldat !

Il fallait qu'elle se débarrasse de lui avant que les deux hommes ne sympathisent excessivement.

— Confie-moi une autre mission, ou je vais tomber de sommeil.

— Eh bien… nous aurions besoin d'une cache pour

observer les animaux, dit-elle après avoir consulté sa liste. Tu crois pouvoir nous faire ça vite fait ?

— Pas de problème.

Puis il se tourna vers Harry.

— C'est un boulot pour deux, ça, non ?

« Non ! Non, non, non… », songea aussitôt Izzy.

C'était la pire idée au monde ! Harry allait tout savoir de sa vie sentimentale inexistante, de ses finances dans le rouge…

— Je suis certaine que Harry doit rester avec son équipe, non ? intervint-elle. C'est une journée de cohésion de groupe !

— Ils se débrouillent très bien sans que je les surveille, répliqua Harry. Je serai ravi de prendre un outil en main.

— Vous parlez comme quelqu'un qui l'a déjà fait ? demanda Alex.

— Oui, quand j'étais au pays.

— Ah… l'Australie… J'ai toujours voulu y aller…

Et c'est parti pour une belle histoire d'amitié virile…

Poppy allait passer un savon monumental à Alex en apprenant qu'il avait quitté son poste… à moins que sa mission n'ait été précisément d'en apprendre davantage au sujet de leur invité nocturne, auquel cas il avait mis dans le mille.

Harry suivit Alex le long du plan d'eau, ses fesses parfaitement moulées dans un jean ajusté. Il tourna la tête vers elle pour lui adresser un sourire plein de suffisance.

C'était très mauvais pour elle, tout ça… Elle planta sa fourche avec hargne dans la terre meuble, afin d'évacuer la rage qui montait en elle.

Et, chaque fois qu'elle plantait le métal dans les amas végétaux, elle s'imaginait que c'était dans le cœur de son amant d'une nuit.

Une demi-heure passée en compagnie d'Alex suffit à Harry pour avoir une assez bonne idée de la façon dont Izzy avait grandi, et dont cette enfance avait modelé la femme qu'elle était. Vu qu'il n'avait pas eu à insister beaucoup pour qu'Alex lui livre ces informations, il devait y avoir un petit complot derrière ces confessions.

— Vous l'aimez beaucoup, Izzy, n'est-ce pas ? demanda Harry.

— Oui. On dirait qu'une seule sœur ne me suffit pas.

Message reçu. Il la considérait donc comme sa sœur.

— Alors, il est inutile que je vous présente mes excuses pour quoi que ce soit, à son sujet ?

— Inutile.

Harry continua de clouer sa planche avec des coups réguliers.

— Quand j'étais ado, avoir des grandes sœurs me permettait d'aborder leurs copines.

— Izzy est… différente.

Oui, il en avait bien conscience. Et cela ne rendait leur aventure d'un soir que plus étrange.

Mais il ne regrettait rien, ce n'était pas son genre.

— Différente, et adulte, répondit-il.

— Ces trois-là se connaissent depuis toujours, expliqua Alex, mais oui, elle est adulte, répéta-t-elle avec un éclair de menace dans le regard.

Il venait d'établir un périmètre de sécurité : le territoire était délimité, et sa mission était remplie.

— Vous la connaissiez, à cette époque ? demanda Harry. Lorsqu'elles étaient adolescentes ?

— Elle venait souvent à la maison pendant les vacances, mais j'étais souvent ici et là. Elle était toujours dans l'ombre de Poppy.

Difficile d'imaginer une Izzy effacée et discrète. Dans son esprit, elle était une créature de lumière, le centre de toutes les attentions. Il l'imaginait très sollicitée. Et surtout il l'imaginait… nue… contre lui…

— Elle a bien changé, on dirait. Et pourquoi ne restait-elle pas chez elle, pendant les vacances ?

— Ça, vous allez devoir le lui demander vous-même.

Et voilà où commençait la loyauté inflexible du jeune homme envers Izzy. Il acceptait de parler pour elle, mais pas d'elle. Un parfait grand frère de substitution.

*
* *

— Vous vous débrouillez plutôt bien, avec vos mains, fit remarquer Alex, un peu plus tard, en le regardant s'affairer sur l'établi. Vous êtes sûr que votre truc, c'est le travail de bureau ?

— J'ai longtemps été interdit d'activités sportives après l'école. Alors, je me défoulais sur le bricolage…

Il venait de laisser échapper une information authentique sur son histoire personnelle.

Inacceptable.

— Vous étiez dans une école opposée à la pratique sportive ? Ou bien vos parents se montraient un peu trop protecteurs ?

S'ils avaient cherché à protéger quelque chose, ce n'était certainement pas lui mais ce qu'il représentait. Il était le premier garçon après trois filles. Weston Broadmore avait enfin un héritier. Harry était devenu un instrument, et ses sœurs étaient alors quantité négligeable. Du jour de sa naissance, Harry avait constitué le pivot de toute la stratégie familiale et rien ne devait lui arriver.

Il était donc impensable que l'héritier des Broadmore se brise le cou en jouant au rugby ou qu'il tombe de son skate. Il lui était également interdit de conduire autre chose que l'énorme 4x4 qu'il avait reçu pour ses dix-sept ans. L'image que ce véhicule renvoyait de lui était détestable, mais il avait dû accepter cette concession pour être libre d'aller et venir. C'était une sorte de miracle que son père l'ait autorisé à travailler le bois, dans l'atelier mis à disposition par son école. A moins qu'il n'ait estimé que, même avec quelques doigts en moins, il serait toujours capable de signer des documents administratifs…

— Oui, un peu trop protecteurs, affirma Harry.

Alex acquiesça en grognant. Parfois, entre hommes, un bon grognement valait tous les discours. C'était sans doute cette complicité masculine immédiate qui l'avait incité à laisser filtrer cette information. Il retrouvait avec Alex un esprit de saine camaraderie, comme en Australie.

Un peu plus loin, Izzy maniait sa fourche avec la même énergie qu'elle mettait en toutes choses.

— C'est vraiment une sacrée perfectionniste, murmura Harry pour lui-même.

— Ouais, répondit simplement Alex.

Décidément, Harry aimait bien ce type, qui se contentait de dire l'essentiel.

— Je crois que nous avons terminé, estima Harry un peu plus tard, en reposant ses outils sur le plancher flambant neuf de la petite cabane.

Il resterait à monter les murs, mais le plancher ne bougerait pas avant longtemps.

— Je vais retourner voir mon équipe, ajouta-t-il.

— Je vais rentrer faire une petite sieste, annonça Alex en reposant ses gants dans la caisse pleine d'outils.

— Mais on est en plein milieu de l'après-midi…

— J'ai une nuit blanche derrière moi.

— Qu'est-ce qui vous a tenu éveillé ?

— Ce que je sais faire de mieux, expliqua-t-il en riant.

Oui, décidément, Alex était vraiment le genre d'homme qu'il aimait fréquenter.

— Au plaisir, Alex.

C'était une formule de politesse. Etant donné le contexte, Izzy ferait sans doute son possible pour qu'ils ne se revoient jamais. Dommage, Alex aurait pu devenir un ami…

Harry consulta sa montre et jeta un regard à son équipe. La moitié d'entre eux bayaient aux corneilles quand les autres trimaient comme des forçats. C'était la même chose au bureau. Il passa près d'Izzy. Son front luisait de sueur et elle avait pris des couleurs. Cette vision le fit frissonner de plaisir.

— Je vais leur dire de rentrer, lui expliqua-t-il. Merci pour cette belle opportunité.

Merci de m'avoir permis de m'extraire du bureau.

De m'avoir mis un marteau entre les mains.

De m'avoir permis de rencontrer un type qui m'a donné le mal du pays par sa chaleur humaine.

Il tourna les talons sans attendre sa réponse, mais elle le héla en progressant dans la boue derrière lui.

— Harry ! Tu crois que tu pourrais faire accélérer les choses, en ce qui concerne mes indemnités de licenciement ? demanda-t-elle, hors d'haleine.

Il vit à son expression qu'elle n'aimait pas quémander ainsi ce qui lui revenait de droit, et il comprit, par la même occasion, que Rifkin n'avait pas fait le nécessaire. Sans doute traînait-il volontairement des pieds par pur esprit de vengeance.

— Elle aurait dû t'être versée il y a déjà plusieurs semaines. J'ai autorisé le virement le lendemain de ton départ.

— Eh bien, manifestement, quelqu'un bloque le dossier, car je n'ai rien touché.

— C'est n'importe quoi !

— Non, je t'assure que c'est vrai !

— Je me suis mal fait comprendre : c'est n'importe quoi que tu n'aies rien reçu. Et ça donne une très mauvaise image de l'entreprise. On donne l'impression de tout mettre en œuvre pour te retenir. Comme si tu pouvais encore changer d'avis…

Son regard se fixa malgré lui sur les lèvres d'Izzy. Il se reprit aussitôt, mais cela n'échappa nullement à la jeune femme.

— Ce n'est pas mon intention.

— J'en ai bien conscience. C'est notre DRH qui est dans le déni. Je vais faire le nécessaire.

— Merci.

— Je t'en prie, c'est la moindre des choses. Est-ce que tu veux… je peux te dépanner, si tu…, commença-t-il en sortant son portefeuille.

— Non, merci, déclara-t-elle en se redressant. Je n'ai pas besoin que tu me fasses la charité, juste que tu fasses ton travail.

Pour une fois qu'il avait un geste purement désintéressé, c'était la douche froide.

— Alors, on se voit vendredi.

— Ah bon ? comment ça ?

— J'imagine que tu seras à la grande soirée Titan, pour élargir ton réseau, non ?

— Euh… oui, oui… bien sûr. On se verra là-bas.

6.

A une époque pas si éloignée, Izzy aurait préparé une soirée de ce genre pendant des semaines. Elle aurait acheté une robe pour l'occasion, serait passée chez le coiffeur, elle aurait travaillé son maquillage, se serait fait une pédicure et une manucure. Elle aurait passé deux heures par jour au solarium pendant une semaine afin d'avoir le teint parfait.

Elle aurait fait tout cela non par narcissisme mais pour le plaisir du rituel.

Mais cette fois, pas de chichi. Elle n'avait pas d'argent à dépenser dans ces futilités, et elle n'y allait pas pour faire étalage de ses charmes. En réalité, se montrer trop à son avantage, dans ce genre d'événement, pouvait se révéler contre-productif pour la mission qu'elle s'était fixée : un agent immobilier ne faisait pas visiter une maison en arrivant en Ferrari. Pas question de donner l'impression qu'elle jetait l'argent par les fenêtres.

Il fallait impressionner sans fanfaronner. Tisser son réseau, mais ne pas forcer la main.

Elle en était là de ses réflexions, lorsqu'elle le vit. *Lui.* Il portait un magnifique costume et fendait la foule dans sa direction.

— Izzy, tu es à croquer.

Venant de quelqu'un d'autre, elle aurait mal pris la remarque, mais Harry était parfaitement capable de se montrer à la fois sincère et provocateur.

— Bonjour, Harry, répondit-elle d'une voix qu'elle découvrit haletante.

C'était ridicule de laisser son cœur s'emballer de cette façon chaque fois qu'elle le voyait ! Ils n'avaient couché ensemble qu'une seule fois… Deux fois, plus précisément, mais dans la même nuit. Certes, cette nuit avait changé beaucoup de choses entre eux, mais c'était désormais du passé, comme sa carrière à Broadmore Natale. Néanmoins, elle ne parvenait pas à se sortir de l'esprit le visage de Harry dans l'extase de la jouissance…

— Tu fixes étrangement mon costume, fit-il remarquer. Tu veux le toucher ?

— Non, répondit-elle en rougissant.

— Dommage.

— C'est un Brioni, non ?

— Je pense que tout homme devrait avoir un costume de qualité dans sa garde-robe. C'est ce qu'on dit, non ?

Elle s'absorba dans la contemplation de ses épaules. Ces mêmes épaules qu'elle avait griffées dans la chaleur de la passion.

— Pardon, tu disais ? demanda-t-elle.

— Je disais que plus tôt nous en aurons terminé ici, mieux ce sera, expliqua-t-il en embrassant du regard, avec un manque d'intérêt flagrant, la foule de convives influents.

— Je ne partage pas ton opinion. J'ai payé mon entrée une petite fortune, et j'ai l'intention de faire fructifier cet investissement.

— Je peux te faire une suggestion ?

Qu'allait-il lui demander en échange ?

— Je peux t'en empêcher ?

Il lui sourit avec chaleur et sembla vraiment la voir pour la première fois de la soirée.

— Ne va pas à la pêche à l'argent.

— Comment ça ?

— Tu veux un retour sur investissement ? La moitié de ces gens sont des portefeuilles sur pattes. L'autre moitié cherche à leur soutirer de l'argent. Tu vas devoir lutter bec et ongles pour obtenir la moindre poignée de main. Je te suggère de tisser simplement ton réseau sans rien demander. Dis-moi, Izzy… Tu prends une commission de combien ? Cinquante pour-cent ?

— Vingt.

C'était plus cher que le cours de ce genre de prestation, mais ni elle ni le FPL n'en avaient la moindre idée, lorsqu'ils avaient conclu leur collaboration.

— Vingt pour-cent de 50000… Ce n'est pas énorme. Il va te falloir de nouveaux clients.

— A moins que je ne trouve de nouveaux mécènes pour mon client actuel ?

— J'ai une meilleure idée : tu restes dans mon sillage, ce soir.

Une alarme résonna dans un coin de son esprit.

— Et en quoi est-ce une bonne idée ?

— Ils auront l'impression de pouvoir me soutirer quelque chose, alors que c'est toi qui le leur soutireras. On gagnera du temps. De cette façon, tu ne seras perçue comme une menace par aucun des convives.

Il avait raison, de toute évidence.

— Tu proposes de jouer les appâts ?

C'était une opportunité fantastique, pour elle qui s'était imaginé collectionner simplement les cartes de visite.

— Oui. Et c'est sans compter l'impact psychologique que cela aura sur eux. C'est eux qui voudront te serrer la main, pas l'inverse. Cela change l'image qu'ils auront de toi.

Harry n'avait pas atteint ce poste par chance ou à force de charme, songea-t-elle alors. De toute évidence, il connaissait sur le bout des doigts sa partition.

— C'est une excellente idée, et je suis vexée de ne pas l'avoir eue à ta place.

— Tu aurais fini par y penser, une fois plongée dans ce bal de requins. Je te fais juste gagner du temps.

Elle allait être à son bras. Cette idée fit resurgir, encore une fois, des souvenirs inopportuns qui lui échauffèrent le ventre.

— Alors, qu'en dis-tu, Iz ? Tu acceptes de me supporter le temps d'une soirée ?

Iz…

Au son de cette syllabe, elle fut de nouveau au lit avec lui. Elle l'entendit lui murmurer ce diminutif au creux de l'oreille, tandis que son sexe allait et venait délicieusement en elle…

Elle tâcha d'oublier qu'elle avait été nue dans ses bras. Cela créa entre eux une étrange forme d'intimité qu'elle savoura pleinement, sans rien en laisser paraître.

— Nous ne ferons rien de plus que parler à ces gens, j'imagine, répondit-elle. Donc, oui. J'en suis capable.

Harry lui prit le bras en riant.

— Allons-y, dit-il, utilise-moi autant que tu voudras.

Ils se dirigèrent alors vers leurs proies souriantes.

— Tu peux même abuser de moi si tu veux, ajouta-t-il à son oreille.

Izzy toussota en avalant une gorgée de champagne.

Harry lui faisait un peu perdre ses moyens. Parce qu'il était l'homme le plus séduisant de toutes ses conquêtes, parce qu'entre ses bras elle s'était sentie belle, désirable, unique au monde ?

Valorisée.

Digne.

Elle s'était sentie son égale.

Pendant ces moments hors du temps, il avait presque entrevu la véritable Izzy, pleine de doutes et de faiblesses. Et pourtant il avait voulu d'elle. A cause de cela, peut-être…

— Merci, Harry, lui glissa-t-elle avant qu'ils ne soient à portée de voix des autres convives. C'est très gentil de ta part, ajouta-t-elle en refrénant l'envie de caresser son menton, orné d'un bouc parfaitement taillé.

— Je t'en prie. J'y trouve aussi mon intérêt. Je m'assure que Broadmore demeurera ton unique mécène.

Evidemment…

Elle s'était leurrée. Ils ne partageaient rien du tout. Harry protégeait les intérêts de l'entreprise, rien de plus. A quoi s'était-elle attendue, au juste ?

Elle se concentra donc sur sa tâche, malgré le désir torturant de toucher son compagnon.

Il y avait quelque chose d'étrangement agréable à arpenter ainsi la salle avec Izzy à son bras. Il s'était pourtant déjà livré à cet exercice des centaines de fois avec d'autres femmes, mais elles avaient toujours attendu quelque chose de lui. Même avec les meilleures intentions du monde, elles avaient toutes fini par prendre la mesure de ce que la fortune des Broadmore pouvait leur apporter.

Izzy était différente. Tout ce qui l'intéressait, c'était de profiter de son aide pour une cause désintéressée. Grâce à elle, la soirée fut infiniment moins pesante. En devenant le centre d'attraction, elle allégeait la pression qui s'exerçait d'ordinaire sur ses épaules.

Harry fut stupéfait par les qualités humaines qu'elle déploya. Elle possédait un don unique pour mettre en valeur ceux qui étaient le moins à l'aise, et pour apporter un peu de détente et de fraîcheur aux personnes les plus influentes et les plus courtisées. Elle posait les bonnes questions, offrant à chacun l'occasion de briller, malgré une garde-robe modeste et un manque d'habitude flagrant de ce genre de mondanités.

Elle les éclairait sous leur meilleur jour.

Sans rien demander en retour.

Et ce n'étaient même pas de futurs clients ! Non, elle les aidait par pure gentillesse, car elle savait se mettre à leur place. Elle oubliait pour un temps la compétition.

Harry ne possédait pas un cœur aussi grand. Depuis qu'il était à Londres, il avait l'impression de mentir en permanence, et à tout le monde. Que penseraient ces gens, lorsqu'ils apprendraient la vérité à son sujet ? Ils se sentiraient trahis, ridicules de s'être fiés à lui…

Il contempla le visage resplendissant d'Izzy, et son cœur se serra à l'idée de la colère qui s'y peindrait le jour où elle saurait la vérité.

— C'est certain, cela demande un peu de temps pour s'y habituer. Ce n'est pas évident de rester seule et de se nourrir exclusivement de fruits et de poisson.

Leur interlocutrice leur exposait son projet de purification de l'eau sur une île isolée, et Harry fit un effort pour faire semblant de s'y intéresser.

— Mais après quelques semaines passées ici, au milieu de la civilisation, je ressens le besoin de repartir.

Il y avait de la passion dans le regard de cette femme. Une

passion dévorante, une énergie inépuisable qui lui permettait de venir jusqu'ici et de serrer les dents pour grappiller un peu d'argent au service de sa cause. Harry admirait ces gens et, tel un vampire, il se nourrissait de cette énergie.

Il avait connu cela, à une époque de sa vie. Il avait été un homme passionné.

Lorsque leur interlocutrice disparut finalement dans la foule, il se rendit compte qu'il avait manqué la moitié de la conversation, trop occupé à humer le parfum d'Izzy, à savourer le moindre frôlement imprévu de son corps, à se remémorer leur unique nuit d'amour.

Avec elle, il redevenait l'adolescent ardent qu'il avait été.

Ils se dirigèrent vers le bar, et il songea qu'en Australie il n'aurait pas eu à faire la queue. On l'aurait servi sur un plateau et les cartes de visite auraient afflué sans qu'il fasse le moindre effort.

Ce petit plaisir de l'anonymat n'avait pas de prix.

— Je ne m'étais pas attendue à me sentir aussi insignifiante…, fit remarquer Izzy. Ces gens sont si dévoués à leur cause ! C'est difficile de rivaliser.

Comment pouvait-elle dire une chose pareille, après s'être montrée aussi brillante ? Harry, quant à lui, avait été frappé par l'absence à peu près totale de rapports humains. Tous n'avaient vu en lui qu'un porteur de chéquier. S'il avait demandé à chaque convive de quelle couleur étaient ses yeux, combien auraient été capables de répondre à la question ? Ces gens n'étaient pas mauvais pour autant : c'était l'argent qui possédait le pouvoir étrange de déshumaniser même les plus vertueux, de les rendre aveugles aux autres.

Seule Izzy semblait capable de percer ce brouillard, et chaque personne avec qui elle s'était entretenue serait certainement capable de se souvenir de la couleur de son rouge à lèvres.

« Car elle ne traîne pas une fortune derrière elle », murmura une petite voix dans l'esprit de Harry.

— Tu as un véritable don pour l'empathie, fit-il remarquer. J'ai bien remarqué la façon dont tu as épaulé certains d'entre eux, ce soir.

— Tout le monde n'est pas aussi doué que toi pour évoluer

dans ces sphères… Ils avaient juste besoin d'un petit coup de pouce.

— Eh bien, tu es très douée pour ça.

Izzy fit apparemment de son mieux pour ne pas rougir. Avait-il été si avare en compliments, lorsqu'elle travaillait sous ses ordres ?

— Disons qu'il m'arrive d'avoir mes bons moments, répliqua-t-elle. Mais ce que font ces gens est tellement important ! Qu'est-ce que j'ai fait de vraiment désintéressé, moi, cette semaine, à part demander au bus d'attendre une vieille dame ?

— Tu aurais fait une excellente chef scout.

Izzy pouffa.

— Sans doute, si mes parents avaient eu les moyens de me donner une éducation digne de ce nom…

Voilà, il était au pied du mur, à présent. Allait-il lui demander d'en dire plus ou pas ? Il avait l'occasion de lui demander de lui parler de ses passions, de l'école qu'elle avait fréquentée, de ses amis. C'était ainsi qu'on était censé mener une conversation, non ? Le problème, avec ce genre de conversation, c'est que venait immanquablement un moment où la réciprocité était de mise.

Il était coincé.

La logique voulait qu'après « parle-moi de ta famille », on en vienne à « et toi, parle-moi de la tienne ». Mais il ne pouvait ni lui répondre ni rester silencieux à ce sujet. Restait le mensonge.

— C'est la première fois que tu me parles de tes parents, dit-il.

La machine était lancée malgré lui, et il allait être contraint de suivre cette route, à présent.

— Quand aurais-je pu t'en parler ? répondit-elle en le défiant du regard. Pendant que je venais te réclamer de l'argent pour le Fonds de protection des loutres ou pendant que nous faisions l'amour ?

Diable ! Il ne s'était pas attendu à une réponse aussi cinglante. Voilà qui attisait sa curiosité.

— On dirait que le sujet est sensible.

— Non, répondit-elle trop vite.

— On dirait que tu ne m'es plus aussi reconnaissante, d'un seul coup, de t'avoir amenée à cette soirée.

Note mentale : la prochaine fois que je traverse la moitié du globe pour être traité comme une personne normale, penser à traiter les gens correctement.

— Non… pas… pas du tout.

Son teint habituellement pâle s'empourpra, faisant ressortir quelques taches de rousseur.

— D'accord, je suis désolée, poursuivit-elle, mes mots ont dépassé ma pensée.

— Les parents sont rarement irréprochables.

— Non, ce n'est pas ça, mais c'est difficile à expliquer. Thom et Christine sont des gens… à part.

Une douleur manifestement ancienne et profonde se peignit sur son visage, et Harry en fut désolé pour elle. Il lui tendit la main pour la réconforter.

— Au jeu des parents les plus tordus, répliqua-t-il, je te préviens, tu risques de perdre contre moi !

Attention Harry, tu entres en terrain dangereux… On ne parle pas des Broadmore !

— Vraiment ?

— Je t'assure.

Izzy ne chercha pas à en savoir plus, malgré son intérêt évident. Elle se tourna vers le bar, et commanda du vin blanc pour elle et une bière pour lui. Frappée, juste comme il l'aimait.

L'ébauche de conversation venait d'avorter. Tant mieux, en un sens. Il prit sa bière en frôlant Izzy au passage, mais résista à la tentation de la toucher.

Ils observèrent la foule en sirotant leurs boissons, et Harry attendit le moment où elle reviendrait à la charge et lui demanderait en quoi ses parents étaient « tordus ».

Il attendit.

Attendit.

Izzy avait presque bu la moitié de son verre lorsqu'il brisa enfin le silence.

— Pourquoi appelles-tu tes parents par leur prénom ?

Elle le dévisagea pendant si longtemps qu'il en vint à se demander si elle finirait par répondre à sa question.

— C'était leur choix, afin qu'on soit sur un pied d'égalité. Comme des amis, loin des conventions sociales établies…

— Mais toi, tu voulais des parents, pas des amis, n'est-ce pas ?

Sa remarque sembla la blesser, et elle détourna les yeux.

— Comment les as-tu appelés, quand tu étais enfant ? demanda-t-il pour renouer le dialogue.

— En réalité, j'ai toujours tourné mes phrases de façon à ne pas les appeler du tout.

Il voyait très bien de quoi elle voulait parler. Certains jours, il avait fait de même pour éviter de devoir prononcer les mots « maman » et « papa ». Ces jours-là, il faisait tout son possible pour oublier qu'il existait un lien entre eux et lui. En grandissant, cet exercice s'était révélé de plus en plus facile.

— Je suppose que ce sont eux qui t'ont transmis le goût des teintes automnales.

— Le goût de quoi ?

— Bleu sarcelle et rouille, précisa-t-il en désignant sa robe d'un geste du menton. C'est très automnal, non ?

— Entre ton goût pour les costumes cintrés et tes remarques sur les couleurs que je porte… je vais finir par croire que tu t'es trompé de métier.

Il répondit à sa remarque par un haussement d'épaules.

— J'ai une sœur qui travaille dans la haute couture. J'arrive même à deviner la forme du patron utilisée pour ta robe, expliqua-t-il en effleurant le tissu.

Izzy le fixa avec des yeux ronds. Etait-ce parce que son aveu l'avait prise de court, ou bien ce frôlement l'avait-il troublée, elle aussi ?

— Parle-moi un peu d'eux, de ta famille…, dit-elle alors.

Aïe, nous y voilà…

Il se referma comme une huître, et sa réaction n'échappa nullement à Izzy. Mais, au lieu d'insister ou de laisser la gêne s'installer entre eux, elle opta pour l'humour afin de leur offrir une sortie honorable.

— D'accord, tu m'as eue, je voulais juste te faire parler pour profiter de ton accent…

Toute sa vie durant, il n'avait été qu'un nom sur une carte de visite, avant d'être une personne. Que ce soit auprès de ses amis, de sa famille, de ses collègues. Même ses réussites universitaires n'avaient servi qu'à faire croître davantage le prestige des Broadmore, plutôt que d'être portés à son crédit.

Depuis qu'il était à Londres, et pour la première fois de son existence, il avait le droit d'être une personne normale. Un type comme un autre… qui pouvait avoir ce qu'il voulait s'il le désirait.

L'espace d'un instant, il s'était même imaginé pouvoir parler à Izzy de Mags, Carla et Katie sans trahir son identité, mais ç'aurait été bien trop dangereux ; il ne pouvait pas se le permettre.

Il pouvait coucher avec elle, mais il ne devait rien lui révéler. Ni à elle, ni à personne.

— Certaines personnes trouvent mon accent un peu rugueux, répondit-il pour alimenter la conversation.

— Moi, je trouve ça terriblement séduisant à entendre… et à s'entendre murmurer…

Avalant une longue gorgée de bière, il laissa la fraîcheur de l'alcool faire redescendre un peu sa température.

— Ce n'est pas toi qui parles, fit-il remarquer, c'est la chimie qui existe entre nous.

— Je croyais que nous l'avions exorcisée ?

— Certainement pas. C'est un phénomène complexe et durable. A moins que tu ne couches avec tous les Tom, John ou Harry que tu croises ?

— En fait, tu es mon premier Harry.

Un sentiment étrange envahit alors Harry, à l'idée qu'il puisse y avoir, ou qu'il y ait jamais eu, un autre homme dans sa vie.

Son ego était-il à ce point disproportionné qu'il envisage d'être son seul amant ? Elle avait connu d'autres hommes, c'était l'évidence même. Comment aurait-il pu en être autrement, d'ailleurs ? Izzy était une femme séduisante et mystérieuse, qui ne devait pas laisser insensibles beaucoup d'hommes.

Depuis qu'il avait couché avec elle, les autres femmes

lui paraissaient si fades… Peut-être devait-il lui en être reconnaissant : vu qu'il passait moins de temps en galante compagnie, cela lui permettait de travailler davantage.

La situation devenait périlleuse. Il ne pouvait pas se permettre de déraper une nouvelle fois sur le terrain de sa vie personnelle.

— Allez, il est temps de retourner au travail, la pause est finie ! décida-t-il.

7.

Izzy saisit la bouteille de champagne de l'autre main pour frapper à la porte.

Aucun des employés de Broadmore Natale travaillant en dessous du quatorzième étage n'avait les moyens de s'offrir un appartement comme celui de Harry, avec vue sur la Tamise.

La porte s'ouvrit avec un chuintement à peine audible.

— Izzy ? Salut…

L'apparition masculine qui se tenait devant elle lui coupa le souffle. Elle l'avait vu en costume italien, en jean, elle l'avait même vu entièrement nu, mais c'était la première fois qu'elle avait l'occasion de l'observer dans son habitat naturel.

Il portait le même jean que lors de leur sortie au bord de l'étang, mais il était cette fois pieds nus. Son T-shirt était taillé dans un coton naturel qui parvenait à la fois à être ample et moulant, et qui dessinait à merveille le contour de ses biceps et de ses pectoraux. Pour le reste, elle se fiait au souvenir de ses mains parcourant sa peau nue.

Comment pouvait-on être encore plus attirant vêtu qu'entièrement nu ? Cela défiait toute logique !

— Izzy ?

Bon sang… Depuis combien de temps se tenait-elle ainsi devant lui, la bouche ouverte ?

— Harry… Salut !

Merveilleux, comme entrée en matière…

« Allons, se dit-elle, il faut connecter quelques synapses, ma vieille ! »

— Merci de m'avoir autorisée à monter te voir. Ton service de sécurité est plutôt… impressionnant.

— Ils prennent leur travail très au sérieux. Qu'est-ce qu'on fête ? demanda-t-il lorsque son regard tomba sur la bouteille de champagne.

— C'est un cadeau… pour toi, ajouta-t-elle de façon parfaitement inutile.

— Entre, je t'en prie.

Il fit un pas de côté et elle eut un aperçu du vaste appartement. Impressionnant. C'était luxueux sans être tape-à-l'œil, sobre et élégant.

— Ooh… C'est une sacrée vue sur la ville que tu as là !

— C'est l'une des deux seules choses que j'aime dans ce bâtiment.

— Pourquoi l'avoir choisi, si tu ne l'aimes pas ?

— Ce n'est pas moi qui ai décidé, répondit-il, mystérieux.

Peut-être l'une des femmes de sa vie avait-elle décidé pour lui… Aucune trace de présence féminine, cependant. L'idée qu'il puisse avoir une petite amie ne faisait que renforcer sa mauvaise conscience d'avoir couché avec lui quelques semaines plus tôt.

Le fait qu'il ait prétendu être célibataire n'avait sans doute aucune valeur.

— Ça doit coûter une fortune, non ?

Même avec son salaire de cadre supérieur.

— Je déteste les transports en commun, répliqua-t-il en guise de justification. Les bus en particulier.

— On n'est pourtant pas tout près du bureau. Tu n'as rien trouvé qui soit davantage à ton goût, de l'autre côté de la ville ?

— J'ai… obtenu cet appartement à un bon prix grâce à des amis de la famille.

— Avec le métro juste à ta porte. Pratique.

— Je l'emprunte rarement.

Elle ne l'avait jamais vu arriver ou partir du bureau autrement qu'à pied. Comment faisait-il donc, s'il ne prenait pas le métro ?

— Tu conduis ?

— Non, je ne passe pas par la route.

— Quoi ? Tu prends le ferry tous les jours ?

— Il est à deux pas de chez moi, et du bureau, ce serait dommage de m'en priver.

— Mais c'est un transport en commun, et tu viens de dire que…

— Je le prends, mais j'évite la foule.

Cela n'avait aucun sens. A moins que… ?

— Tu n'as pas un ferry privé, tout de même ?

— C'est une coutume typiquement britannique de venir chez quelqu'un avec une bouteille, et de critiquer son lieu de vie et son moyen de transport ?

Il avait raison. Qui était-elle pour critiquer la façon dont il dépensait son argent ? Ce n'était pas lui qui avait seize chapeaux différents dans sa garde-robe !

— Je dis juste que tu perds un peu de l'atmosphère londonienne en ne prenant pas le métro, répliqua-t-elle, ou le bus, ou le taxi. Tout le monde le fait.

Voilà qu'elle se mettait à parler comme un guide touristique, à présent…

Harry fronça les sourcils, comme s'il cherchait à comprendre où elle voulait en venir.

— Je n'ai jamais dit que je ne prenais pas le métro. Je ne l'utilise pas pour me rendre au travail, voilà tout…

Son regard se porta vers la bouteille qu'elle refusait de lâcher.

— Un cadeau, tu disais ?

Bon sang… depuis qu'elle avait posé un pied chez lui, elle n'avait fait que collectionner les bourdes.

— Oui, je tiens vraiment à te remercier, dit-elle en lui tendant enfin la bouteille, douloureusement consciente du ridicule de sa situation, après le tir de barrage qu'elle venait de lui faire subir.

Il consulta l'étiquette.

— Oh ! Un Taittinger ! Sacré remerciement… En quel honneur ?

— Pour te remercier de la soirée de vendredi dernier. Les portes que tu m'as ouvertes m'ont menée à des clients. Quatre, exactement. J'ai un an de travail assuré devant moi.

— Tu y serais parvenue sans moi, je n'ai fait qu'accélérer les choses.

— Peu importe, je t'en suis reconnaissante… C'était très généreux de ta part.

Et il continuait à se montrer généreux en faisant semblant de s'extasier sur un champagne de milieu de gamme, mais c'était ce qu'elle avait trouvé de mieux, en urgence, dans les boutiques de Notting Hill.

Il se dirigea vers la cuisine et y prit deux flûtes. Il logea la bouteille dans un congélateur express qu'elle lui envia immédiatement.

— C'était un acte de pur égoïsme, répondit-il. Grâce à toi, cette soirée a été tolérable. C'est moi qui devrais t'offrir du champagne.

— Je suis certaine que tu te serais très bien débrouillé tout seul.

— Je nage aussi très bien tout seul… Ça ne signifie pas que cela me soit venu naturellement. J'ai travaillé, pour parvenir à meubler les conversations, dans ce genre d'événement.

L'occasion d'entrouvrir le livre clos des secrets de Harry Mitchell était trop belle. Elle s'engouffra dans la brèche.

— Tu te rends souvent à ce genre de pince-fesses ?

— C'est l'avantage d'avoir un carnet d'adresses bien garni, expliqua-t-il en remplissant leurs coupes. Les femmes de mon entourage sont toujours invitées à ce genre de fête. Comme le buffet est gratuit, je ne me fais pas prier.

Voilà ce qui se passait, quand on dépensait tout son argent dans un appartement luxueux et des modes de transport pour le moins étranges.

— Je suis étonnée que tu ne sois pas déjà pris ce soir, si ton carnet de bal est si rempli, lança-t-elle avec toute la désinvolture dont elle était capable.

Son carnet de bal… Le sien, en revanche, était désespérément vide.

— Qui te dit que ce n'est pas le cas ?

Izzy fut saisie par un frisson glacé.

— Oh ! Je… j'ai pensé que le second verre…

— Tu as pensé que c'était pour toi.

Elle descendit de son tabouret, rouge de honte, et chercha

du regard la déesse qui ne tarderait sans doute pas à émerger de la chambre à coucher, à demi nue.

— Oh, mon Dieu, je suis désolée…

Il l'intercepta à l'entrée de la cuisine en la saisissant par le poignet, avant de la faire pivoter. Izzy laissa ses cheveux couvrir — elle l'espérait, du moins — la rougeur de ses joues.

— Détends-toi, Izzy, je plaisante ! Ce verre est pour toi, évidemment. Tu ressemblais tellement au petit chaperon rouge, sur ton tabouret… Je n'ai pas résisté à l'envie de jouer les grands méchants loups.

Elle prit la coupe qu'il lui tendait et se tourna une nouvelle fois vers la baie vitrée et la vue magnifique qui s'offrait.

— Quatre nouveaux clients ? s'enquit-il en s'approchant d'elle. Est-ce que cela signifie que Broadmore va maintenant devoir te partager avec d'autres ?

Izzy prit deux grandes inspirations avant de lui répondre.

— Ça ne fera aucune différence. Au pire, cela nous ouvrira de nouveaux horizons de coopération.

— Broadmore n'est pas une entreprise très partageuse, murmura-t-il derrière sa nuque.

Elle avait vécu cette réalité de l'intérieur. Les managers de cette entreprise aimaient être au sommet, en compagnie de l'élite, là ou l'air était plus pur et plus rare.

— C'est peut-être l'occasion d'apprendre à jouer plus collectif ? hasarda-t-elle.

— Bonne chance, si tu veux faire changer les mentalités, soupira-t-il avant de poser ses lèvres contre sa coupe de champagne.

Ses lèvres… si douées pour embrasser, pour suçoter, pour happer… Certains hommes avaient des bouches pulpeuses, d'autres les utilisaient avec talent. Harry combinait toutes ces qualités.

— Le champagne est à ton goût, Izzy ? Tes pupilles ont doublé de volume…

— Oui, il…

— Tu repensais à notre nuit ensemble, n'est-ce pas ?

— Non !

— Réponse trop rapide, ma chérie, ce n'est pas crédible.

— Non, j'admirais la vue.

— Tu es excitée par les hauteurs ? Alors, il vaut mieux éviter de visiter la grande roue, car tu risquerais de perdre le contrôle de tes actes.

— Je ne suis pas excitée.

— Tu es pourtant aussi brûlante qu'un volcan, après une seule coupe de champagne… Quand je te disais qu'il y avait une certaine alchimie entre nous !

— Désolée de te décevoir, mais je ne suis pas esclave de la biologie.

— Alors pourquoi as-tu autant de mal à respirer ?

— Je n'ai aucun mal à…, s'emporta-t-elle avant d'être interrompue.

— Je t'en prie, ta poitrine se soulève par à-coups. On dirait une héroïne de film d'épouvante.

Poitrine. Pourquoi avait-il prononcé ce mot ? Elle repensa aussitôt à sa bouche contre ses seins, à la façon qu'il avait eue de les…

— Bon, d'accord, répondit-elle après un silence, admettons qu'il existe une certaine « chimie » entre nous !

Harry la fixa longuement.

— Je crois qu'une seule fois, cela ne nous a pas suffi.

— Au contraire, c'était amplement suffisant. Nous avons désormais une relation de travail.

— Tu ne crois pas qu'on puisse concilier les deux ?

— Non, c'est antinomique.

— Peut-être que tu n'as jamais trouvé la bonne personne avec qui entamer ce genre de relation ?

Ou peut-être n'en avait-elle jamais eu l'occasion, tout simplement… En revanche, elle avait entendu pas mal de ses amis raconter leurs déboires, une fois franchie la ligne rouge des coucheries au bureau.

— Harry Mitchell, es-tu en train d'avouer que tu couches avec toutes les femmes de ton équipe ?

— Ça te plairait, avoue-le ! Ça rendrait cette tension entre nous plus « convenable », non ? Cela en ferait presque quelque chose d'anodin ?

Non, elle ne le suivrait pas sur ce terrain.

— La seule réaction chimique qui existe entre nous, ce sont les bulles dans ce verre, déclara-t-elle, à cours de repartie.

C'était un peu rude de sa part, mais c'était la seule idée qu'elle avait trouvée pour éteindre l'incendie qui semblait se propager dans leur corps.

— Tu en es certaine ? insista-t-il en se rapprochant légèrement.

Il lui prit doucement la coupe de champagne des mains et la posa sur la table, avec la sienne.

— Ose me dire que ton sang ne bouillonne pas dans tes veines…

— Techniquement, si mon sang arrivait à ébullition…

Mais elle perdit le fil de ses pensées et ne termina pas sa phrase.

— Tu vois que la biologie t'intéresse. Si on creusait un peu le sujet, toi et moi ?

— Euh…

Il n'attendit pas sa permission pour lui prendre la main et humer l'odeur de son poignet, de son coude, de son épaule. Il remonta ainsi lentement, perçant ses défenses en douceur, pénétrant son espace intime sans en avoir l'air et sans la quitter des yeux.

— J'ai besoin de plus de preuves de notre alchimie… Ce que j'ai senti, ce n'est peut-être que ton parfum.

Il entreprit donc de humer d'autres zones de son anatomie, se faufilant dans son cou, sous son menton. Son sang devint semblable à du feu liquide, mais elle parvint à n'en rien laisser paraître. Il lui saisit alors les cheveux et fit basculer sa tête en arrière, mais ne l'embrassa pas.

Pas encore.

— Nous serions plus à l'aise sur le canapé pour poursuivre cette exploration, non ?

— Il y a un canapé, ici ?

— Oui, et il est très confortable, et plus grand que ton lit.

— Je n'ai pas l'intention de faire l'amour avec toi, protesta-t-elle sans conviction.

— Vraiment ? Et ça t'ennuie, si moi je te fais l'amour ?

Il n'attendit pas sa réponse pour la prendre dans ses bras et la porter jusqu'au canapé. La gravité fit le reste, et ils basculèrent tous les deux au creux des coussins moelleux. Les premiers baisers furent comme ceux de leur toute première fois, mais plus chauds, plus passionnés, plus assurés, car chacun savait ce qu'aimait l'autre, cette fois. La tension accumulée pendant ces semaines se déversa de leur bouche. Il la dévora, il fit littéralement le siège de son corps.

Izzy perdit toute volonté propre à mesure qu'elle sentait sa robe remonter le long de ses cuisses, à la faveur de leurs mouvements passionnés. Harry entreprit d'embrasser son cou, sa poitrine, et son ventre encore vêtus. Elle le prit alors par les cheveux pour l'arrêter.

Il leva vers elle des yeux brûlants.

— Tu as dit que tu ne voulais pas de sexe, alors j'improvise.

— Ce que tu es... en train de faire, c'est... très proche...

— Question de vocabulaire.

Elle le laissa retrousser sa robe, puis lui ôter sa culotte, qui vint s'entortiller autour de sa cheville. Des profondeurs de l'ivresse sensuelle qui l'habitait, elle envisagea vaguement de se laisser glisser à terre et de s'éloigner suffisamment de lui pour parvenir à former une pensée cohérente, mais sa bouche revint à l'assaut, et elle se contenta de savourer ses caresses. Là où les autres hommes s'arrêtaient, estimant s'être acquittés des préliminaires, Harry ne faisait que commencer.

Il intensifia ses mouvements de bouche, de langue, sur elle, en elle.

— Oh... c'est délicieux..., soupira-t-elle dans un râle.

Son bouc venait délicieusement frotter contre la zone la plus intime de son corps, et elle s'abandonna, souverainement excitée à l'idée de se livrer à un acte aussi intime face à une baie vitrée. Peut-être quelqu'un, de l'autre côté de la Tamise, les observait-il au télescope à cet instant précis.

C'était si bon, si...

Harry fit passer ses jambes sur ses épaules et, alors qu'elle pensait avoir expérimenté les plus intenses des caresses, il trouva de nouvelles façons de la combler.

Les gémissements d'Izzy se muèrent alors en halètements, puis en petits cris inarticulés. Elle le tint prisonnier entre ses cuisses, mais, bientôt, ses doigts rejoignirent le ballet de ses lèvres et de sa langue.

Elle secoua la tête en tous sens, sans plus chercher à comprendre ce qu'il faisait, et atteignit l'orgasme avec une brutale intensité.

Il ne s'agissait pas de préliminaires, car il n'y avait aucune réciprocité. Harry n'avait même pas quitté son pantalon. Il lui avait simplement offert la jouissance.

Elle observa son visage à travers ses paupières mi-closes.

— Cela m'a manqué, de ne pas pouvoir faire ça, la dernière fois, dit-il.

Il caressa son sein toujours chastement couvert par le tissu de sa robe.

— Alors tu t'es dit qu'il fallait ajouter ça à la liste de nos exploits ?

— L'occasion s'est présentée, je l'ai saisie.

— Quelle occasion ?

— Toi. Ici. Avec moi.

— Et avec du champagne ?

— Et avec du champagne.

— C'était donc une sorte de défi que tu t'es fixé à toi-même ?

— Non, c'était ma façon de te présenter des excuses, expliqua-t-il en se redressant sur un coude.

— Comment ça ? Des excuses pour quoi ?

— Pour la dernière fois.

— Tu veux t'excuser d'avoir couché avec moi ?

— Non, je m'en veux d'être allé trop vite, de ne pas avoir suffisamment pris mon temps. Je peux faire mieux.

Izzy s'esclaffa.

— Tu crois que je mets des notes ou quoi ?

— Toutes les femmes le font, et elles en parlent entre elles.

— Oh ! Monsieur a peur pour sa réputation !

Elle devait bien admettre, cependant, que la première chose qu'elle ferait en rentrant serait de tout raconter à Poppy.

— Non, je prends soin de toi, répliqua-t-il. La dernière fois, je n'ai pas été à la hauteur.

Prendre soin d'elle…

La dernière fois que quelqu'un avait pris soin d'elle, c'était… Ce n'était jamais arrivé.

— C'est faux, tu as été parfait, et cette fois aussi.

— Simple coup de chances alors, car je n'étais pas au meilleur de ma forme.

Izzy se redressa pour lui faire face.

— Mais tu parles sérieusement, ma parole !

— Bien sûr, que je suis sérieux. D'habitude, avec les femmes, je ne suis jamais aussi…

— Tendu ? On dirait que tu te fais vraiment du souci au sujet de tes performances…

— C'est le cas.

— Rassure-toi, tu as été…

« Fantastique », pensa-t-elle, mais elle devait éviter de trop le flatter.

— Plus que bon, dit-elle finalement.

— La dernière fois, je me suis surtout concentré sur mon propre plaisir.

Et alors ? Tous les hommes étaient comme ça, non ? Et puis c'était supposé n'être qu'une aventure sans lendemain !

— Eh bien, considère que je suis une sorte de dommage collatéral… consentant.

Cette situation était surréaliste. Elle était allongée sur un canapé, la jupe retroussée jusqu'à la taille, sans culotte, et elle discutait des prouesses sexuelles de Harry Mitchell avec Harry Mitchell.

— Pourquoi est-ce que tu deviens si bizarre, brusquement ? demanda-t-elle alors.

— Je me suis fait une promesse.

— Ah, laquelle ?

— Je me suis juré de rectifier mes erreurs si j'en avais l'occasion.

Il venait de le faire, et avec quel talent !

— Un bouquet de fleurs aurait fait l'affaire, fit-elle remarquer.

— Sûrement pas.

— Y a-t-il d'autres choses que tu voudrais confesser, tant qu'on y est ?

— Non…

Elle bascula un peu pour s'asseoir correctement, avec l'aide de Harry.

— Bien. Maintenant que tu as… réparé tes torts…, commença-t-elle en faisant mine de se lever.

Mais il lui posa doucement la main sur l'épaule pour la forcer à rester assise.

— Que les choses soient claires, Izzy. Nous ne venons pas de refermer le livre… Au contraire, tout reste à écrire.

Izzy fut prise de court par la vague d'espoir insensé qui la submergea, et qu'elle réprima à grand-peine.

— Je te trouve bien sûr de toi.

— Quoi ? Ça ne t'a pas plu ?

« Sérieusement, Harry ? songea-t-elle. Fallait-il que je hurle, en plus de gémir et de haleter ? »

— Nous avons fait l'amour trois fois, répondit-elle, mais pourtant nous ne sommes jamais sortis ensemble. Nous n'avons jamais vraiment discuté. Si ça se trouve, je vais découvrir que je ne t'apprécie pas.

Au moins son mensonge éhonté lui permit-elle de rassembler un peu de la dignité perdue sur ce canapé.

— Nous avons passé des heures ensemble, l'autre soir, fit-il remarquer.

— C'était pour le travail.

— Tu veux que je t'invite à dîner ?

Elle retira sa main de son épaule et se mit debout, malgré ses jambes encore tremblantes.

— C'est proposé si gentiment… Comment refuser ?

Il la retint une nouvelle fois avec douceur.

— D'accord, j'ai compris. C'est vrai que nous avons tout fait à l'envers. J'aurais dû t'inviter avant, mais je ne l'ai pas fait. Ça ne signifie pas que je n'en ai pas envie !

Il semblait sincère, le bougre…

— Tu veux dîner avec moi ?

— Je veux avoir l'occasion de mieux te connaître. Je veux qu'on reprenne les choses dans l'ordre, comme des gens normaux.

— Tu te souviens de ce que tu faisais, il y a environ trois minutes ?

Et se souvenait-il également de ce qu'il lui avait dit la première fois ? « Je ne cherche pas à entamer une relation. »

Etait-il en train de changer ses règles de vie pour elle ?

Son cœur s'emballa à cette idée.

— Oui, Iz, je m'en souviens parfaitement. Est-ce que tu es libre ce soir ? demanda-t-il en remettant de l'ordre dans sa chevelure ébouriffée.

— Pour dîner ?

— Tu vas bien devoir manger à un moment…

— Oui, j'essaie de me nourrir au moins une fois par jour.

— Alors, qu'en dis-tu ?

Harry Mitchell était vraiment un homme à part. A la fois arrogant, énervant, séduisant, mystérieux… Un cocktail détonant et fascinant.

— D'accord.

— Super. Je prends ma veste et on y va. Tu aimes manger thaï ?

8.

Harry laissa sa fourchette de riz en suspens entre son assiette et sa bouche.

— Je ferais bien une plaisanterie, mais j'ai le sentiment que le moment est mal choisi.

— C'est le cas, confirma-t-elle en croquant dans son dernier rouleau de printemps. Je te parle de choses très sérieuses… Ma seule ambition, quand j'étais enfant, était de devenir adulte le plus vite possible.

— Pourquoi ça ? Qu'est-ce qui t'a donné ce genre d'idée ?

— Je ne voulais pas devenir médecin, avocat ou ingénieur. Je voulais seulement être assez âgée pour décider par moi-même, avoir un boulot et être indépendante. Pouvoir m'acheter mes propres vêtements si j'en avais envie. Avoir un frigo plein de nourriture qui ne soit pas périmée.

Elle s'était mise à pied d'œuvre dès qu'elle avait été en âge légal de le faire. Elle avait même nettoyé les cuisines graisseuses d'un établissement de restauration rapide. Ses parents l'avaient prise pour une folle en la voyant se démener ainsi pour trouver du travail, eux qui étaient au chômage depuis si longtemps. Mais elle avait bien vite constaté que, pour les autres familles, le chômage n'était pas un mode de vie, et elle était déterminée à être du côté de ceux qui mangent les hamburgers, pas du côté de ceux qui récurent les plaques de cuisson.

Harry fronça les sourcils.

— Est-ce que tu as quand même vécu de bons moments ? demanda-t-il.

— Bien sûr, plein ! J'ai fini par m'en sortir. Enfin, je crois…

Le froncement de sourcils s'accentua.

— Quoi ? demanda-t-elle.

— J'essaie de comprendre pourquoi il y a tant de colère dans ta voix, alors que tu sembles être en paix avec ton enfance.

Ce n'était pas de la colère, et cela n'avait rien à voir avec son enfance. C'était un sentiment beaucoup plus récent.

— On ne change pas le passé, déclara-t-elle.

Les paroles d'un vrai maître zen ! ajouta-t-elle en son for intérieur. Ce que Harry ignorait, c'était qu'il lui avait fallu des années pour en arriver là. Mais était-elle vraiment heureuse ?

— Echangerais-tu ton enfance contre une autre, si tu le pouvais ? demanda-t-il.

— L'enfant qu'on a été détermine l'adulte que nous sommes. Si on m'avait tout servi sur un plateau, j'aurais sûrement manqué d'esprit d'initiative.

Le froncement de sourcils se fit ride.

— Tu penses donc que l'argent détermine forcément l'individu que nous sommes ?

— J'imagine que ce n'est pas aussi simple mais, quand tu n'as jamais manqué de rien, pourquoi se casser la tête à faire des efforts ? Ça doit forcément avoir un impact sur la personnalité, non ? Tu n'es pas d'accord, on dirait…

— Les gens riches ont eux aussi des choses à prouver et des buts à atteindre, répondit-il.

— Du genre ?

Elle sentit qu'elle venait de le prendre au dépourvu, même s'il resta de marbre.

— Le bonheur, la plénitude, l'amour…

— Ce sont des choses importantes, convint-elle, mais ce sont des luxes, lorsqu'on cherche avant tout à donner à manger à sa famille.

— Pour ma part, j'estime que l'amour est un besoin primaire, au même titre que la nourriture ou la chaleur.

La sincérité de Harry, en cet instant, lui parut tout à fait inattendue.

— Tu as raison, mais on peut vivre sans amour…

On ne pouvait pas en dire autant de la nourriture, ou d'un toit pour l'hiver. Elle le savait d'expérience.

— Tu dis ça parce que tu n'as jamais manqué d'amour, rétorqua-t-il sans ciller.

La vieille honte qui s'agitait en elle depuis toujours revint affleurer à la surface. Il disait vrai : elle avait toujours été le centre de toutes les attentions, pour ses parents.

Et c'était précisément pour cela qu'elle avait tellement honte.

— Lorsque j'étais enfant, oui, c'est vrai, mais c'est du passé.

— Je suis désolé. Tu as perdu tes parents ?

Elle demeura silencieuse, tout en froissant machinalement sa serviette. Lorsqu'elle releva les yeux, elle ne trouva aucun jugement dans le regard de Harry. Juste un intérêt évident pour sa personne.

— Ce sont plutôt eux qui m'ont perdue.

Elle s'aperçut que sa réponse n'avait pas grand sens. Mais il est vrai qu'elle-même peinait à comprendre la situation.

— Nous ne nous sommes pas vus autant que je l'aurais souhaité, expliqua-t-elle.

— Pourquoi ça ?

Une question si simple, en apparence. Il lui suffisait de décrocher le téléphone, non ?

C'était simple… et si compliqué.

— Nos conversations ont tendance à être…

« Vides, stressantes, pesantes… », ajouta-t-elle en son for intérieur.

— … anxiogènes. Ils sont tellement déçus que je ne sois jamais là. Et ça ne fait qu'empirer chaque fois.

C'était un cercle vicieux.

Il la fixa sans rien dire, jusqu'à ce que le poids de son regard devienne insupportable.

— Tu viens d'en avoir pour ton argent, toi qui voulais en savoir plus sur les familles tordues, non ?

Il sembla hésiter, et peser ses mots avant de répondre.

— Mon école offrait un programme de résidence pour certains élèves de l'Etat, dit-il. Ils rentraient tous chez eux aux quatre coins du globe, à la fin de chaque trimestre.

— Et toi, tu rentrais où ?

— Ma maison se trouvait à quelques kilomètres, en banlieue. J'allais en camp durant les vacances.

— Oh ! Donc tu ne passais pas beaucoup de temps chez toi ?

— Quelques jours durant les vacances.

— Mais alors… quand voyais-tu ta famille ? demanda-t-elle avec hésitation.

— Mes sœurs fréquentaient une école non loin de la mienne. Il nous arrivait souvent de nous voir à l'heure du déjeuner, ou avant qu'elles ne rentrent à la maison. Nous parlions à travers la grille. Je voyais ma mère en général pendant les vacances, et il arrivait que mon père soit présent. Parfois… rarement, ils passaient me voir à l'école.

Alors qu'ils n'étaient qu'à quelques kilomètres ? Izzy en fut très étonnée.

— Attends une seconde… Tes sœurs rentraient à la maison le soir, mais pas toi ?

— Mon père pensait que cela me forgerait le caractère. Après tout, il était passé par là avant moi !

— Tu avais quel âge, quand ça a commencé ?

— J'étais à l'école primaire.

— Ça a dû être dur, non ?

Elle devinait ce qu'il avait dû vivre. Poppy parlait souvent de ses nuits au pensionnat, à pleurer contre son oreiller.

— On finit par surmonter ça. Et puis c'était une bonne école, et j'y étais en sécurité.

« Etrange remarque », songea-t-elle. En quoi cela avait-il de l'importance ?

— Ça a dû te rendre très indépendant très vite, j'imagine.

— Je pense que c'est ce que mon père espérait. Il devait avoir peur que je sois élevé comme mes sœurs, si je restais à la maison.

— Combien de sœurs m'as-tu dit que tu avais ?

— Je ne te l'ai pas dit. J'en ai quelques-unes.

— Tu en as tellement que tu ne sais plus combien exactement ?

— Quelle importance cela peut-il bien avoir ?

— Ça en a une énorme, Harry, ça nous permet de mieux nous connaître, non ?

Elle comprit cependant qu'il était inutile d'insister : il

parlerait quand il en éprouverait le besoin, si la chose se produisait un jour.

Une jolie serveuse vint débarrasser leur table avec un sourire timide avant de s'incliner, puis de les remercier d'une voix à peine audible.

— Ecoute, Harry, je suis désolée si je t'ai offensé, je ne faisais qu'évoquer des généralités au sujet des gens riches…

— Pourquoi me sentirais-je offensé ? demanda-t-il sans se détendre pour autant.

— Tu as parlé de pensionnat de luxe, de parents distants et de voyages à Londres pour le travail. J'en déduis que tu n'as pas été élevé par un couple de bouchers.

Harry esquissa un sourire.

— Je viens d'Australie, Iz, un pays plein d'opportunités, où le travail acharné paie. Un boucher peut tout à fait y devenir aussi riche qu'un magnat de l'immobilier.

— C'est ce qu'est ton père ? Un magnat ?

Une ombre indéfinissable passa dans ses yeux. Il se tourna vers la serveuse qui leur servait à boire, avant de reporter son attention sur elle.

— Tu t'intéresses beaucoup à ma supposée fortune, on dirait. D'abord cet interrogatoire, tout à l'heure, chez moi, et maintenant…

— Interrogatoire… ? Non, je ne…

— Et, pour quelqu'un qui n'aime pas fréquenter les gens riches, il me semble que tu passes beaucoup de temps avec eux.

Izzy serra les dents. Harry poursuivit son énumération.

— Les vêtements chic, ton goût pour le champagne, ton appartement dans un quartier huppé…

— Mon appartement en colocation, et je te rappelle que je dors dans une chambre de la taille d'un placard ! précisa-t-elle.

— Oui, mais c'est très récent.

Le visage de ses parents apparut dans son esprit, formulant une critique muette à son égard.

— Je n'ai pas changé de chambre de gaieté de cœur. Et puis, qu'y a-t-il de mal à aimer les belles choses, si on en a les moyens ?

« Et à les revendre sur internet quand on n'a plus d'argent… », ajouta-t-elle intérieurement.

— Rien du tout, répondit-il. Mais il va falloir que tu choisisses un camp, si tu veux pouvoir continuer à critiquer ceux qui ont de l'argent.

— Tu ne serais pas en train de me traiter d'hypocrite, tout de même ?

— Je dis simplement que ta vie semble pleine de contradictions et de paradoxes.

— Hé, j'ai travaillé dur pour obtenir ce que j'ai, mais la différence entre nous, c'est que moi, je ne te juge pas.

— Et là, tu n'es pas en train de me juger ?

— Non, je m'efforce seulement de mieux te connaître, c'est tout.

— En me taillant un costume ?

Harry la dévisagea, baissa les yeux sur son verre et poussa un soupir.

— Je suis désolé. J'essayais simplement de te faire comprendre qu'accepter l'autre et faire preuve de tolérance était un exercice à double sens. J'aime qu'on juge les gens sur leurs actes, pas sur des a priori.

Izzy avait prêché cette ligne de conduite pendant des années. Comment aurait-elle pu être en désaccord avec ce principe ?

Elle prit une longue inspiration avant de répondre.

— Ecoute, j'ai bien conscience d'avoir un peu perdu pied à un moment, dans ma vie, à cause de l'argent. Avant d'en avoir, tout ce que j'en savais, je l'avais vu à la télévision. Tous ces gens qui disaient que cela ne faisait pas le bonheur… Je pensais que c'était un prétexte qui leur permettait de tout garder pour eux.

Son plaidoyer eut un effet magique sur le visage de Harry, qui se détendit immédiatement.

— J'imagine que cela doit être dur de s'empêcher d'acheter toutes les choses dont on a rêvé pendant toute sa vie.

— Les premières années pendant lesquelles j'ai eu un salaire confortable ont été vraiment agréables, oui.

Il s'esclaffa, et ce rire envoya aussitôt une décharge électrique dans le bas-ventre d'Izzy.

— Et maintenant ?

— Je commence à accorder davantage de valeur à ce que je plus qu'à ce que je possède.

A peu de chose près, c'étaient ces mêmes valeurs que son père avait cherché à lui enseigner lorsqu'elle était jeune. Et puis un accident du travail lui avait détruit la colonne vertébrale, et sa vie professionnelle s'était achevée.

— Et tu y accordes vraiment de l'importance, désormais ?

— Je pense qu'on doit essayer de faire un travail qui ne nous dégrade pas, si on veut continuer à se respecter. C'est aussi important que les choix que nous faisons, ou les gens que nous fréquentons.

Il acquiesça.

— Mais ce n'est pas cette éthique de vie qui va te rendre ton bel appartement en tourelle, fit-il remarquer.

— Quelqu'un y a emménagé, de toute façon.

— Ah bon ?

— Oui, Isaac, un ami d'Alex. C'est temporaire, le temps que son appartement soit repeint.

— Tu sais que tu pourrais réintégrer Broadmore en un battement de cils, si tu le voulais ? On te trouverait un autre poste, dans un autre service, un emploi qui te plairait. Et tu aurais une augmentation.

— Si j'ai quitté l'entreprise, c'était plus un problème personnel qu'un souci avec l'emploi lui-même.

Malgré ce qu'elle avait écrit sur la vitre.

— Et tu ne peux rien faire pour arranger ça, ajouta-t-elle.

Encore un mensonge. A force de le fréquenter, elle se sentait changer. En profondeur.

Harry lui remplit son verre.

— Trinquons à tes quatre nouveaux clients. Et à l'indépendance qu'ils représentent.

— Et un toast au respect de soi-même.

— Au respect, répéta-t-il lorsque leurs regards se capturèrent.

Le respect de soi-même.

A vrai dire, il en connaissait un rayon sur la question. Du

moins était-ce un objectif qu'il cherchait à atteindre. C'était d'ailleurs pour cette raison qu'il était venu à Londres : pour se forger sa propre vie, plutôt que de tout recevoir sur un plateau. Il avait intégré l'entreprise qu'il serait amené à diriger un jour. Il voulait connaître les employés, avoir une idée aussi précise que possible de leur quotidien et de leurs problèmes.

L'appartement luxueux et sécurisé était le prix qu'il avait dû payer en contrepartie de sa fantaisie. Ainsi que le 4x4. L'héritier des Broadmore devait être en sécurité. Harry était persuadé que l'un de ses voisins au moins devait faire partie des services de sécurité de son père. Il n'avait certes aucune preuve. Juste le sentiment, parfois, d'être épié. Impossible d'avouer tout cela à Izzy, qui devrait malheureusement se contenter de demi-vérités.

Izzy avait raison : le taxi fluvial coûtait une petite fortune, et c'était un luxe inaccessible pour une personne normale. Mais Harry n'avait pas de temps à perdre sous terre, dans un métro bondé. Ce n'était pas un moyen de déplacement assez efficace à son goût.

Et Harry aimait l'efficacité.

A moins qu'il ne se voile la face ? Et que tous ces rituels, toutes ces habitudes n'aient été qu'un écran de fumée destiné à combler le manque d'amour dont il souffrait depuis toujours ?

En Australie, c'était l'argent qui lui valait l'attention des femmes. Et aujourd'hui c'était à son argent que tous les clients en voulaient. N'avait-il donc aucune valeur pour lui-même, en dehors des moyens dont il disposait ?

Sa venue en Europe avait été un excellent test. Sans l'argent, sans le nom de son père qui le précédait en tous lieux, il était parvenu à lier connaissance avec quelques personnes au bureau. Mais il s'était rendu compte à cette occasion qu'on le traitait comme n'importe qui. Il n'avait plus rien d'exceptionnel. Il faisait un travail efficace, sans briller pour autant. Les femmes qui jadis courtisaient Harrison Broadmore remarquaient à peine Harry Mitchell.

Il n'avait de cesse d'éprouver les limites des relations humaines, afin de tester ses propres limites. Cela passait bien souvent pour de l'arrogance, mais il s'en moquait. Il voulait savoir ce qui se produisait lorsqu'on se montrait un peu insistant auprès de gens qui n'étaient pas payés pour vous sourire… ou lorsqu'on embrassait quelqu'un qui n'en voulait pas à votre portefeuille.

— Harry ?

Izzy le ramena au moment présent.

— J'étais en train de me demander pourquoi nous dînions ici, plutôt que dans le restaurant chic au dernier étage de ton immeuble…

— La vue y est impressionnante, mais la cuisine est bien meilleure ici. Tu aurais préféré manger là-bas ?

— Non. La vue, je peux en profiter gratuitement depuis chez toi.

— On devient pingre ? demanda-t-il sur le ton de la plaisanterie.

— Il y a dépenser, et il y a gaspiller, rétorqua-t-elle. Et puis j'aime avoir l'occasion de bien manger. Quand j'étais gamine, ma mère me promettait qu'à condition de bien me nourrir j'aurais des formes. J'ai toujours été efflanquée. Mon rêve a toujours été de devenir une femme avec des belles courbes.

— Je te trouve plutôt… vraiment… bien. A mes yeux, tu es…

— Tu allais dire « mignonne ».

— Non, j'allais dire élancée.

— Elancée, répéta-t-elle, comme si elle faisait tourner le mot sur sa langue. D'accord, ça me va.

— Tu sais qu'il y a des femmes qui tueraient père et mère pour avoir ton corps ? Moi, je me souviens avec exactitude que mes mains ont trouvé de la chair tendre et musclée à laquelle s'accrocher, chez moi, lorsque…

— Chut… Arrête, on est au restaurant !

Il adorait lui murmurer des allusions grivoises. Cela l'excitait au plus haut point.

— Bref, poursuivit-elle, je n'allais pas à la pêche aux compliments, mais je te remercie. Je vois que tu as terminé ton assiette, mais moi, non… Tu vas devoir me regarder manger.

— Vas-y, ça ne me dérange pas de te regarder.

Il posa son menton sur son poing et la contempla avec un demi-sourire.

— Ça c'est cruel, comme exercice, répliqua-t-elle.

Tiens ? Ainsi, il parvenait à la décontenancer ? Parfait. La vengeance était un plat tellement doux…

— Ce n'est que pure politesse, rien ne nous presse.

Elle parvint à avaler sa première bouchée de nouilles sans réagir mais, lorsqu'elle le vit sourire de plus belle en fixant ses lèvres, elle se sentit obligée de masquer sa bouche derrière sa serviette pour les lécher.

— Bon, je crois que j'ai terminé, décida-t-elle.

— Finis ton assiette, Izzy.

— Non, tu me mets mal à l'aise.

— Pourquoi, parce que je te regarde ?

— C'est la façon que tu as de me regarder.

— Tu n'aimes pas être le centre de l'attention ?

— Tu as un regard… prédateur.

— Tu dis ça comme si c'était une mauvaise chose. Est-ce que je suis le seul à me souvenir de ce que nous avons fait juste avant le dîner ?

— Non, murmura-t-elle en jetant des regards affolés autour d'elle, tandis que le rouge lui montait aux joues.

— Je suis le seul à envisager avec gourmandise ce qui nous attend après le dîner ?

— Il ne risque pas de se passer grand-chose : je suis repue, j'ai le ventre plein… Mauvais calcul de ta part.

— Oh ! Mais la nuit est encore longue.

— Oui, mais le chemin du retour est court, malheureusement.

— On peut prendre le chemin des écoliers.

Ils quittèrent le restaurant, empruntèrent Lambeth Bridge et, ce faisant, s'éloignèrent de l'appartement de Harry.

— Je viens sur ce pont plusieurs fois par semaine, quand je n'arrive pas à dormir, lui confia-t-il.

— Tu as souvent des insomnies ?

— Relativement, oui.

— Ma mère est comme toi, elle n'arrive pas à trouver le sommeil lorsqu'elle est en ville.

— Et donc elle ne vient jamais te rendre visite ?

— Non… je crois qu'il y a trop de bruit pour elle, bredouilla Izzy en masquant mal son embarras.

Lorsqu'il était encore en Australie et qu'il lui arrivait de ne pas pouvoir s'endormir, il décrochait son téléphone et, moins de vingt minutes plus tard, un somnifère en nuisette venait sonner à sa porte. Mais ici il était à Londres et les choses étaient différentes. Il passait donc des heures à fixer le plafond ou à arpenter le bitume entre Lambeth Bridge et Vauxhall Bridge.

Il y eut un bruit soudain, un peu plus loin, qui les fit sursauter tous deux.

— Tu es sûr qu'on est en sécurité, dans ce quartier ? demanda Izzy.

— Tu plaisantes ? Il y a le siège du MI 6 et le QG du MI 5 de chaque côté de la Tamise. Le coin est truffé de caméras de surveillance. Il n'y a pas plus sûr dans toute la ville. Et puis je suis là…

Il aurait sans doute dû se sentir offensé par son éclat de rire.

— C'est vrai, admit-elle d'un ton persifleur. Tu es capable de mettre n'importe quel agresseur en fuite, avec ta logique et tes arguments !

Ah, les sarcasmes d'Izzy… C'était un vrai délice à ses oreilles. Mais il n'allait pas la laisser s'en tirer à si bon compte.

— Je pourrais mettre à profit ma pratique des arts martiaux, suggéra-t-il.

— Sérieusement ? s'enquit-elle en s'arrêtant net.

Et voilà… Une nouvelle fois, il allait devoir choisir entre lui dire la vérité et lui mentir. L'idée ne l'enchantait guère, mais vu qu'elle s'était elle-même dévoilée largement, comment ne pas lui offrir la réciproque ? Peut-être son salut consistait-il à ne lui livrer que des pièces éparses du puzzle ?

— Jiu-jitsu, répondit-il. Ceinture noire.

— Ceinture noire !

— Inutile d'en faire un fromage, c'est une chose assez courante, en fait ; beaucoup de gens possèdent ce niveau.

Son père avait accepté qu'il prenne ce risque, afin d'être en mesure de mieux se protéger. Il pouvait aussi parler à Izzy de ses cours de lettres classiques, mais un monologue de Shakespeare serait moins efficace, s'il voulait l'impressionner.

— Tu plaisantes ? répliqua-t-elle. Il faut de la rigueur, de l'entraînement, de la discipline…

— Et tu penses que je manque de discipline, n'est-ce pas ?

— Tu voudrais bien me montrer quelques mouvements ?

— Je risque de me faire arrêter, on va croire que je t'agresse !

Izzy se hissa pour s'asseoir sur la barrière au-dessus de la Tamise, et croisa les jambes dans une posture parfaitement détendue.

— Est-ce que je te donne l'air d'une demoiselle en détresse, quand je suis comme ça ?

— Non, en effet.

Il la prit dans ses bras pour la faire descendre — en profitant de ce contact imprévu.

— Si je dois faire ça, tu le fais avec moi.

— D'accord. Qu'est-ce que je dois faire ?

— Approche de moi avec un air menaçant.

— Là, c'est moi qui risque de me faire arrêter.

— Allez, vas-y et mets-y du cœur !

Izzy jeta un coup d'œil circulaire, sembla sur le point de protester, puis s'élança vers lui, épaule en avant, pour le déséquilibrer. Il vit venir le coup de loin et encaissa l'impact avec aisance, pivota et lui emprisonna le bras et la taille avant de la déséquilibrer. Ils tombèrent au sol en mêlant bras et jambes, et Harry amortit le choc avec son propre corps.

— C'est ça, tes préliminaires préférés ? demanda-t-elle, moqueuse, le visage contre le gazon.

— Tu voulais que je te montre, voilà qui est fait.

— Tu ne penses vraiment qu'à me grimper dessus, hein ? poursuivit-elle.

— Je ne fais que gagner du temps.

— Tu comptes toujours me faire l'amour ce soir, à ce que je vois ? Je te trouve très sûr de toi.

— Tu es toujours là, et tu n'es pas rentrée chez toi, il me semble ?

— Disons que je suis bloquée sous quatre-vingts kilos d'ego.

— Je ne t'ai jamais rien caché de mes intentions. Si vraiment l'idée de coucher avec moi te répugnait, tu aurais pu trouver dix occasions de me fausser compagnie avant le dîner.

— Bon, et si tu me laissais me relever ?

Il roula sur le côté et lui tendit la main pour l'aider à se remettre debout.

— La prochaine fois, tu éviteras de remettre en question les talents martiaux de ton cavalier.

— Je suis impressionnée. Je devrais être reconnaissante de ne m'en tirer qu'avec quelques bleus.

Harry se sentit blêmir.

— Je t'ai fait mal ?

Izzy fut prise de court par son inquiétude soudaine.

— Non, il n'y a que ma fierté qui est froissée.

Il la hissa, puis tarda à lâcher sa main une fois qu'elle fut sur ses pieds. C'était un geste si… normal, de lui tenir ainsi la main. Ils marchèrent un moment, main dans la main, doigts noués, perdus dans une intense conversation silencieuse.

Comme il aurait voulu lui dire toute la vérité sur son identité ! Mais il ne pouvait pas se permettre de compromettre ainsi sa couverture. Et puis il l'avait prévenue qu'il ne voulait pas se lancer dans une relation sérieuse qui se finirait, de toute façon, à un moment ou un autre.

Une tristesse profonde et inexplicable s'abattit alors sur lui, aussi noire que les eaux du fleuve en contrebas.

Leur conversation reprit, légère, ponctuée de petites provocations sans conséquences, comme il avait coutume d'en échanger avec ses sœurs dans le passé.

— Arrête-toi, dit-il soudain, tandis qu'ils passaient devant l'imposante bâtisse abritant l'Art Gallery.

Il la fit reculer, à l'ombre des piliers gigantesques, hors des faisceaux des projecteurs qui découpaient l'architecture à la faveur de la nuit.

— Est-ce que tu as l'intention de m'embrasser ? demanda-t-elle, haletante.

Il se plaqua contre elle, tout en la capturant du regard.

— Sans aucun doute.

— Bientôt ?

Il pencha la tête au moment même où elle se hissait sur la pointe des pieds. La bouche d'Izzy lui apparaissait comme un brasier périlleux auquel il risquait de se brûler. Izzy n'était pas une artiste du baiser, et il aimait cette spontanéité, chez elle. Elle embrassait comme elle riait, avec fougue et sincérité, sans arrière-pensée.

Elle noua ses doigts autour de sa nuque, écrasant ses seins contre son torse.

Un passant pouffa en les voyant s'embrasser, mais Harry ne s'en soucia pas. Seules les lèvres d'Izzy lui importaient, la sensation de leurs chaleurs mêlées.

Il avait envie d'elle…

Non…

Il avait besoin d'elle.

Harry sentit que le risque de tomber amoureux de cette femme était bien réel, presque palpable. Mais pouvait-il se le permettre ?

Elle le stimulait à la fois intellectuellement et physiquement, et lui offrait ce qui lui avait toujours manqué dans l'existence : l'honnêteté et l'intégrité.

Il savait qu'elle lui serait loyale, s'il lui en offrait l'occasion.

Et puis, quel talent au lit ! Elle ne simulait pas son plaisir, n'enrobait pas sa jouissance de faux-semblants. Elle ne se drapait pas dans une fierté d'apparat pour aller se remaquiller aussitôt le forfait accompli. Avec Izzy, il n'avait pas à faire en sorte d'épargner son maquillage, lorsqu'il l'embrassait. Lui qui avait appris à se montrer attentionné, à faire son possible pour donner du plaisir à des femmes superficielles, il avait enfin l'occasion de connaître ce qu'était la féminité sans fard.

Et cette découverte l'excitait autant qu'elle le mettait en émoi.

Il aimait lire cette étincelle de dévotion lubrique dans le regard de la femme de sa vie, et il employa toute son énergie à provoquer ce même regard par ses baisers.

Une seconde…

Comment ça, la femme de sa vie ?

A quel moment avait-il basculé d'« histoire sans lendemain » à « femme de sa vie » ? Lorsqu'ils avaient fait l'amour ? Lorsqu'ils avaient chaussé des bottes pour la protection des loutres ?

Le ballet de leurs langues ne l'aidait pas à conserver les idées claires, d'autant qu'elle venait de prendre les rênes et reproduisait les caresses qu'il avait prodiguées à son sexe quelques heures plus tôt.

— Viens…, dit-il dans un grognement.

Son appartement n'était que de l'autre côté du fleuve, mais il aurait tout aussi bien pu se trouver à Melbourne, tant le désir qui l'habitait était immense. Il voulait entrer en elle, ici et maintenant, mais le lieu n'était pas le plus indiqué. Il lui était déjà arrivé de faire l'amour à l'extérieur, mais jamais à deux pas d'un bâtiment ultrasécurisé.

— Et si on poursuivait cette conversation chez moi ?

Harry passa une jambe sur ses hanches, tout en tirant la couverture sur elle.

— Oubliée, la nourriture thaïe, non ?

— Pas de doute.

Il tendit la tête pour l'embrasser, mais elle esquiva le geste.

— Non, il faut que je rentre chez moi. J'ai des choses à faire, tôt demain matin.

— Je pensais que tu allais rester.

— Par souci pratique ? demanda-t-elle, pour alléger l'atmosphère soudain pesante.

— Oui… tout à fait… il n'y a plus de métros, à cette heure-ci. Et puis, surtout… nous ne sommes plus dans une aventure sans lendemain.

— Où en sommes-nous, alors ?

— Dans quelque chose d'agréable et de confortable, non ?

— Avec combien de femmes as-tu couché, Harry ?

Harry fut surpris par sa brusquerie et son franc-parler, mais ne se déroba pas.

— Quelques-unes, admit-il.

— Comment étaient-elles ?

— Quoi, tu veux que je te les décrive toutes ?

— Si tu pouvais les résumer en faisant un groupe, qu'est-ce qui ressortirait ?

Elle avait besoin de savoir, même si ce devait être une épreuve déplaisante.

Harry tassa un oreiller derrière sa tête et inspira.

— Il faudrait que je les partage en deux groupes : les premières expériences et les autres.

— O.K., dit-elle en adoptant une posture aussi décontractée que possible.

— Les premières expériences étaient fantastiques. Je découvrais tout, je me satisfaisais de peu. Par la suite… c'est devenu plus routinier, moins excitant.

— Et moi, je suis excitante ?

— Tu n'as rien à voir avec aucune d'entre elles.

— Je suis comme tes premières expériences, alors ?

— Non.

— Alors dis-moi dans quelle catégorie je me situe.

« La catégorie de celles qui gâchent tout avec leurs questions ? » ajouta-t-elle mentalement.

Harry n'avait pourtant pas l'air gêné ni inquiété par ses questions. C'était comme s'il se les était déjà posées lui-même.

— Tu es unique, tu es une nouvelle expérience pour moi. Je dois reconnaître que tu n'es pas vraiment mon type de femme.

— Merci beaucoup.

— J'en viens donc à me demander si je ne me trompe pas depuis le début. Car, comme je te l'ai déjà dit, je me sens vraiment bien avec toi, mais je ne me l'explique pas. Même quand nous travaillions ensemble, une fois sur deux, je te faisais venir dans mon bureau pour le simple plaisir de te voir.

Izzy sentit quelque chose de magique se tisser entre eux, mais rapidement il changea de sujet et brisa cette magie.

— Comment vas-tu rentrer chez toi ?

C'était la douche froide après les révélations intimes.

— Malheureusement, mon chauffeur m'a laissée en plan, répondit-elle. Je vais donc prendre le bus de nuit.

— Non, prends un taxi.

— Tarif de nuit. C'est trop cher.

— Je le paie, pas de problème.

— Tu as déjà offert le dîner.

— Et tu as couché avec moi, je me montre reconnaissant. Je suis sérieux, Izzy, je veux te savoir en sécurité. Prends un taxi ou reste jusqu'au lever du soleil. Il est déjà très tôt, de toute façon.

« Rester jusqu'au matin... », songea Izzy.

Elle s'était attendue à ce qu'il la mette dehors, et voilà qu'il lui proposait de rester ?

— Je ne veux pas de ton argent, Harry, mais je ne vais pas rester.

Izzy ne se l'expliquait pas totalement, mais il lui semblait plus raisonnable de rester un peu en retrait, même si elle avait la tentation d'agir à l'inverse.

— Dans ce cas, je t'accompagne, insista-t-il, et je vais dépenser cet argent pour revenir ici. Donc, tu peux me faire perdre mon temps et mon argent, ou juste mon argent. A toi de voir.

— Harry !

— Je ne pourrais plus jamais regarder mes sœurs en face, si je devais leur avouer que j'ai laissé une femme partir de chez moi en bus.

— Très bien, je vais le prendre, ton fichu taxi...

— Merci, soupira-t-il, manifestement heureux de sa victoire.

— Mais c'est moi qui le paie.

— Izzy, s'il te plaît !

Son sourire victorieux se figea sur ses lèvres. Ce spectacle valait presque à lui seul le prix de la course.

— C'est moi qui paie, ou je prends le bus de nuit. A toi de décider.

Harry roula de son côté du lit.

— Très bien...

Comme il était mignon, lorsqu'il n'obtenait pas ce qu'il voulait !

— Merci de t'inquiéter pour moi, lui dit-elle.

Il grommela une réponse inaudible.

Si elle ne pouvait pas obtenir sa confiance, au moins pourrait-elle gagner son respect.

9.

— Tu arrives encore à marcher, après ta nuit de folie ? lança Tori en mordant dans son pancake du matin.

— Toz !

— Tu n'as pas été là de la nuit, alors que tu devais juste lui apporter une bouteille de champagne. Donc… ?

— Tu as trop d'imagination. On a parlé très tard et on a mangé thaï, voilà tout.

— Tu oublies de parler de ce qu'il t'a fait en apéritif ! se permit de préciser Poppy.

— Pops !

— Ben quoi ? Si tu ne veux pas que je raconte, il ne faut pas m'en parler !

— Et si je ne t'en parlais pas, ce serait un non-respect du code des meilleures amies.

— Je suis heureuse pour toi, Izzy, ça ne te ressemble pas, c'est tout. Je suis juste jalouse de voir que tu es la seule dans cet appartement à profiter un peu de la vie. Mes meilleures années sont derrière moi…

Poppy avait ce ton qui laissait entendre qu'elle ne plaisantait qu'à moitié.

— Tu ne voudrais pas me prêter ton Harry pour une nuit, par hasard ? demanda-t-elle sur le ton de la plaisanterie.

Etrangement, Izzy sentit son corps se raidir à l'idée qu'une autre puisse profiter de lui. Il n'avait pourtant jamais été question d'exclusivité entre eux.

— J'ignorais que les cadres supérieurs te faisaient vibrer, Poppy !

— Tu dois sûrement penser que je n'ai même pas de type d'homme préféré. Je me trompe ?

— Moi, j'aurais tendance à dire ça de vous deux, intervint Tori.

— Izzy a réussi à faire l'amour trois fois sur deux rendez-vous, c'est plutôt une bonne moyenne.

— Quatre, corrigea-t-elle avec une fierté peut-être déplacée.

— Harry t'a demandé de sortir avec lui ce soir ?

— Oui, mais ça ne veut rien dire.

— Ça commence à devenir un peu long et un peu sérieux, pour une histoire d'un soir, je trouve.

— Il ne veut pas de relation suivie. Et puis, avec quelqu'un comme moi…

— Comment ça, quelqu'un comme toi ? releva Tori. Moi, je te ferais l'amour comme une bête, si je pouvais, et Mark voudrait sûrement regarder…

Comprenant qu'elle venait de jeter un froid, Tori avala une gorgée de café et ajouta :

— Je plaisante, bien sûr…

— Ce que je veux dire, enchaîna Poppy, c'est qu'il est beau gosse, il a la prévenance de proposer de te payer le taxi… Il t'a clairement dans la peau, et puis, elle est loin, l'époque où il était ton chef. Tu l'as sous la main, profites-en !

Poppy avait raison. Pourquoi toujours tout analyser ? Elle avait une journée complète de travail avant le dîner prévu avec Harry, de toute façon. Demain, elle pourrait certainement en profiter pour ajouter à sa liste quelques nouvelles positions du Kama-sutra.

— Oui, tu as peut-être raison… En parlant de profiter, vous croyez que le serveur va finir par me servir mon tchaï ?

— On s'en fout, de ton tchaï ! Moi, je veux que tu nous racontes la chevauchée de la nuit dernière ! s'exclama Poppy à voix basse.

Harry avait du mal à imaginer pourquoi Izzy regrettait tellement qu'ils ne soient pas sortis ensemble « dans les formes », alors qu'ils avaient passé les dernières semaines tous les deux, que ce soit pour dîner ou pour petit-déjeuner, faire les boutiques, aller au cinéma, au théâtre, au musée… Il avait plus profité de Londres durant le mois qui venait de s'écouler que pendant les cinq années passées en Angleterre.

Et il avait passé plus de temps avec Izzy qu'avec aucune autre femme de sa vie. Cela ne lui ressemblait pas du tout.

— Qu'est-ce que tu en penses ? demanda-t-elle en lui désignant une veste parsemée de faux diamants.

— Que tu as des goûts de luxe.

— Normal, non, pour une femme de mon élégance ?

— Alors comment expliques-tu que tu tolères quelqu'un comme moi dans ton entourage ?

— Je ne me l'explique pas, minauda-t-elle.

Lui non plus ne s'expliquait pas le changement qui venait de s'opérer dans leurs vies. Ils venaient de passer une semaine ensemble en sortant en ville et en faisant l'amour tous les soirs.

C'était même Izzy qui devait mettre parfois le holà pour qu'ils ne passent pas toutes leurs journées ensemble. Vingt-deux rendez-vous… Avant Izzy, son record personnel plafonnait à six. Et encore… pas six d'affilée !

Et voilà qu'il faisait les boutiques avec elle…

Quelle mouche l'avait donc piqué ?

— Pourquoi est-ce que tu ne l'achètes pas ? demanda-t-il.

Elle venait de reposer un cadre photo. C'était le millième article qu'elle scrutait sous toutes les coutures avant de le reposer ainsi.

— Ce n'est pas exactement le bon.

— Le bon quoi ?

— Celui qui mérite que je dépense l'argent que j'ai sur moi.

— Combien as-tu ?

Elle tira un billet de son portefeuille.

— Dix livres ? demanda-t-il. C'est tout ?

— Je dois faire attention à mon budget.

— Ecoute, je serais vraiment ravi de t'offrir toutes ces choses que tu as auscultées aujourd'hui, si on pouvait partir maintenant.

Izzy fit la moue, et il fut désespéré de penser qu'elle interprétait mal ses paroles. Lui, tout ce qu'il désirait, c'était lui offrir tout ce qu'elle voulait pour pouvoir se retrouver seul avec elle.

— Laisse-moi t'offrir quelque chose.

Dix livres… Qu'est-ce que c'était, pour lui et sa carte de crédit Platinum ? Mais si Izzy venait à mesurer l'ampleur de son compte en banque, tout changerait entre eux.

— Je peux payer pour ce que je veux m'offrir, ne t'inquiète pas. Et j'ai appris, avec mes parents, à avoir envie de quelque chose sans forcément céder à ma pulsion d'achat.

— Tu as appris à vivre de façon spartiate ?

— J'ai appris à être économe et raisonnable.

Exactement l'inverse de son mode de vie à lui : vêtements, repas généreux, femmes…

— Et puis ces articles ne vont pas s'enfuir, ils seront toujours là si je suis prise de remords et qu'on doive revenir.

On ?

Pourquoi cette perspective ne le rendait-il pas plus nerveux ? Pourquoi cela lui paraissait-il si simple de fréquenter Izzy ? Pourquoi sa présence l'emplissait-elle d'énergie ? Il en venait presque à se demander à quoi il pouvait bien employer ses soirées, avant de la connaître.

Ils n'étaient pas encore un couple, mais ils étaient déjà plus que des amants.

Il lui jeta un regard à la dérobée pour tenter de percer le mystère Izzy et, comme chaque fois, sa lumière intérieure se propagea jusqu'à lui.

Oui, ils étaient plus que des amants…

— Oh ! regarde, c'est Toz ! s'exclama-t-elle en agitant sa main au-dessus de sa tête.

La tignasse multicolore de Tori s'agita jusqu'à ce qu'elle les localise et se dirige vers eux. Il ne l'avait pas revue depuis la fameuse soirée.

— Izzy !

Elle fit la bise à Izzy avant de se tourner vers lui. Le reconnaissait-elle seulement ? Elle était tout de même terriblement ivre, lors de leur dernière rencontre.

— Tori, tu te souviens de Harry, mon… euh…

Tori devint soudain très pâle, en comprenant dans quel pétrin elle venait de se fourrer.

Harry n'hésita pas une seconde et choisit de faire une réponse qui faciliterait les choses pour Izzy.

— Je suis son petit ami.

Il entendit Izzy retenir son souffle, mais Tori demeura de marbre.

— Harry, ravi de vous revoir.

Il devina, à la façon qu'elle avait de le regarder, qu'il avait dû être le sujet de nombreuses conversations entre amies.

— Qu'est-ce que tu fais ici ? demanda Izzy, qui avait retrouvé l'usage de la parole.

— Je suis venue voir l'échoppe de lingerie de Lara.

— La nouvelle locataire du rez-de-chaussée ? Comment sais-tu qu'elle a un stand ici ?

— On appelle ça parler aux gens, Iz. Tu devrais essayer de temps en temps, c'est très instructif.

Iz, Pops, Toz...

— Est-ce que cela vous arrive, de vous appeler par vos prénoms ? demanda Harry.

— Oui, avec Alex, répondit Tori. Mais vous savez que c'est une sorte de distinction, d'obtenir un surnom !

— Alors j'ai hâte d'entrer dans ce club très fermé.

— Mais vous y êtes déjà… d'une certaine façon, ajouta-t-elle sous le regard assassin d'Izzy.

— Et quel est mon surnom ? demanda-t-il sans quitter Izzy des yeux.

— C'est juste un petit nom comme ça, rien de sérieux, juste… pour plaisanter, se défendit-elle avec l'énergie du désespoir.

— J'aime bien rigoler, insista-t-il.

La situation était d'ailleurs assez amusante : voir les deux amies se débattre et barboter ainsi était assez comique.

— C'est…

Izzy devenait très pâle, et Harry en vint à se demander s'il avait vraiment bien fait d'insister.

— Je suis sûre qu'on vous a déjà surnommé comme ça avant…, dit Tori.

Elle attisait vraiment sa curiosité.

— Dites-le-moi, je pourrai vous répondre.

— Hum…

C'était la première fois qu'elle manquait autant de repartie, elle qui était d'ordinaire si volubile.

— C'est Prince Harry, avoua finalement Tori pour mettre fin à ce supplice.

Un malaise diffus naquit en lui, mais il ne le laissa pas transparaître dans sa voix.

— Parce que je suis un grand blond en armure avec de longs cheveux bouclés ?

— C'est à cause de la fortune colossale qu'on a supposé que vous possédiez… cachée quelque part, précisa Tori.

Harry se raidit malgré lui et sa tension soudaine n'échappa nullement à Izzy. Un silence gêné tomba entre eux.

— Eh bien… notre seconde rencontre se sera passée à peu près aussi bien que la première, déclara Tori. J'ai hâte qu'on se revoie une troisième fois, ajouta-t-elle en adressant discrètement un regard contrit à Izzy.

— Je vais voir Lara.

— Salut, Toz, répondit Izzy d'une voix d'outre-tombe.

— Si on marchait un peu ? suggéra Harry.

Tori ne pouvait deviner à quel point le surnom avait frappé juste. Le malaise qui l'avait saisi refusait de se dissiper.

— Prince Harry ? demanda-t-il.

— Ne sois pas fâché…, commença Izzy.

— J'aurais donc une fortune amassée quelque part, c'est ça ?

Il avait mal à la mâchoire à force de serrer les dents, et Izzy commençait à le regarder étrangement. Il devait passer à autre chose très vite, s'il voulait éviter qu'elle ne se mette à poser des questions. Des questions auxquelles il ne pourrait pas répondre.

— Le sens de l'humour de Tori est particulier. Et puis on t'a donné ce surnom il y a longtemps…

— Tes amies ne me connaissaient pas, avant.

— Non, mais moi, si.

— Et ?

— Tu n'as pas toujours été la personne la plus charmante de mon entourage.

— Donc, ce surnom est venu après l'une de nos disputes au bureau ?

— Oh ! Harry, tu ne vas pas en faire une montagne ! Oui, tu avais tendance à régner comme un roi du haut de sa montagne, mais « Roi Harry » ne sonnait pas aussi bien. Voilà, c'est tout.

Ce surnom n'avait donc rien à voir avec l'individu qu'il était, ce n'était que la rançon de sa gestion d'équipe désastreuse.

Il se détendit brusquement.

— Charmant.

— Non, on a essayé « Prince charmant », mais ça ne collait pas.

Il y eut un silence.

— Oh, Harry, détends-toi un peu, ce n'est qu'un surnom, quoi !

— Tu ne t'es jamais dit que j'avais peut-être une bonne raison pour me comporter ainsi au travail ?

Il avait dû éprouver ses employés pour savoir en qui il pouvait avoir confiance. Mais il ne pouvait le lui avouer sans provoquer un déluge de questions auxquelles il ne pourrait pas répondre. Sa frustration ne fit que détériorer encore l'atmosphère de leur conversation.

— Je vois mal quel prétexte on peut trouver à se comporter comme un abruti arrogant, répliqua Izzy.

Harry comprit à cet instant qu'il y avait quelque chose d'unique entre elle et lui. En temps normal, personne n'aurait pu se permettre de lui parler de la sorte sans provoquer sa colère. Mais en l'occurrence il restait calme, et il appréciait même son honnêteté.

— C'est sous la pression que les caractères se révèlent, argua-t-il.

— Tu te rends compte de l'impact que ça a sur la santé et sur l'équilibre psychologique, de vivre chaque jour sous une telle pression ?

— Oui, je m'en rends compte.

Il lut la curiosité dans ses yeux, mais il sut qu'elle n'insisterait pas. Elle avait appris à se refréner, durant les trois dernières semaines, et Harry s'en voulait terriblement d'avoir bridé cet instinct chez elle.

— Et qu'est-ce que tu ressens aujourd'hui, pour ce tyran ? demanda-t-il. Tu lui es reconnaissante de t'avoir permis de devenir plus résistante, ou tu lui en veux de t'avoir harcelée ?

Lui-même, s'il était honnête, ressentait un peu des deux sentiments envers son père.

— C'est compliqué, avoua-t-elle dans un souffle.

— Beaucoup de choses semblent l'être, dans ta vie…

Cette conversation était décidément un vrai champ de mines.

— Pourquoi es-tu avec moi, Izzy, si je t'ai fait autant de mal ? s'enquit-il, l'incitant à avancer dans la foule du marché.

— Parce que tu es très différent hors du boulot. Tu es intelligent, sensible… et c'est très agréable.

— Si notre relation est différente, tu ne crois pas que c'est aussi beaucoup grâce à toi ?

— Ce n'est pas moi qui ai changé.

— Tu crois vraiment ?

— Et toi ?

Harry prit le temps d'observer Izzy.

— Moi aussi, j'avais un surnom pour toi, Izzy : le Marsupilami.

— Parce que je saute dans tous les coins en dépit du bon sens ? Merci beaucoup, très flatteur…

— Non, parce que tu réagissais au quart de tour, et que tu bondissais comme un diable hors de sa boîte.

— C'est faux ! s'offusqua-t-elle en montant d'une octave.

— Tu vois ! Mis à part ce petit écart, tu es désormais plus calme, plus détendue, et je ne me l'explique pas.

— Peut-être parce que je fais l'amour tous les soirs ?

— Tu as moins d'argent qu'avant, tu as plus de pression professionnelle avec tes nouveaux clients, tu devrais être tendue, mais ce n'est pas le cas. Pourquoi ?

— Parce que je suis libre… heureuse, peut-être ?

— C'est une question ou une réponse, ça ?

— Maintenant, j'aime ce que je fais.

— Pourquoi ?

— Je fixe mes propres horaires, je choisis mes clients, c'est la première fois que cela m'arrive.

— Et… c'est tout ?

Le silence tomba autour d'eux, comme une bulle intime et confortable. Harry prit sa main dans la sienne et ils marchèrent en silence.

— J'espère que je ne t'ai pas contrariée, dit-il enfin.

— Non. Mais ce que tu as dit m'a fait réfléchir. Je me demande à quel moment j'avais cessé d'être heureuse. J'étais pourtant aux anges, quand j'ai intégré Trenton et quand j'ai rejoint Broadmore. J'avais enfin le boulot de mes rêves.

— Peut-être qu'enfant tu ne rêvais pas assez loin. Peut-être qu'un emploi stable et un frigo plein ne te suffisaient plus ?

— Mais ça représentait pourtant tout, à mes yeux. J'ai tout abandonné pour arriver à ça.

Abandonné quoi ? songea-t-il. Ainsi, il n'était pas le seul à avoir des secrets.

— Tu sais, moi aussi, j'ai dû renoncer à des choses pour avancer, avoua-t-il à avouer, face à son malaise grandissant.

Il lui serra la main un peu plus fort, et sentit que cette infime confession avait l'effet d'un baume sur Izzy. Enfin, il consentait à lui offrir une parcelle de sa vie. Harry s'en voulut terriblement : Izzy était quelqu'un de bien, et elle aurait mérité qu'il lui dise la vérité.

Et pourquoi pas, au fond ? Pourquoi ne pas tout lui avouer maintenant ?

Izzy, en fait, il faut que je t'avoue quelque chose…

Il inspira profondément et s'apprêta à tout lui révéler, éprouvant un indéniable soulagement à cette idée.

— Je ne savais pas comment te présenter à Tori, murmura-t-elle.

La confession mourut sur ses lèvres.

— J… j'avais remarqué.

— Tu t'es présenté comme mon…

Il hésita à utiliser le terme une nouvelle fois, comme si cette appellation pouvait donner à Izzy du pouvoir sur lui.

— Je t'ai fait enregistrer comme visiteur autorisé auprès

du service de sécurité de mon immeuble, dit-il pour esquiver cet échange gênant.

— Ils ont aussi rajouté mon nom sur l'Interphone ?

— Non, mais tu entreras désormais comme une locataire, alors que les autres doivent sonner. Tu imagines le privilège !

Le rire d'Izzy résonna dans l'allée.

— Merci, Harry. Enfin, je crois…

— Mais attention, hein, je peux tout faire annuler si tu deviens ingérable, plaisanta-t-il.

— Ingérable ? répéta-t-elle, incrédule.

— S'il faut faire intervenir le personnel de maintenance… N'oublie pas que j'ai déjà vu le Marsupilami dans ses œuvres ! ajouta-t-il en la prenant par la taille.

Ce n'était plus le temps des confessions intimes. Il avait laissé passer sa chance de tout lui avouer. Comment l'aurait-il pu ? Comment savoir si c'était lui qui l'intéressait ou son nom et le compte en banque associé ? Il voulait être le centre de ses attentions, il voulait que ce soit en le regardant qu'elle ait des étoiles dans les yeux. Que ce soit lui qui lui donne du plaisir et qui explore son corps, que la sincérité transparaisse dans chacun de ses gestes.

Lui.

Pas Harrison Broadmore.

Elle avait une relation avec Harry Mitchell, et c'était très bien, mais ce n'était pas suffisant.

A sa grande surprise, Izzy se faisait doucement une place au fond de son cœur, l'air de rien. Il se surprenait à ne vivre que pour ces précieux moments où elle acceptait de s'ouvrir à lui et à évoquer son passé et ses blessures.

Vingt-deux jours, et il se retrouvait aussi dépendant de son corps que de son cœur. Cela semblait un peu court pour faire naître une telle dépendance, mais en réalité il la connaissait depuis plus longtemps. Il la désirait depuis des mois.

Et dire qu'il avait failli briser le fragile équilibre en lui révélant sa véritable identité en plein marché, alors qu'elle n'y était pas du tout préparée ! Y aurait-il seulement, un jour, un bon moment pour le faire ? Dans une semaine, un mois, un an ?

Au bout de combien de temps pouvait-on avoir confiance en quelqu'un ?

Il se pencha à son oreille pour trouver un terrain de communication plus familier.

— Si je me déguise en Prince Harry, ce soir, qu'est-ce que tu porteras, toi ?

Elle fit de son mieux pour ne pas sourire, mais Harry sentit qu'elle se détendait.

— Mes vêtements de tous les jours.

— Tu es sûre ? Même pas un petit costume de servante ?

— Je n'ai pas la poitrine qu'il faut pour faire une servante aguicheuse.

— Une nymphe, une dryade, une créature des eaux, sensuelle, humide…

— Tu ne serais pas en train d'essayer de m'exciter, Harry ?

Et voilà qu'en un coup de baguette magique, par la grâce de son rire cristallin, elle parvenait encore une fois à éloigner les ombres du passé, à faire oublier les vieilles cicatrices. Avec elle, il s'autorisait à regarder vers l'horizon, et non plus derrière lui.

10.

— Comment as-tu fait pour obtenir des places aussi bien situées ? s'enquit-elle tandis qu'ils sortaient du théâtre. C'était complet depuis des mois !

— Par quelqu'un qui travaille dans le milieu. Ce n'est pas ce que tu crois, Izzy, ajouta-t-il en voyant son regard de biais.

Izzy s'était lassée de tenter de lui soutirer ses secrets. Il était terriblement doué pour parler sans rien livrer de lui-même. Rien de vraiment important, en tout cas. Il se contentait de rester évasif. C'était comme s'il ne voyait pas la nécessité de partager des choses avec elle. Ou peut être n'en était-elle pas digne à ses yeux ?

Certes, elle prenait un plaisir indécent à faire l'amour avec lui. Certes, elle se rendait dans les meilleurs restaurants de la ville en sa compagnie, et il se montrait plus que généreux. Ce qui la gênait vraiment, c'était qu'elle ne pouvait s'empêcher, à certains moments, de s'impliquer plus que de raison dans cette relation. Il l'avait emmenée sur son taxi fluvial, elle l'avait conduit jusqu'en Ecosse pour l'accompagner chez ses nouveaux clients. Malgré son apparente frilosité, Harry semblait savourer sa présence à son côté. C'était à n'y rien comprendre. Alors, pour chaque pas qu'il faisait vers elle, elle reculait d'autant, de peur de trop s'engager, et de le voir disparaître un matin.

Elle ne pouvait pas entreprendre de s'engager avec un homme, si exceptionnel fût-il, et risquer de se retrouver seule sur le bord de la route.

Quel secret pouvait-il donc cacher ? Faisait-il partie de

la mafia ? Avait-il une femme et des enfants en Australie ? Bénéficiait-il d'un programme de protection des témoins ?

Tant qu'elle n'en saurait pas plus, la priorité, à ses yeux, serait de se protéger. Tant qu'il refuserait de parler de son passé, elle n'aborderait pas la question de l'avenir.

— On va chez toi ou chez moi ? demanda-t-il.

Cela revenait à demander s'ils allaient faire l'amour ou pas, vu la taille réduite de son appartement et les dimensions de celui de Harry. Il possédait cependant une qualité rare, chez un homme. Avec lui, refuser de faire l'amour n'était pas un problème, et elle pouvait se contenter de s'endormir contre sa chaleur sans qu'il s'en formalise.

Mais ce soir elle avait besoin qu'il se montre entreprenant, pas qu'il la dorlote.

— Chez toi, répondit-elle.

Le sexe, un baume universel… Etait-ce suffisant ? Non, évidemment. Mais c'était déjà quelque chose. Sur ce terrain, il n'y avait pas de sous-entendus, de zones d'ombre, de cachotteries. Il fallait reconnaître qu'ils prenaient un plaisir fou, ensemble.

— Est-ce que c'est toi que j'entends ronronner ? lui demanda-t-il.

— Non, je… J'avais quelque chose dans la gorge.

C'était faux : elle pensait déjà à leurs ébats et ne s'était pas rendu compte qu'elle gémissait à voix haute.

Le trajet jusqu'au loft fut long et presque pénible. Il aurait été inconvenant qu'ils se jettent l'un sur l'autre en plein Londres. Alors ils attendirent, haletants, le regard brillant.

Enfin, ils furent dans l'ascenseur, et Harry commença à la déshabiller.

— Mes clés, marmonna-t-il contre ses lèvres, tout en se dirigeant vers la porte de l'appartement.

Ils parvinrent à entrer et à se déshabiller sans que leurs lèvres se quittent. Leurs vêtements tombèrent sans bruit sur la moquette épaisse et Izzy pensa à tout ce dont elle aurait aimé parler avec lui, à l'intimité de cœur qu'elle aurait voulu instaurer.

Il l'avait cependant prévenue : il ne voulait pas d'une relation en bonne et due forme.

Fadaises !

Tout, dans son comportement, prouvait le contraire. Il avait besoin de se confier, de partager des sentiments et des expériences, d'ouvrir ses pensées à une autre personne. Et cette personne, c'était elle.

Mais il y avait ce maudit secret qui ne cessait de se dresser entre eux.

Les lèvres de Harry lui firent bientôt perdre le cours de ses sombres pensées, puis elle bascula la tête en arrière et le laissa faire ce qu'il faisait si bien : elle le laissa jouer de son corps comme d'un instrument.

Elle avait tout fait pour l'éviter, mais elle sentait bien qu'elle était en train de tomber amoureuse. Si elle passait autant de temps avec lui, ce n'était pas pour apprendre à mieux le connaître, c'était parce qu'elle sentait que sa place était là, auprès de lui.

Elle avait trouvé son âme sœur, mais elle avait aussi appris à survivre et, si Harry tardait à s'ouvrir à elle, elle continuerait son chemin avant d'être détruite.

— Harry…, articula-t-elle avec peine.

Il s'attaqua alors à son mamelon durci, et toute détermination l'abandonna.

« Oh ! et puis zut, songea-t-elle, ça pourra bien attendre demain… »

— Bon sang, c'était vraiment une très mauvaise idée…, s'époumona Tori en se tenant les côtes.

— Ce serait sans doute plus facile si tu ne courais pas qu'une fois tous les six mois, fit remarquer Poppy.

— Ou si j'avais moins de poitrine, aussi.

Izzy les rejoignit, n'écoutant leur conversation que d'une oreille distraite.

— Izzy, ici la terre !

— Mmm… ?

— Quand tu nous demandes de venir avec toi, c'est parce que tu as besoin de parler, expliqua Poppy. Alors vas-y, crache.

— Je suis excitante et confortable, annonça Izzy sans tourner autour du pot.

— Est-ce une affirmation d'ordre général, ou… sommes-nous en train de parler de Harry ?

— On parle bien de Harry.

Ses deux amies échangèrent un regard.

— Eh bien, c'est flatteur d'être excitante, déclara Tori, et le confort, c'est… important. C'est ce qui reste quand l'excitation est un peu retombée, non ?

— Oui, d'accord, mais ce que j'aimerais comprendre, c'est pourquoi il est avec moi ! Il y a des centaines de femmes plus excitantes que moi.

« Et encore plus qu'on pourrait taxer de… confortables », ajouta-t-elle en son for intérieur.

— Harry n'est qu'un chef de service, fit remarquer Poppy. Ce n'est pas le prince de Monaco, il est tout à fait à ta portée.

— Oui, j'imagine que tu as raison, mais… j'ai l'impression qu'il me cache quelque chose, avoua Izzy en se mordant l'intérieur de la joue.

— Il n'est pas marié, au moins ?

— Non.

— Il a essayé d'enfiler tes sous-vêtements ?

— Quoi ? Non !

— Non, bien sûr, mon mec non plus…, ajouta maladroitement Tori, en détournant les yeux.

— Bon, écoute…, commença Poppy. Il a un bon boulot, il est mignon, il est hétéro, et il fait en sorte que tu sois la première des deux à avoir un orgasme. Tu peux bien l'autoriser à avoir un ou deux secrets, non ?

— Sauf s'il porte tes sous-vêtements, insista Tori à voix basse.

— Ou s'il est marié, ajouta Poppy.

— Il n'est pas marié et ce n'est pas un travesti. Mais à quel moment est-ce qu'un secret devient un mensonge ?

— Lorsque l'existence de ce secret commencera à te faire du mal, affirma Poppy avec un sérieux qu'Izzy ne lui connaissait pas.

— Je ne me sens pas toujours à l'aise quand je suis avec lui, admit finalement Izzy, après avoir hésité longuement.

— Pourquoi, Iz ?

— C'est difficile à expliquer…

— C'est mort pour la course à pied, de toute façon… Alors profite du fait que nous sommes là pour vider ton sac.

— Il est très généreux, que ce soit de son corps ou de son argent, mais…

— Mais… ?

— Mais il ne se livre pas. J'en sais beaucoup sur lui, tout en ayant l'impression de ne rien savoir. Je sais qu'il est allé en pension, mais j'ignore où, je sais qu'il a des sœurs, mais je ne sais ni combien ni comment elles s'appellent. Il vient d'Australie, d'accord, mais quelle vie avait-il là-bas ? C'est comme s'il refusait que j'en sache trop.

— Oh…

— Ou comme s'il allait repartir bientôt. Est-ce que je le mérite vraiment ?

— Isadora Dean ! Tu es plus que bien pour cet homme !

— J'imagine que tu as fait des recherches à son sujet sur internet ? demanda Tori.

— C'est un peu bizarre de faire ça, non ?

— Tu rigoles ? C'est la base ! Je ne te dis pas de violer sa vie privée, mais juste de partir à la pêche aux infos. Ça pourrait t'aider à mieux le comprendre.

— Je le vivrais mal, de faire ça, je crois…

— Alors pose-lui la question directement.

— Et si j'ai trop peur de sa réponse ?

Le silence tomba entre les trois amies.

— Est-ce que toute cette histoire ne ferait pas remonter ton enfance à la surface ? hasarda Poppy.

— Non, je… C'est juste que je suis beaucoup plus affectée par ce qu'il ne me dit pas que par ce qu'il me dit. Je n'arrive pas à ignorer ses omissions, et je ne peux pas me fier à ce qu'il me dit.

— Et moi qui croyais qu'il te traitait comme une princesse !

— C'est le cas… par certains côtés.

— Iz…, lança Tori. En temps normal, je te dirais de

te laisser faire par un homme aussi beau, qui t'embrasse avec fougue en pleine rue. Donne-lui une chance, non ? Mais à l'inverse, si tu ne te sens pas bien avec lui après cinq semaines à vous fréquenter, imagine ce qu'il en sera dans cinq ans !

Tori avait résumé en une phrase tout l'aspect négatif de sa situation, et Izzy se sentit soudain terriblement triste et découragée.

— J'aimerais tellement que ça marche…, murmura-t-elle.

— Je sais, ma chérie, souffla Poppy en lui passant un bras autour des épaules.

Tori se leva alors brusquement et tira Izzy derrière elle.

— Allez, viens. Je crois que c'est une mission pour SupperMan.

Les meilleurs gâteaux de tout Notting Hill…

— C'est ma tournée, Iz ! annonça Tori. Gâteau au chocolat, une bonne comédie romantique, et zou ! Et tu sais ce qui se marie très bien avec le gâteau ? Une bonne recherche sur internet…

Harry regrettait de ne pas avoir tout avoué à Izzy, ce fameux jour, au marché.

Il se retrouvait maintenant au pied du mur. Leur relation se trouverait dans une impasse tant qu'il ne lui révélerait pas sa véritable identité.

Tant qu'il n'avouerait pas qu'il avait menti.

Avec le recul, il se rendait bien compte qu'il avait été stupide de ne pas tout lui dire d'entrée de jeu. Peut-être même était-il trop tard, après toutes ces nuits d'intimité.

Izzy était en droit de lui dire ses quatre vérités, elle pouvait se montrer violente et même cruelle, car il l'avait amplement mérité. Il allait devoir lui avouer qu'il était riche, très riche…

Bonne nouvelle, Izzy : je suis plein aux as !

Soit elle faisait des bonds de joie et ils vivaient heureux jusqu'à la fin des temps, soit elle lui administrait la gifle de sa vie.

Il pouvait toujours argumenter en prétendant qu'il avait attendu le bon moment… Leur relation était solide, à présent. Elle était même parfaite, en tout cas elle le serait s'il parvenait à se montrer honnête et si Izzy encaissait l'entrée en scène de Harry Broadmore.

Il allait tout lui dire. Fini les cachotteries, désormais.

Il tapota sa poche et trouva la forme rassurante de la petite boîte. Il la saisit, l'ouvrit, et fit claquer le couvercle. Fugitivement, Londres en fut plus lumineuse.

Il prit l'ascenseur, et il marchait vers son appartement lorsque son téléphone sonna. Il ouvrit, puis referma la porte derrière lui.

— Oui ! s'exclama-t-il d'une voix enjouée quoique un peu absente.

A l'autre bout du fil, étouffée par la distance, une voix de femme sanglota.

— Mags ?

C'est alors qu'on sonna à sa porte.

— Il y a forcément une trace de son existence, voyons, Izzy ! s'exclama Poppy en apportant un plateau couvert de douceurs et de tasses fumantes.

— Il n'est pas sur les réseaux sociaux, ni sur les sites pro. Il y a plein de Harry Mitchell, mais pas lui.

— Elargis ta recherche, suggéra Alex, qui passa en caleçon, avant de disparaître.

— Merci pour ton soutien, lança Poppy sans même le regarder.

Izzy ajouta Broadmore à sa recherche sur Harry Mitchell et aussitôt les résultats furent plus intéressants. Il y avait des centaines de réponses pour Harrison Mitchell et Broadmore : images, dépêches, ragots…

Elle cliqua sur une image au hasard et tomba sur un visage presque familier. Weston Broadmore, fondateur de l'entreprise qu'elle venait de quitter. Il posait avec des poupées de luxe, toutes trop jeunes pour lui. Elle passa à une autre image, plus ancienne, où toute la famille posait : Carla, Margaret, Kathryn et Harrison. De beaux enfants. Le père semblait fatigué et posait la main sur l'épaule du petit garçon.

Ce petit garçon... Izzy grossit l'image. Pourquoi ce sourire lui était-il si familier ?

Elle fit une nouvelle recherche, sans « Mitchell ».

Harrison Broadmore.

Photo d'un bel homme torse nu, une casquette vissée bas sur le visage. Pectoraux, abdos, tout l'attirail et... son corps réagit malgré elle avant que son cerveau n'ait fait le rapprochement.

Nouvelle photo, clic, clic, cli...

Elle se figea sur un cliché officiel de l'héritier de la lignée en costume.

Harrison Mitchell Broadmore.

Harry.

C'était donc ça, son secret ? Voilà pourquoi il fuyait les médias ! Etait-il en disgrâce ? En mission de surveillance pour son père ? Ou bien était-ce une lubie de gosse de riche ?

Il lui avait menti, mais il n'avait pourtant pas hésité à coucher avec elle... Avait-il agi ainsi pour qu'elle ne se monte pas la tête, qu'elle n'en veuille pas à sa fortune ?

Elle se lança dans une nouvelle recherche éperdue, et trouva des centaines d'images de lui au bras d'héritières et de starlettes.

Des femmes... tellement de femmes...

Elle ravala la boule qui venait de se former dans sa gorge et poursuivit son exploration, tandis que tous leurs moments communs lui revenaient à la mémoire, salis par la couleur de l'argent.

— Tu l'as trouvé, Iz ? lui demanda Poppy, à travers le brouillard qui nimbait désormais son esprit.

Elle ne pouvait pas condamner Harry ainsi sans lui laisser l'occasion de s'expliquer. Il avait forcément une bonne raison de lui avoir caché la vérité... Il suffisait de lui demander, non ? Prendre son courage à deux mains et lui poser la question...

Elle continua de parcourir les dépêches qui le concernaient et tomba sur la plus récente.

— Il faut que j'y aille ! s'exclama-t-elle en se levant brusquement, avant d'attraper son sac à main et son manteau.

— Qu'est-ce que tu… ?

— Il faut que j'y aille ! répéta-t-elle.

11.

— Est-ce que vous pourriez accélérer un peu, s'il vous plaît ?

— On est à Londres ici, ma belle, pas à Mexico, et je fais aussi vite que possible, répondit placidement le chauffeur de taxi.

— Déposez-moi ici, ce sera très bien.

Elle irait aussi vite à pied, vu la lenteur du trafic. Elle tendit un billet au chauffeur, et ne prit pas le temps d'attendre la monnaie. Elle passa entre les voitures, emprunta des allées et des ruelles au pas de course, jusqu'à rejoindre Vauxhaull Bridge et l'immeuble luxueux où vivait Harry.

Elle était hors d'haleine.

Le gardien la laissa passer sans se formaliser de son allure, et elle profita de l'ascenseur pour retrouver figure humaine.

Elle appuya sur la sonnette et, presque aussitôt, Harry lui ouvrit, pâle et hâve, les traits tirés par le chagrin. Son visage s'illumina dès qu'il la vit, et ils tombèrent dans les bras l'un de l'autre.

— Tu es venue…, soupira-t-il.

— Je suis désolée pour ton père. Que puis-je faire ?

Il se raidit aussitôt et pâlit encore davantage.

— Quoi ?

— J'ai vu sur internet qu'il avait eu une crise cardiaque. Tu vas rentrer en Australie ? Tu as besoin de quelque chose ?

— Mon… père ? répéta-t-il.

— Weston Broadmore, expliqua-t-elle sans comprendre pourquoi la voix de Harry contenait soudain autant de colère.

— Tu es donc au courant ?

Elle chassa sa remarque d'un geste et lui prit doucement le bras.

— Tu rentres chez toi ?

— Bien sûr, répondit-il avec dureté.

— Oui, c'est évident, pardon… Comment est-il ?

— Mourant.

— Tu es sûr que ça va ? demanda-t-elle, face à la brusquerie soudaine de ses réponses.

— Il est en soins intensifs et…

— Non, je veux dire… toi. Tu as l'air en colère.

— Tu es perspicace.

— Je viens de traverser Londres pour toi, fit-elle remarquer.

— Tu as failli me manquer.

Elle ne remarqua qu'alors les deux sacs posés au sol.

— Je… je viens avec toi, j'ai juste besoin de passer prendre une ou deux affaires et…

— Tu ne me crois tout de même pas idiot au point de mordre à l'hameçon ?

— Comment ça, je…

Izzy sentit le monde vaciller autour d'elle.

Mais qu'est-ce qui se passe, bon sang ?

— Depuis combien de temps sais-tu qui je suis vraiment ?

— Je ne t'en veux pas, assura-t-elle en se rapprochant. J'ai pensé que tu me le dirais, le moment venu.

— Oh… Tu ne m'en veux pas !

— Harry, tu veux vraiment avoir cette conversation maintenant ?

— Tu m'as menti, Izzy !

La violence des mots fut comme un coup de poing, mais elle devait encaisser. Harry allait devoir soutenir sa mère, ses sœurs, et assumer tout le poids de l'entreprise. Elle devait se montrer forte et compréhensive.

— Je te propose de parler de tout ça à ton retour.

— Je ne pense pas revenir.

Le ton était froid, cassant et sans appel.

— Quoi ?

Ses jambes menacèrent soudain de se dérober sous elle.

— Je devais rentrer, de toute façon. Le malaise de mon père n'a fait que rapprocher l'échéance.

— Tu ne vas pas revenir ? demanda-t-elle dans un souffle. Jamais ? Tu… tu comptais me le dire ?

— Je t'ai laissé un message. Tu peux l'effacer sans regret, il n'est plus d'actualité.

— Alors c'est tout ? C'est fini entre nous ?

— Tu es déçue, Izzy ?

— Oui, bien sûr, que je le suis ! s'exclama-t-elle malgré la douleur qui lui nouait le ventre.

— Tous ces efforts… pour ne rien obtenir en définitive ! lança-t-il avec cynisme.

— Mais de quoi est-ce que tu parles, enfin ?

— Je dois avouer que l'approche était habile. Une bouteille de champagne et une demi-heure plus tard on était au lit.

— Harry !

— La vérité est choquante quand elle est toute nue, hein ?

— Ecoute, je suis venue pour t'offrir mon soutien dans un moment difficile ! C'est quoi, ton problème, à la fin ?

— Tu es venue toucher le pactole avant que je ne mette les voiles, oui !

Il s'imaginait donc qu'elle en avait après la fortune des Broadmore !

— Je me moque de ton argent, Harry.

— Je sais comment le monde est fait, Izzy. Toute ma vie durant, j'ai vu de belles femmes me tourner autour. Heureusement qu'il me reste un peu de jugeote !

Elle le vit triturer nerveusement un objet dans sa poche.

— Tu m'as presque pris dans tes filets… Chapeau !

— Monsieur Broadmore, il faut y aller, dit une voix d'homme dans le couloir.

— Je dois y aller, dit-il en prenant sa valise.

— Tu peux vraiment faire ça, jeter aux orties tout ce que nous avons vécu ensemble ? demanda-t-elle, haletante, en posant sa main sur la sienne.

— Qu'avons-nous vraiment vécu, Izzy ?

— Quelque chose de spécial, d'unique…

Elle se sentit soudain ridicule face à ce gosse de riche.

Il l'avait utilisée, et à présent il la jetait sans ménagement : voilà la vérité.

— Il n'y a rien de « spécial » entre nous, Izzy. Tout le monde aime l'argent, et je suis un chéquier ambulant, c'est tout ce qu'il y a à dire.

— Je... je t'aime, Harry, articula-t-elle dans un souffle douloureux.

Dire qu'elle avait imaginé faire cet aveu de toutes les façons les plus romantiques, et qu'elle se retrouvait à prononcer ces mots ainsi, presque pitoyablement !

Il lui avait tourné le dos et s'arrêta dans le couloir.

— Tu as joué et tu as perdu, Izzy. Aie au moins l'élégance de te retirer avec distinction.

— Ne fais pas ça..., le supplia-t-elle.

— J'ai un avion à prendre.

— Je suis sincère, je te le jure !

— Le voilà, le premier et le seul moment de véritable sincérité entre nous. Pas de mensonges, pas de faux-semblants. Et je ne trouve pas que l'alchimie fonctionne tant que ça, assena-t-il avec une cruauté absolue.

Il s'éloigna dans le couloir, vers cet ascenseur désormais familier. Izzy eut la sensation que, si elle le laissait monter dans cet avion, tout serait terminé.

— Harry, s'il te plaît, répéta-t-elle en s'élançant vers lui.

Mais, sur ordre de son patron, son garde du corps s'interposa.

— Tu refermeras l'appartement en partant. Et ne vole rien, ajouta-t-il.

Et l'ascenseur l'engloutit.

Izzy s'effondra le long du mur du couloir. Que venait-il donc de se passer ?

Elle essuya ses larmes et se roula en boule sur la moquette. Elle ne verrait plus jamais Harry. Elle ne marcherait plus jamais sur le tapis de son appartement. Elle ne sentirait plus jamais ses bras doux et puissants autour d'elle.

Elle ne goûterait plus sa peau, son odeur. Elle ne le sentirait plus en elle, sur elle.

Pourquoi m'as-tu menti, Harry ?

Elle n'entendrait plus sa voix...

Sa voix !

Izzy saisit son téléphone et consulta sa messagerie.

Il y avait deux messages de Harry en attente. L'un, froid et purement factuel, pour lui annoncer son départ pour l'Australie, l'autre…

> Pardon, Izzy, j'ai été un peu brusque, je ne sais plus où j'en suis. Je voulais venir te voir, mais je dois rentrer au plus vite pour mes sœurs. Elles sont bouleversées et elles ont besoin de leur frère. Je reviendrai dès que possible. Il y a quelque chose que je dois te dire et… et j'ai quelque chose pour toi. Je te garde dans mes pensées, Izzy. Je t'aime. Tu me manques.

Bip.

Il l'aimait ?

Une heure auparavant, il l'aimait !

Qu'avait-elle fait de si terrible pour mériter un tel retournement ? Elle avait couru se jeter dans ses bras, certes… Et alors ?

Elle relut le message, mais cela ne fit qu'empirer la douleur logée dans sa poitrine. Puis elle composa un numéro différent, et fit ce qu'elle aurait sans doute dû faire depuis des mois.

Elle ferma les yeux et des larmes roulèrent sur ses joues quand on décrocha à l'autre bout du fil.

— Maman…, murmura-t-elle. J'ai besoin de toi.

12.

Même à l'article de la mort, Weston avait des goûts de luxe, et il avait exigé de retourner chez lui. Le premier étage du manoir était donc un véritable hôpital installé à domicile.

Il se remettait plutôt bien, malgré ce que les médias colportaient à son sujet, attendant tous que l'héritier prenne le contrôle de l'empire financier.

— Tu en fais, une tête, pour quelqu'un qui vient d'hériter d'un milliard de dollars, murmura une voix féminine derrière lui, dans le couloir.

— Ce n'est pas exactement comme ça que j'avais imaginé la chose, soupira Harry.

— J'imagine… Mais je ne suis pas là pour ça. Il y a quelqu'un pour toi dans la bibliothèque.

— Encore un journaliste ! Qu'il attende.

— Non, c'est quelqu'un du bureau de Londres.

— J'imagine que je leur dois une dernière faveur, soupira-t-il une nouvelle fois, en pensant à tous les mensonges qu'il avait laissés là-bas.

Il suivit sa sœur le long du couloir orné de boiseries et de peintures de maîtres.

— On se voit au déjeuner, lança Carla en déposant un baiser sur sa joue.

Il se racla la gorge de façon sonore afin d'annoncer son arrivée… et tomba en arrêt.

Izzy était là. Comme un mirage venu du désert Australien. Son cœur se gonfla de bonheur… juste avant que son cerveau ne vienne lui rappeler qu'elle l'avait trahi.

— Merci de me recevoir, Harry.

S'il avait su que c'était elle, il se serait évité cette torture.

— Que fais-tu ici ? demanda-t-il après avoir pris quelques secondes pour maîtriser sa voix.

— Tu as besoin de moi, affirma-t-elle en se tordant les mains.

— Non, c'est faux, je me débrouille très bien tout seul.

« Pour enchaîner les insomnies et errer dans la maison comme un spectre… », ajouta-t-il en son for intérieur.

— Je te parle en général. Tu as besoin de moi dans ta vie.

Harry sentit son cœur s'emballer lorsqu'il la vit s'approcher.

— Qu'as-tu de si spécial ? lança-t-il, se détestant d'agir ainsi.

Izzy encaissa le coup et tint bon.

— La semaine dernière, j'aurais sans doute été incapable de te répondre, mais j'ai eu un long vol pour y réfléchir.

— Et… quel est ton verdict ?

— Je suis intelligente, intègre. Je suis loyale et gentille, même si j'ai mes défauts.

Harry croisa les bras sur sa poitrine pour masquer le tremblement de ses mains. Izzy se tenait en contre-jour, et la lumière venant de la fenêtre ne cachait rien de ses formes sous sa robe légère.

— J'ai brisé le cœur de mon père, continua-t-elle, la gorge serrée, je l'ai foulé aux pieds le jour où je suis partie de la maison pour faire mes études et devenir quelqu'un. Je suis partie sans me retourner et je l'ai vu pleurer, lui qui ne pleurait jamais.

— Tu n'étais qu'une enfant, argua-t-il avant de se souvenir qu'il devait rester froid et distant.

— Non, j'ai rejeté la vie modeste qu'il s'était acharné à me construire à la sueur de son front. J'ai fini par ne plus les appeler, pour ne pas étaler mon bonheur de façon obscène. J'ai échangé mon ancienne vie contre le confort matériel, mais au passage j'ai blessé mes parents. Je les ai laissés derrière, sur la route, et je crois qu'ils ont fini par avoir honte de leur propre vie…

Harry fut touché au cœur par la sincérité de son aveu. Il avança vers elle, hésita, se reprit, pour s'accrocher finalement au bureau, comme un naufragé : il ne devait pas se laisser amadouer une seconde fois !

— Tu as traversé le globe pour me parler de tes parents ?

— Parce que j'ai lâchement laissé mourir ma relation avec eux.

— Je ne comprends pas.

Elle s'approcha encore de lui, et il eut l'impression qu'elle flottait comme une apparition céleste.

— Je refuse de commettre la même erreur avec toi. Je refuse de baisser les bras et de me convaincre que je vais bien sans eux… sans toi. J'ai l'intention de me battre pour te conserver.

— Izzy, ce qui est fait est fait, gronda-t-il entre ses dents.

— Et si je refuse de l'accepter ?

— Les ruptures se font rarement d'un commun accord. L'un des deux s'en va et c'est fini. C'est ainsi et je n'y peux rien.

— Et pourtant je suis là, riposta-t-elle en souriant.

Harry inspira puissamment. Il ne devait pas se laisser attendrir.

— Je suis désolé que tu aies perdu autant de temps et d'argent, mais rien n'a changé.

Sur ces mots, il tourna les talons, et, la mort dans l'âme, s'apprêta à sortir de la pièce.

— Une heure ! s'exclama Izzy dans le calme feutré de la vieille demeure.

Il s'arrêta et lui fit face. Comme il avait envie de croire que tout était encore possible !

— Une heure, répéta-t-elle. Voilà depuis combien de temps je connaissais ton secret, lorsque je suis venue jusqu'à ton appartement. Une heure que j'ai passée dans un taxi.

— C'est ce que tu prétends, répondit-il d'une voix maîtrisée.

— Est-ce que je t'ai déjà menti une seule fois ?

— Comment le saurais-je ?

— Bien sûr… Je pourrais être une aussi bonne menteuse que toi, tu as raison. Tu n'as vraiment pas foi en l'espèce humaine, dis-moi ?

Non, en effet. Et à juste titre, apparemment !

Il devait mettre fin à cet entretien, car sa résistance au charme d'Izzy commençait à faiblir.

— Tu sais, poursuivit-elle, j'ai eu le temps de réfléchir, après ton départ, pendant que je pleurais sur la moquette, dans le couloir.

Il repensa à la façon dont son garde du corps l'avait repoussée alors qu'elle tendait vers lui des mains désespérées. C'était un souvenir très pénible. Ses sœurs ne seraient pas fières de lui, si elles l'apprenaient.

Il la prit par le bras et l'entraîna dans le couloir.

— Où m'emmènes-tu ? demanda-t-elle avec un léger accent de panique.

— Dans un endroit plus tranquille.

Elle se laissa entraîner dehors, dans l'ombre agréable d'un petit parc où trônaient deux très vieux bancs. Il n'aurait aucun mal à la chasser de la propriété sans esclandre, depuis ce lieu.

Le contact brûlant de ses doigts sur sa peau faisait un contrepoint saisissant avec sa froideur apparente. Que devait-elle faire ou dire pour le convaincre ?

— Après ton départ, j'ai appelé ma mère. J'avais besoin de sa sagesse, de son calme… Elle m'a dit que tu ne me méritais pas, que je n'avais rien fait pour mériter ta méfiance.

— Où veux-tu en venir ?

— Je te comprends. Tu vis dans le luxe et de nombreux parasites doivent graviter autour de toi pour ton argent. Mais je me demande qui t'a fait mal à ce point pour que tu me fasses subir ça…

— Personne. J'ai appris à ne pas me laisser approcher. Dans cette famille, c'est un instinct de survie.

— Tu n'as donc jamais aimé personne ?

— Non, c'est un trop mauvais placement, et j'ai déjà trop à faire de mes journées. C'est un luxe que je ne peux pas me permettre.

— Mais je ne suis pas comme toi, je ne suis pas de ce monde…

— Mets-toi à ma place, Izzy. C'est toi qui es venue me

chercher, qui es venue chez moi, qui t'es glissée dans ma vie après ta démission. Et puis j'ai découvert que tu savais qui j'étais…

— Depuis une heure, Harry !

— Une heure, une semaine, un mois… A cet instant, je me suis senti trahi…

— Trahi ! Oui, je connais cette sensation.

— J'ai eu le sentiment que tu m'avais utilisé.

— Mais j'ignorais qui tu étais !

— De toute façon, je ne faisais que fuir mes responsabilités en Angleterre. Je retardais l'échéance. Je dois maintenant prendre la succession de mon père. Notre aventure n'était… qu'une aventure.

Izzy eut une inspiration saccadée.

Elle avait traversé la moitié du monde avec l'espoir qu'il changerait d'avis en entendant ses arguments.

Elle s'était trompée.

— J'ai savouré chaque instant de cette… « aventure », déclara-t-elle. J'ai aimé l'homme qui dépensait son salaire en bateau privé pour aller au travail. L'homme qui me laissait lui voler les olives sur sa pizza. L'homme qui me protégeait lorsque nous rentrions tard le soir. J'espérais… que peut-être cet homme pourrait aimer une fille comme moi, avoua-t-elle, au bord des larmes.

— Et combien de temps aurais-tu survécu dans mon monde ? demanda-t-il, la gorge serrée.

— Peut-être toute ma vie, avec toi à mon côté pour me guider. Et pour mémoire, c'est toi qui m'as poursuivie, qui es venu me chercher chez moi, pendant ma fête. c'est toi qui t'es glissé dans mon lit, dans ma vie, qui m'as invitée à dîner. J'ai voulu te faire confiance, malgré tous tes secrets et tes sujets sensibles. Ta famille mystérieuse, tes affaires secrètes… Tu m'as fait l'amour comme à une princesse, comme s'il n'y avait rien de plus important au monde que moi. Et je t'ai cru… Malgré ce que me dictait mon instinct, je t'ai cru. Je n'ai pas voulu laisser les peurs entraver mon bonheur !

Elle lui prit le bras et lui adressa un regard suppliant.

— Ne t'en fais pas pour moi, répliqua-t-il d'un ton cynique. Je ne serai pas longtemps célibataire, le monde m'appartient…

— Je t'offrais plus que le monde, Harry, je t'offrais l'amour. Mais il te manquait le courage de croire en moi, murmura-t-elle d'une voix brisée par l'émotion.

Harry se racla la gorge.

— Tu as besoin d'argent pour le taxi ?

— Je me moque de ton argent, mais merci d'avoir eu la délicatesse de me rappeler — une fois encore — que tu es riche.

13.

— Un bon thé, ça peut tout guérir, annonça Poppy en entrant dans la grotte qui lui servait de chambre.

— Non, pas tout.

— Bien sûr que si ! Tiens.

— Merci.

— Comment est-ce que tu te sens ?

— Vide.

— Il y a du mieux. Tu pleures déjà moins.

— Non, j'ai pleuré, tout à l'heure.

— Tu ne veux pas venir à table avec nous ?

Poppy, Alex et Tori étaient des amours. Ils avaient même pris des jours de congé pour ne jamais la laisser seule jusqu'à son voyage à Manchester chez ses parents, la semaine suivante.

— D'accord…, soupira Izzy.

— Super !

Elle constata, à la lumière venant du dehors, que c'était le soir et non le matin, comme elle le pensait. Elle se laissa convaincre d'éplucher les légumes en compagnie d'Alex, sous son étroite surveillance.

— Je ne vais pas m'ouvrir les veines avec un économe, détends-toi.

— En réalité, je m'inquiète pour moi. Je suis le seul mâle dans la pièce, et tu pourrais me faire payer pour les autres, plaisanta-t-il. Hé, mais tu souris !

— Je vous aime, tous, murmura Izzy en les regardant vaquer à leurs occupations sans la quitter des yeux. Je vous assure, ça va aller… Demain, je recommence à courir et je vais reprendre contact avec mes clients.

— Demain, c'est samedi, lui rappela gentiment Poppy.

— Oh… d'accord… Eh bien, lundi, alors.

— Ne fais pas ça, Izzy. Ne te renferme pas. Harry est un homme parmi d'autres, avec ses qualités et ses défauts. Tu en trouveras un autre. Un homme qui soit capable de t'aimer sans te faire porter le poids de ses problèmes.

Ce n'était sans doute pas demain la veille. Et, pour tout dire, cela lui ferait du bien de se refermer émotionnellement pendant un petit moment.

— J'espère que tu as raison.

— C'est une certitude.

Izzy fut saisie de tristesse en songeant que Poppy n'avait eu personne dans sa vie depuis une éternité.

— Toc, toc !

Izzy tourna la tête en direction de l'entrée et vit le visage familier de Lara, la voisine du dessous.

— Désolée de vous déranger, mais il y a un type dehors qui essaie tous les Interphones à la recherche d'Izzy. Est-ce que je dois le faire déguerpir ?

— Qui est-ce ?

— Il dit qu'il s'appelle Harry Mitchell.

Poppy et Tori se figèrent dans un même élan.

— Harry ? articula Izzy.

— Tu ne lui dois rien, affirma Tori.

— Tu te remets à peine de lui, enchaîna Poppy.

— Pourquoi est-il revenu, Toz ? murmura Izzy en se tournant alternativement vers ses deux amies.

Tori haussa les épaules en signe d'ignorance.

Lara, toujours dans l'entrée, se racla la gorge avec un air gêné.

— Que voulez-vous que je lui dise ?

— Tu peux le laisser entrer dans le bâtiment, merci beaucoup ! lança-t-elle de la voix la plus normale possible.

Et Lara disparut dans l'escalier.

Izzy se tourna immédiatement vers Tori.

— Tu es magnifique, déclara celle-ci avant même qu'elle n'ait eu le temps de formuler sa question, mais tu as un truc sur ton sweat-shirt.

Elle fonça aussitôt lui chercher un vêtement plus présentable à enfiler.

« Je ne dois pas m'en faire toute une histoire », se répéta Izzy.

— Qu'est-ce qui se passe, ici ? demanda Alex en entrant dans la pièce.

Poppy et Tori pivotèrent vers lui, mais Izzy resta figée, les yeux rivés sur la porte qui s'ouvrit sur la haute silhouette de Harry.

— Tu as un sacré culot d'oser te…, commença Alex avant que Poppy et Tori ne le fassent taire.

— Izzy, dit simplement Harry sans oser franchir le seuil.

— Que fais-tu ici ?

— Il fallait que je te parle.

— Nous sommes en plein repas.

« Quoi ? » se dit-elle aussitôt. Elle n'avait donc rien de plus intelligent à répondre ?

— Tu aurais dû appeler, enchaîna-t-elle.

— Je l'ai fait, mais je suis tombé chaque fois sur ta messagerie.

— La batterie est déchargée.

Sans doute à force de repasser en boucle ce message dans lequel il me disait « je t'aime ».

Derrière elle, elle percevait les respirations lourdes et anxieuses de ses trois amis.

— Comment va ton père ? s'enquit-elle avec une légèreté totalement feinte.

— Il se remet. Peut-on… parler en privé ? demanda-t-il en désignant Poppy, Tori et Alex d'un geste du menton.

— C'est aussi leur maison.

Il était hors de question qu'elle le laisse de nouveau pénétrer dans son antre.

— Alors… si on allait faire un tour ?

— Donne-moi une minute.

— O.K.

Izzy gagna la salle de bains d'une démarche de zombie, se brossa les cheveux et les dents.

S'il était là pour faire ses adieux à toutes ses connaissances de Londres, elle ne lui ferait pas le plaisir de ressembler à une épave.

Lorsqu'elle revint dans le salon, la tension entre Harry et ses colocataires était presque palpable.

— Tu n'es pas forcée de l'accompagner, Iz, lui dit aussitôt Alex. Je peux le mettre à la porte.

Cela ne faisait aucun doute, étant donné son riche pedigree militaire, mais elle lui prit doucement le bras et sourit à ses deux amies.

— Tout ira bien. Et de toute façon j'ai besoin de prendre l'air.

Elle descendit l'escalier en compagnie de Harry, sans un mot. Depuis la fenêtre du premier, trois paires d'yeux les épiaient avec intensité.

— Je ne pensais pas te revoir… un jour, fit-elle remarquer.

— Je devais revenir pour m'occuper de mon remplacement.

— J'aurais imaginé que d'autres auraient pu se charger de ça pour toi, maintenant que tu es le chef ?

— Il y a des choses que j'aime faire moi-même.

Ils entrèrent dans un parc, et Harry s'arrêta pour lui faire face. Il avait fait le premier pas, mais il lui restait du chemin à parcourir.

Il prit une inspiration, puis parla avec un calme qui dissimulait mal son agitation intérieure. Izzy sut que, cette fois, il allait se montrer honnête.

— Il y a environ cinq ans, j'ai découvert — par accident — dans les archives familiales que mes distinctions scolaires avaient été pour une large partie acquises en échange de services rendus. Ma famille donnait de l'argent pour financer un laboratoire, et je me voyais distingué par un prix du mérite… Toutes mes petites amies de l'époque n'étaient avec moi que pour le style de vie dispendieux que me permettait la fortune familiale. J'ai fini par ne sortir qu'avec des amies de mes sœurs, que j'imaginais moins avides de pouvoir et d'argent, puisque déjà gâtées par la vie. Ce fut une erreur, et en définitive mes sœurs en ont souffert autant que moi. En entrant à l'université, j'ai changé de tactique en ne sortant qu'avec des filles intéressées par mon argent. Au moins, la situation était claire.

— Tu as dû te sentir bien seul, pendant cette période…

— C'était plus simple, et cela me permettait de protéger ma famille.

— Et aucune d'elles ne t'a jamais aimé avec sincérité ?

Ces Australiennes étaient vraiment étranges, pour ne pas tomber sous son charme…

— Elles étaient ravies d'avoir un beau jeune homme à leur disposition, mais elles étaient là pour les cadeaux et les dîners en ville. Comment leur en vouloir ? C'est moi qui avais fixé ces règles ! Mais j'ai fini par avoir besoin d'autre chose. Il fallait que je sache qui j'étais vraiment, ce que je valais.

— Donc tu es devenu Harry Mitchell.

— Et j'ai obtenu un poste intermédiaire dans l'entreprise de mon père, à son insu, et j'ai gravi les échelons sans aide, au mérite. Il a cependant fini par l'apprendre. Au début, ça l'a amusé, puis il a fini par faire de cette situation une mise à l'épreuve en vue de mes futures responsabilités à la tête du groupe. J'ai continué à monter en grade, avec de nouveau cette incertitude… Tirait-il les ficelles dans l'ombre ? Alors j'ai commencé à mettre moi-même les gens à l'épreuve, pour en avoir le cœur net.

— Voilà d'où te viennent tes méthodes peu orthodoxes pour gérer le personnel… Et tu as pu faire le tri ?

— Oui, une ou deux personnes étaient dans la confidence, guère plus. Et c'est dans ces conditions que j'ai fait ta connaissance. Toi sur qui je fantasmais depuis des mois. Et c'est sous le charme de Harry Mitchell que tu es tombée, pas sous celui de l'héritier d'un empire financier.

— Ce qui ne t'a pas empêché, finalement, de m'accuser de mensonge.

— J'ai agi comme un idiot. J'aurais dû te laisser une chance de t'expliquer, plutôt que de quitter le pays.

— C'était une période difficile pour toi.

— J'ai été élevé, façonné pour tenir la mer même pendant la tempête, et c'est impardonnable. Et mon père est bien trop borné pour se résoudre à mourir, de toute façon… Dire que tu as eu le courage de venir chez moi, sur mon propre terrain ! Tu t'es montrée honnête, déterminée, et si belle dans ton désespoir… J'ai été forcé de revoir mon jugement, de tout envisager sous un autre angle, après ton départ.

Il lui prit la main.

— J'ai compris bien trop tard qu'au lieu de te tourner le dos j'aurais dû avoir confiance en toi, me fier à toi.

— Pourquoi ne l'as-tu pas fait ?

Harry vint s'asseoir sur un manège pour enfant et fixa le ciel avant de reprendre.

— Ma mère avait à peine vingt ans lorsqu'elle a postulé chez Broadmore, à Melbourne. Je pense qu'elle l'a fait par pur calcul, pour mettre le grappin sur mon père. J'ignore comment, mais elle y est parvenue. Et dès que l'encre du contrat de mariage a été sèche c'en était fini de la romance.

— Ils ont pourtant eu des enfants ?

— Cela faisait partie du contrat de mariage, de l'accord. Mon père voulait un héritier.

— Oh ! Harry…

— C'est une atmosphère plutôt délétère pour des enfants, ça les abîme prématurément. Mes sœurs elles aussi en ont souffert, et elles ont leurs propres blessures. Nous surprenions les coups de téléphone adultères, et malgré l'amour que je voulais avoir pour mon père, je l'ai vu se faire manipuler par cette femme qui collectionnait les amants en profitant de la fortune familiale. J'en suis venu à comprendre qu'elle n'aimait personne, pas même ses propres enfants.

« Voilà pourquoi il a dressé cette muraille autour de son cœur », songea-t-elle avec douleur.

— J'ai donc grandi avec l'idée que l'amour n'était qu'un miroir aux alouettes, un joli mot qu'on accrochait sur certaines personnes, pour décorer. J'ai pourtant fini par comprendre à ton contact, mais trop tard, ce que l'amour avait fait de moi, à quel point cela m'avait changé. Je suis revenu ici pour deux raisons, Izzy, expliqua-t-il en se penchant vers elle. Tout d'abord pour te demander de me pardonner de t'avoir parlé comme je l'ai fait.

— Tu me crois donc sincère ?

— Oui.

— Tu me fais confiance ?

— Ou… Oui.

— Tu as hésité.

— C'est très nouveau pour moi, Izzy ; ça va me demander du temps.

Il venait d'employer le futur. Envisageait-il un avenir avec elle, désormais ?

— Pourquoi ne pas m'avoir tout dit dès le début ?

— Ça ne s'est pas fait comme ça, et rapidement nous avons dépassé le point de non-retour. Tout t'avouer aurait — à ce moment-là — été comme une forme de trahison. J'ai trop attendu, jusqu'à ce qu'il soit trop tard.

Comme elle avec ses parents…

— Et puis tu étais si discrète à ce sujet, tu ne me demandais jamais rien. C'était si reposant, après toutes ces sangsues !

— J'attendais patiemment que tu m'expliques… Tu as tout de même fait un très long voyage juste pour me faire tes excuses.

— Dans le message que je t'ai laissé ce fameux jour, je t'ai dit qu'il fallait que je te parle de quelque chose. C'était ça. J'avais décidé de tout te dire.

Et elle avait tout gâché en débarquant chez lui comme une furie !

— Tu disais aussi d'autres choses, dans ce message.

Elle connaissait chaque mot par cœur, désormais.

— Oui, et je m'en veux terriblement de l'avoir dit pour la première fois par message interposé. Ce n'est pas comme ça que j'avais imaginé cet instant.

Izzy voulut sourire pour le rassurer, mais ses muscles refusèrent de lui obéir.

— Moi non plus.

— Dans mon message, je disais aussi que j'avais quelque chose pour toi. J'avais cet objet sur moi ce jour-là, et il ne m'a pas quitté depuis.

Il fouilla dans sa poche et lui tendit la petite peluche.

— Un ornithorynque ?

— C'est ce que j'ai trouvé de plus ressemblant, à l'aéroport de Melbourne, mais c'était censé être une loutre. J'ai dû batailler avec une gamine de sept ans pour l'avoir. Retourne-le, Izzy.

Elle fit pivoter l'animal sur le dos et vit quelque chose scintiller dans une petite poche sur son ventre.

— Qu'est-ce que tu fais… ? murmura-t-elle en relevant les yeux vers lui.

— Quelque chose que j'aurais dû faire ce jour-là.

— C'est-à-dire ?

— Le matin de notre… séparation, j'avais prévu de le faire.

Elle aurait voulu pleurer, de déception, de bonheur, pleurer sur les occasions manquées, sur les mensonges… Mais elle se contenta de saisir la bague et de faire tourner l'anneau dans sa main.

Un anneau en or. Tout simple. Pur.

— Et tu crois vraiment qu'une jolie bague hors de prix en guise de cadeau de rupture va tout arranger entre nous ?

— Ce n'est pas un cadeau de rupture, et ce n'était pas si cher. Tu ne veux pas me demander pourquoi je t'offre cette bague, Izzy ?

Non, car son cœur blessé ne s'en remettrait jamais. Elle ne pourrait pas encaisser une déception de plus. Elle secoua donc la tête, péniblement, les lèvres tremblantes.

— Je voulais t'offrir quelque chose pour fêter notre treizième rendez-vous, pour cimenter cette belle alchimie qui nous unissait. C'était pour toi, Izzy, c'est pour toi.

— Treize rendez-vous ?

— C'est ce que j'avais en tête en entrant dans le magasin pour l'acheter.

— Et en sortant, qu'avais-tu en tête ?

— Regarde-la bien. Ce n'est pas exactement un symbole d'amitié.

Elle serra ses doigts tremblants autour de l'objet, en priant pour qu'il n'ajoute rien.

— J'avais l'intention de te demander ta main, Izzy.

Les dernières défenses de son cœur cédèrent à cet instant, et une douleur insoutenable se déversa en elle.

— Et tu me dis ça maintenant… au cas où je n'aurais pas bien pris la mesure de tout ce que j'ai perdu ce jour-là ?

— Je te le dis parce que j'ai laissé mes a priori tordus prendre le pas sur mes sentiments. Mais, même pendant que j'étais au téléphone pour prendre des nouvelles de mon père, la seule chose à laquelle je pensais, c'était à quel point j'aurais du mal à quitter l'Angleterre, à te quitter… toi. J'ai compris que tu étais devenue ma vie. Je voulais pouvoir être moi-même sans me cacher, mais je voulais aussi pouvoir t'aimer au grand jour, sans secrets. Je voulais les deux.

— C'est impossible, tu ne peux pas avoir les deux, dit-elle après avoir longuement étudié son visage aux traits tirés.

— Si, je le peux et je l'aurai.

— Et ton entreprise ?

— Je la dirigerai.

— C'est un grand pas en avant ! Cela te prendra tout ton temps.

— Non, j'ai une sœur très compétente qui saura parfaitement diriger la branche australienne.

— Et toi, tu iras où ? demanda-t-elle, le souffle court, incapable de s'en empêcher.

— Je m'occuperai de l'Europe et de l'Amérique du Nord.

— Depuis quel endroit ? s'enquit-elle, la bouche sèche.

— Depuis nos bureaux de Londres, affirma-t-il avec un sourire.

— Tu es donc de retour pour combien de temps ?

— Jusqu'à ce que tu me demandes de partir.

Izzy fut saisie par une envie soudaine de danser dans le parc en criant de bonheur.

— Et cette bague, c'est pour… ?

— Elle est à toi, si tu la veux.

Elle regarda l'ornithorynque en peluche et la bague, avant de les lui tendre.

— J'ai de nouveau l'impression de ne pas te connaître.

— Tu ne la veux pas ?

— Cela me semblerait déplacé, après tout ce que nous venons de vivre.

— J'ai tout gâché, c'est ça ?

Peut-être bien… Matériellement parlant, il ne l'avait pas demandée en mariage, mais il en avait eu l'intention, avant que tout ne parte en vrille. Et qu'aurait-elle répondu, s'il l'avait fait ?

— Ton argent ne m'intéresse pas, Harry.

— Je sais.

— Il aurait même plutôt tendance à m'intimider. Tu disais toi-même que je n'avais pas ma place dans ton monde. Tu as peut-être raison, après tout…

— Alors nous allons créer notre propre monde, mettre en place nos propres règles.

— Tu sais, je n'ai pas vraiment le profil type de la femme de P.-D.G.

— Eh bien, tu n'as qu'à épouser Harry Mitchell, pas Harrison Broadmore, suggéra-t-il en lui prenant les mains.

Elle comprit, à cet instant, à quel point le contact de sa peau lui avait manqué.

— Que dirais-tu de repartir pour treize rendez-vous ? proposa-t-il. Treize rendez-vous de totale honnêteté. Et pendant ce temps-là on laisse la bague dans l'ornithorynque.

Il joignit le geste à la parole en rangeant le bijou dans l'animal en peluche.

— Et, dans treize rendez-vous, nous prendrons place dans le salon de notre appartement et je te proposerai cette bague en bonne et due forme, à genoux, comme il se doit. Et à ce moment-là seulement j'accepterai que tu me dises non si c'est toujours ton souhait. Car, malgré toutes mes erreurs, je sais que je ne peux plus respirer sans t'avoir à côté de moi. Tu avais raison, Isadora Dean, j'ai besoin de toi.

Izzy se perdit dans son regard. Elle se sentait au bord des larmes.

— Je t'aime, Izzy, et treize rendez-vous, ce n'est pas cher payé pour avoir la chance de partager ton existence.

Il devait rester un souffle de vie dans son petit cœur desséché, car il se mit soudain en mouvement pour la propulser vers les lèvres de Harry.

Elle retrouva sa saveur, sa chaleur…

Dans ses bras, elle était à sa place.

Pour toujours.

Elle recula légèrement en repensant à un mot qu'il venait de prononcer.

— Notre appartement ?

— Oui, je n'ai pas l'intention de te laisser filer une seconde fois. Je veux manger avec toi, m'endormir avec toi, me réveiller près de toi, manger des frites sur le tapis…

Les blessures de son cœur commençaient déjà à cicatriser.

— Peut-être que je vais résister. La première fois que nous avons couché ensemble, j'étais faible et peut-être un peu pompette…

— J'ai bien l'intention de te maintenir dans cet état ! s'exclama-t-il. Allez, Izzy, emménage avec moi, tout de suite !

— Je dois aller chez mes parents la semaine prochaine. Je ne peux pas les décevoir, car ils se sont montrés si généreux, si compréhensifs…

— Je t'accompagne. Je leur dois une explication à eux aussi.

— Et à Poppy et Tori. Tu sais qu'elles vont te tuer ?

— Je suis prêt à prendre des coups, même venant d'Alex.

— Et que se passera-t-il si je dis non au bout de tes treize rendez-vous ? Je n'aurai plus de chez-moi, si je déménage…

— Tu diras oui. Nous sommes destinés à vivre ensemble. Mais si tu refuses je te laisse la bague et l'appartement. C'est une promesse.

— Tu es beaucoup trop riche, Harry Mitchell Broadmore !

— Et je sens que je vais aimer te voir ne pas dépenser mon argent. Alors, qu'en dis-tu, on tente le coup ?

— Je ne suis pas sûre de faire confiance à l'ornithorynque. Je préfère garder la bague à l'abri dans ma poche. Ou… je pourrais la porter, pour m'habituer…

— Tu n'as pas peur d'attirer l'attention, avec une bague de fiançailles au doigt ?

— Je la porterai à la main droite, personne ne le remarquera.

Et, de temps en temps, je la passerai à ma main gauche…

Poppy et Tori la remarqueraient forcément, vu qu'elle ne portait jamais de bagues.

— Laisse-moi la glisser à ton doigt, alors.

Il prit le bijou et saisit sa main avec douceur.

— Isadora Dean, acceptes-tu d'envisager de devenir ma femme, d'ici environ quinze jours ?

Ce n'était pas très orthodoxe, mais tous deux savaient

que c'était une véritable demande en mariage qu'il venait de formuler.

— Je vous le ferai savoir.

— Ça me convient.

Harry l'embrassa alors avec une fièvre telle qu'elle fut heureuse que le parc soit désert à cette heure.

— Je ferais bien d'aller mettre mes affaires dans des cartons, dit-elle enfin, hors d'haleine.

— Ils vont encore m'en vouloir, de te voler à eux.

— Elles te pardonneront tout lorsque je leur demanderai d'être mes demoiselles d'honneur.

Elle savait qu'elle pouvait compter sur ses amies pour assurer ses arrières en toutes circonstances.

— D'autant que je leur offrirai l'avion pour l'Australie, pour la seconde cérémonie, précisa Harry.

— Nous allons nous marier deux fois ?

— Un petit mariage simple et modeste ici, et un mariage fastueux là-bas. Ce sera l'occasion de faire la connaissance de mes sœurs.

— Avec plaisir !

— Est-ce que maintenant tu as l'impression que tes rêves se réalisent ?

— Oui, c'est parfait. C'est ainsi que j'avais imaginé ma demande en mariage.

L'anneau lui allait merveilleusement, et les doigts de Harry se nouaient à la perfection aux siens.

Ils revinrent jusqu'à l'appartement qu'elle partageait avec Alex, Poppy et Tori, main dans la main, retrouvant des sensations uniques d'intimité et de bonheur partagés. Chaque fois qu'ils se touchaient, des étincelles semblaient courir sur leur peau. Comme cette impression lui avait manqué !

— Une dernière chose, Harry.

— Quoi, beauté ?

— Ta penderie est spacieuse ? Parce que j'ai tout de même deux ou trois bricoles à déménager…

ANNE MATHER

Un désir inavouable

Cet ouvrage a été publié en langue anglaise
sous le titre :
THE VIRGIN'S SEDUCTION

Traduction française de
LOUISE LAMBERSON

Ce roman a déjà été publié en juillet 2008

83-85, boulevard Vincent-Auriol, 75646 PARIS CEDEX 13.
Service Lectrices — Tél. : 01 45 82 47 47

www.harlequin.fr

1.

Eve achevait de nettoyer le box de Storm quand Ellie vint la rejoindre dans les écuries.

— Viens, je voudrais te parler, dit la vieille dame.

Sans un mot, Eve la suivit aussitôt le long des stalles vides. De toute façon, cela ne servait à rien de discuter avec sa grand-mère, songea-t-elle en se frottant vigoureusement les mains.

Par ce matin de novembre, l'air était très vif et l'on voyait déjà des traces de gel sur les arbres.

— Cassie arrive demain.

La vieille dame avait à peine attendu qu'Eve ait franchi le seuil des écuries pour lui annoncer la nouvelle. La jeune femme sentit aussitôt son ventre se nouer. Mais elle n'en montra rien et se contenta de hausser les épaules avec indifférence.

— Tu veux parler de Cassandra ?

La vieille dame rajusta le châle de laine qu'elle portait sur sa veste en tweed.

— Ma fille a reçu *Cassie* comme nom de baptême, pas Cassandra, dit-elle brutalement. Tu sais très bien ce que je pense de ce prénom ridicule qu'elle s'est choisi. Son nom de scène, tu parles !

Sans faire aucun commentaire, Eve remarqua toutefois qu'Ellie portait le châle que Cassie lui avait donné plusieurs années auparavant. Cela signifiait-il qu'elle avait enfin pardonné à sa fille ?

— Combien de temps va-t-elle rester ici ? demanda-t-elle.

La situation ne serait pas simple, songea-t-elle. En effet, elle ne s'était jamais bien entendue avec Cassandra, aussi ferait-elle peut-être mieux d'aller s'installer à l'hôtel pour quelque temps.

— Elle ne l'a pas précisé, dit Ellie avec mauvaise humeur. Je dois me plier à ses désirs — comme d'habitude… Oh, à propos, elle vient avec un homme. La connaissant, il s'agit probablement de quelqu'un qui peut l'aider dans sa carrière.

— Oh, eh bien…, commença Eve en prenant un air détaché, si elle est accompagnée, elle ne restera pas longtemps. Il doit avoir des obligations. Que veux-tu que je fasse ?

Ellie la dévisagea avec surprise.

— Que veux-tu dire ? J'ai simplement pensé que je devais te… te…

— Me prévenir ?

— Te le dire, corrigea sa grand-mère d'un ton sévère. Si je pouvais refuser de la recevoir, je le ferais, crois-moi !

— Non, ce n'est pas vrai, dit sèchement Eve. Tu es absolument ravie de sa venue, même si elle se sert de ta maison comme d'un hôtel.

— Eve…

— Ecoute, je comprends ce qui te préoccupe, Ellie. Alors, veux-tu que je m'éloigne durant son séjour ? Je suis sûre que Harry…

— Laisse le révérend Murray en dehors de ceci ! s'exclama la vieille dame, l'air scandalisé. Tu ne peux habiter chez lui, voyons. Ce ne serait pas convenable. D'autre part, tu es chez toi à Watersmeet, et il est hors de question que tu partes.

— D'accord.

Mais la vieille dame n'en avait pas encore terminé.

— Nous sommes dans le Northumberland, ici, reprit-elle, pas dans la banlieue nord de Londres. Et tu ne vis plus dans un squat insalubre !

D'habitude, Ellie ne faisait jamais allusion à l'endroit où elle avait retrouvé sa petite-fille. Eve vit à son expression qu'elle regrettait déjà d'avoir parlé aussi brutalement. Mais la vieille dame devait se souvenir que, lors du dernier séjour de Cassie, elle et Eve s'étaient à peine adressé la parole.

— Veux-tu dire que tu ne veux pas rester à Watersmeet tant qu'elle y sera ? insista-t-elle.

Eve vit l'anxiété qui se lisait sur le visage ridé de sa grand-mère et ne voulut pas la blesser.

— Je pensais simplement que cela serait peut-être plus simple si je te laissais seule avec elle, murmura-t-elle.

— Absolument pas, déclara sa grand-mère, en fourrant la main qui ne tenait pas sa canne dans sa poche pour la réchauffer. Ne parlons plus de Harry Murray, s'il te plaît. De toute façon, il fait trop froid pour continuer à bavarder dehors. Nous reprendrons cette conversation plus tard.

Mais elles n'en reparleraient jamais, Eve en était sûre. Sa grand-mère avait dit ce qu'elle avait à dire, et à sa façon, elle était tout aussi égoïste que Cassie. Oh, elle n'aurait jamais abandonné son enfant à sa naissance, ni ignoré son existence durant les quinze premières années de sa vie. Mais elle avait ses idées bien arrêtées, et sa petite-fille se sentait rarement de taille à batailler avec elle.

— Tu rentreras bientôt, n'est-ce pas ? demanda Ellie.

— Oui. Dès que j'aurai ramené Storm dans son box.

— Très bien.

Sa grand-mère sembla sur le point d'ajouter quelque chose, mais se ravisa. Après lui avoir fait un signe avec sa canne, elle se dirigea vers la maison.

L'Aston Martin qu'ils avaient louée dévorait les kilomètres qui séparaient Londres du nord de l'Angleterre. Jake aimait conduire sur l'autoroute, surtout aujourd'hui. En effet, plus tôt ce voyage serait terminé, mieux ce serait.

— Est-ce qu'on s'arrête pour déjeuner ?

Décidément, Cassandra était d'humeur joyeuse, remarqua-t-il, sans lui répondre. Pourtant, cette situation était absurde. Il n'aurait pas dû se trouver là. Accompagner Cassandra chez sa mère n'avait aucun sens et suggérait une intimité qui n'existait pas entre eux.

Oh, ils s'étaient bien fréquentés durant les six derniers mois, de temps en temps, mais ce n'était pas sérieux. Enfin, du moins en ce qui le concernait. Il n'avait pas du tout l'intention de se remarier. Ni de s'installer avec une femme comme elle, se dit-il fermement. Il aimait profiter de sa compagnie, mais il savait que vivre avec elle deviendrait rapidement un enfer.

— Tu as entendu ce que je viens de dire, chéri ?

— Oui, dit-il en se tournant un instant vers elle. Mais je ne vois pas où nous pourrions déjeuner par ici.

— Une aire de repos est annoncée à cinq kilomètres, protesta-t-elle.

— Je n'ai pas envie de manger des frites tièdes et des burgers insipides !

Il jeta un coup d'œil à sa montre en or.

— Il n'est que 12 h 45. Nous devrions être arrivés dans moins d'une heure.

— Certainement pas, riposta Cassandra d'un ton boudeur.

— Tu avais dit que c'était à moins de trois cents kilomètres, lui rappela-t-il. Nous devons donc avoir couvert au moins les trois quarts du voyage.

— J'ai dû sous-estimer un peu la distance, dit Cassandra en haussant les épaules avec nonchalance.

Jake sentit ses mains se crisper sur le volant.

— Vraiment ?

— Oui… Je savais que tu n'accepterais jamais de venir si je te disais que Falconbridge était à quatre cent cinquante kilomètres de Londres.

Tout en parlant, elle avait posé sa main sur son poignet et le caressait doucement, mais il resta insensible à son geste. Quatre cent cinquante kilomètres, songea-il avec agacement. Cela signifiait qu'il leur restait encore au moins deux heures de voyage, et qu'ils devraient s'arrêter quelque part pour que Cassandra picore du bout des lèvres une salade en sirotant du lait écrémé.

— Tu me pardonnes, n'est-ce pas, chéri ?

A présent, elle s'était blottie tout contre lui, et elle appuya la tête contre son épaule.

— Alors… on s'arrêtera bientôt ? J'ai une envie terrible d'aller aux toilettes.

Cette fois, comment aurait-il pu refuser d'accéder à sa demande ? Sans lui répondre, il prit la sortie qui menait à l'aire de repos.

Jake dut se garer à l'extrémité du parking car il y avait beaucoup de monde, même en cette période creuse de l'année. Il n'y avait plus qu'à espérer que la voiture serait encore là quand ils reviendraient, se dit-il, exaspéré.

Installée en face de lui à une table située près de la fenêtre, Cassandra avait l'air ravie. Comme d'habitude, elle avait choisi une salade, en évitant soigneusement toute sauce, composée seulement de feuilles de laitue et de tranches de tomates.

— C'est bien ici, tu ne trouves pas ? demanda-t-elle en souriant. Et puis comme ça, on a un peu plus de temps seuls, tous les deux.

— Si tu voulais que nous soyons seuls, nous aurions mieux fait de rester à Londres, fit remarquer Jake d'un ton neutre.

Alors qu'il contemplait son maigre sandwich au jambon, il se sentit envahi par une vague de nostalgie envers son pays natal. Que n'aurait-il pas donné pour rentrer aux Caraïbes sur-le-champ…

— Je sais, dit Cassandra en se penchant au-dessus de la table pour poser sa main aux longs ongles écarlates sur la sienne. Mais nous allons bien nous amuser, je te le promets.

Il en doutait beaucoup. D'après ce qu'elle lui avait dit, sa mère avait soixante-quinze ans passés. Elle l'avait eue tard, lui avait-elle expliqué, et son unique frère avait seize ans de plus qu'elle.

En vérité, Jake ne savait pas vraiment quel âge avait Cassandra. Elle devait approcher de la quarantaine — elle avait donc à peu près six ans de plus que lui —, ce qui n'avait d'ailleurs jamais constitué un problème entre eux.

— Parle-moi de Watersmeet, dit-il, essayant de voir les choses du bon côté. Qui vit là-bas, à part ta mère ? Tu as dit que c'était une grande propriété. Je suppose que des gens travaillent pour elle, non ?

— Oh…, il y a Mme Blackwood. C'est la gouvernante, qui est à peine plus jeune que ma mère. Et le vieux Bill Trivett. Il s'occupe du jardin et de l'ensemble du domaine. Autrefois, il y avait plusieurs garçons d'écurie quand ma mère élevait des chevaux, mais maintenant toutes les bêtes ont été vendues, alors il ne doit plus y avoir personne.

— Ne le sais-tu pas ? demanda Jake en fronçant les sourcils.

Le visage fin et délicat de Cassandra rosit légèrement.

— Cela… Cela fait longtemps que je ne suis pas revenue à la maison, dit-elle, sur la défensive. J'ai été très occupée, chéri. Et, comme tu peux t'en rendre compte, le Northumberland n'est pas tout près de Londres.

— Il y a des avions, non ?

— Les vols sont chers, insista Cassandra, d'un ton pas très convaincant. Et je ne voulais pas demander d'argent à ma mère.

— Ah bon…

Jake n'avait pas l'intention de se disputer avec elle. Après tout, si elle choisissait de négliger sa mère, c'était son problème.

— Mme Wilkes n'a-t-elle pas de compagnon ? demanda-t-il.

Une fois encore il vit le visage de Cassandra se colorer.

— Il y a Eve, dit-elle, sans donner de précision. Et le nom de ma mère est Robertson, pas Wilkes.

— Comment ça ?

— J'ai changé de nom quand je me suis installée à Londres, expliqua-t-elle avec réticence. Beaucoup d'acteurs le font.

— Hum…

Oui, effectivement. Mais pourquoi semblait-elle si mal à l'aise ?

— Et Eve ? insista-t-il. S'agit-il d'une vieille dame qui tient compagnie à ta mère ?

— Non, Dieu merci ! s'exclama Cassandra d'un ton irrité. Eve est… une parente éloignée, c'est tout. Ma mère lui a proposé de vivre avec elle, il y a… oh, environ une dizaine d'années.

Pourquoi le fait de parler de cette femme semblait-il l'agacer autant ? s'interrogea Jake avec curiosité.

— Pour lui tenir compagnie ? insista-t-il.

— En partie, répondit Cassandra avec ennui. Elle est institutrice dans une école maternelle au village.

Jake ne fit aucun commentaire, mais il crut comprendre que Cassandra en voulait à cette femme de vivre chez sa mère. Peut-être était-elle jalouse de la relation qu'elle entretenait avec Mme Robertson ?

Ils atteignirent enfin Falconbridge vers 18 heures. Durant

les derniers kilomètres, ils traversèrent la région de Redesdale, dont les collines se coloraient d'un beau violet sombre dans le soir finissant. En dépit de ses appréhensions, Jake dut reconnaître que l'endroit dégageait un certain mystère, et il était presque prêt à croire que les légions romaines hantaient encore ces lieux durant la nuit.

Soudain, Cassandra frissonna et serra les bras autour d'elle comme s'il faisait froid.

— C'est sinistre, ici, murmura-t-elle. Je ne comprends pas comment on peut vivre dans un trou pareil.

— Je trouve que c'est magnifique, dit Jake en ralentissant pour négocier un virage dangereux. Je connais beaucoup de Londoniens qui seraient ravis de quitter leur train de vie infernal pour venir s'installer ici.

Cassandra lui décocha un regard incrédule.

— Tu ne veux quand même pas dire que tu préférerais vivre ici plutôt qu'à San Felipe ?

— Non, c'est sûr..., répondit-il sincèrement.

En effet, même s'il adorait voyager à l'étranger, l'endroit qu'il préférait entre tous demeurait son île natale.

— Mais je parlais de Londres, précisa-t-il. Reconnais que trop d'individus s'entassent dans un espace trop réduit.

— Peut-être, mais moi j'adore cette ville. Et puis, quand tu travailles dans le milieu artistique, comme moi, tu dois te trouver là où ça bouge.

— Oui, bien sûr.

Elle avait raison, mais depuis les six mois qu'il la connaissait, Cassandra avait obtenu un seul rôle — dans la publicité, pour une nouvelle crème antirides...

Après avoir franchi un vieux pont enjambant une rivière, ils débouchèrent dans la rue principale, bordée par une rangée de cottages bas en pierres grises. Des lumières brillaient aux fenêtres et de la fumée s'échappait des cheminées.

— La maison de ma mère est située après le village, dit Cassandra. Elle est un peu en retrait, derrière des arbres.

Un peu en retrait constituait un euphémisme, découvrit bientôt Jake. Car, après que le véhicule se fut engagé entre deux hauts piliers, ils roulèrent encore pendant plus de quatre cents mètres avant d'atteindre la maison elle-même. De hauts peupliers longeaient l'allée, nus et squelettiques dans la nuit tombante.

Le manoir se dressa finalement devant eux, majestueux et imposant. Comme les maisons du village, il était construit en pierres, mais sur trois étages surmontés de pignons ouvragés. Au rez-de-chaussée, de hautes fenêtres encadraient le perron central. Les rideaux n'étaient pas tirés et une lumière dorée se répandait sur le gravier.

— Eh bien, nous sommes arrivés, dit Cassandra sans faire un mouvement pour sortir de la voiture. Je me demande s'ils se sont rendu compte de notre présence…

— Nous allons le savoir tout de suite, répliqua Jake en ouvrant sa portière pour étirer ses longues jambes.

Bigre, il faisait drôlement froid, à présent ! Il se pencha vers la banquette arrière pour y prendre sa veste en cuir. Puis, après l'avoir enfilée, il sortit de la voiture.

Au moment où il boutonnait sa veste, la silhouette d'une femme se découpa sur le seuil, dans la lumière qui venait du hall derrière elle. Elle était grande et mince, et Jake crut distinguer qu'une longue tresse de cheveux lui tombait sur une épaule.

De toute évidence, ce n'était pas la mère de Cassandra, songea-t-il. Ni la gouvernante âgée. S'agissait-il de la parente éloignée ?

Se retournant, il vit Cassandra sortir à son tour de l'Aston Martin.

— Voici Eve, dit-elle, lui répondant sans le savoir.

Son sourire pincé lui montra qu'il ne s'était pas trompé : sa compagne manifestait à cette femme une évidente hostilité.

— Où est ma mère ? demanda-t-elle à celle-ci d'un ton peu aimable. Je pensais qu'elle serait venue nous accueillir.

La jeune femme descendit les trois marches et vint à leur rencontre. Tandis qu'elle s'avançait vers eux, Jake découvrit ses traits fins et son teint clair, en contraste avec sa chevelure très sombre. Il se dit que ses yeux devaient être brun foncé, bien que, pour l'instant, il ne puisse les voir.

Toute l'attention de la jeune femme semblait concentrée

sur Cassandra, si bien qu'il put ainsi l'observer à loisir. Une sorte de beauté étrange, un peu exotique, émanait de toute sa personne. Bon sang, pourquoi se contentait-elle de passer ses journées à veiller sur une vieille femme, parente éloignée ou pas ? se demanda-t-il avec curiosité.

A cet instant, il vit ses lèvres se serrer nerveusement avant qu'elle ne parle.

— Ellie est alitée, dit-elle, sans les saluer. Elle est tombée hier soir et le Dr McGuire pense qu'elle s'est peut-être cassé la cheville.

— *Peut-être* ? répéta Cassandra. Pourquoi n'en est-il pas certain ? Ne l'a-t-il pas envoyée passer de radio ?

Jake remarqua que la jeune femme ne se laissait pas impressionner par le ton autoritaire de Cassandra.

— Si, répondit Eve. Mais elle voulait être là à ton arrivée. J'ai appelé une ambulance qui viendra la chercher demain.

— Une ambulance ? répliqua aussitôt Cassandra. Pourquoi ne l'emmènes-tu pas ?

— Je te rappelle que je travaille, dit Eve sans perdre son calme.

C'est alors qu'elle regarda Jake pour la première fois.

— Mais, entrez, je vous en prie. Il fait meilleur à l'intérieur.

2.

Une heure plus tard, Eve put enfin s'échapper et alla se changer pour le dîner.

Peu après leur arrivée, elle avait emmené Cassie voir sa mère, avant de conduire Jacob Romero à sa chambre. En effet, Ellie avait décrété qu'il était hors de question que Cassie dorme avec son amant *sous son toit.*

Puis Eve était allée à la cuisine afin de prévenir Mme Blackwood qu'elles avaient des invités.

Ensuite, elle s'était arrangée pour ne pas croiser Jacob Romero. Elle ne savait pas vraiment à quoi elle s'était attendue mais, dès le moment où elle l'avait vu à côté de sa voiture dans la cour, elle s'était sentie envahie par une curieuse appréhension qu'elle ne parvenait pas vraiment à définir.

Elle avait pensé qu'il serait plus âgé, se dit-elle. Après tout, Cassie avait quarante-six ans. Mais Romero était bien plus jeune, elle en était sûre. Grand et bien bâti, il avait l'air fort et viril. Quant à son visage, il était finement sculpté, ses pommettes saillantes mettant en valeur ses yeux enfoncés et très sombres, presque aussi noirs que ses cheveux coupés très court.

Cet homme était… dangereux, en avait-elle conclu. Séduisant et dangereux. Il n'était pas difficile de comprendre pourquoi Cassie était attirée par lui. Et ce qui troublait le plus Eve était qu'elle aussi le trouvait terriblement *sexy.*

Après avoir laissé tomber son chemisier et son jean sur le plancher, elle alla prendre une douche. Qu'est-ce qu'il lui prenait ? Dix ans plus tôt, le regard d'un homme sur elle ne l'aurait pas tant préoccupée. Mais elle était plus méfiante à l'époque, plus aguerrie. Elle s'était adoucie depuis qu'elle était venue vivre avec sa grand-mère.

Un peu plus tard, alors qu'elle se séchait les cheveux, elle passa mentalement en revue le contenu de sa garde-robe. Rien de très excitant, conclut-elle. Des jupes et des chemisiers ou des pulls pour l'école, des jeans et des gilets pour la maison. Pour ses rares sorties, sa grand-mère lui avait offert une petite robe en velours noir, avec de longues manches et un large décolleté arrondi, et qui lui arrivait au-dessus des genoux. Mais elle ne convenait pas pour ce soir. D'autre part, elle n'avait pas l'intention d'attirer l'attention de Cassie en portant une tenue inappropriée pour la circonstance.

Elle eut soudain envie de laisser ses cheveux libres, comme elle le faisait souvent le soir, après les avoir lavés. Mais encore une fois, elle préféra ne pas se faire remarquer, et tressa sa longue natte habituelle, qu'elle fixa avec un simple élastique.

Après avoir changé d'avis plusieurs fois, elle opta pour un haut à encolure bateau. Une ganse en satin ivoire soulignait sa poitrine, contrastant avec le vert olive du jersey qui faisait ressortir son teint clair.

Quand elle vit à quel point il lui allait bien, elle faillit l'ôter. Elle l'avait acheté lors de l'un de ses rares voyages à Newcastle, avant de le fourrer dans un tiroir, songeant qu'elle ne pourrait pas le porter pour aller à l'école.

Mais il était trop tard pour se raviser, à présent. De toute façon, elle décida qu'elle ne dînerait pas avec les invités de sa grand-mère. Elle n'avait pas l'intention de laisser la vieille dame prendre son repas seule, ni de troubler le tête-à-tête de Cassie avec son amant.

Après avoir enfilé un pantalon de velours côtelé noir, elle se passa rapidement une ombre gris mauve sur les paupières et du gloss transparent sur les lèvres. Puis elle quitta sa chambre avant de changer d'avis.

Au fil des années, Eve s'était habituée aux longs couloirs et aux immenses pièces à hauts plafonds de Watersmeet. Un peu avant son arrivée, le chauffage central avait été installé, mais la chaudière avait du mal à maintenir la vaste demeure à une température ambiante. Par conséquent, à cette époque de l'année, on faisait du feu dans toutes les pièces qui étaient utilisées au rez-de-chaussée.

Eve se rendit d'abord à la cuisine, pour voir si tout allait bien. La vieille gouvernante n'avait pas l'habitude d'avoir des invités, mais il en aurait fallu beaucoup pour la déconcerter. Eve la trouva en train de rouler du fromage fait maison dans des tranches de jambon. Une sauce à l'avocat attendait à part, dans des ramequins.

— *Madame* ne voudra pas de sauce, évidemment, expliqua Mme Blackwood.

Elle voulait parler de Cassie, bien sûr. Sa grand-mère ne faisait pas attention aux calories.

— J'espère qu'elle appréciera les filets de bar, reprit-elle. J'ai demandé spécialement à M. Goddard de les livrer. Je n'ai pas oublié son dégoût pour la viande…

— Je suis sûre que le repas sera délicieux, dit Eve en lui souriant avec chaleur. Qu'aurons-nous pour le dessert ?

— Du pudding et de la crème glacée, répondit aussitôt Mme Blackwood. Je sais que c'est riche, mais c'est le dessert préféré de Mme Robertson. Après cette mauvaise chute, cela lui fera plaisir, vous ne croyez pas ?

Eve approuva d'un signe de tête. Le pudding de Mme Blackwood, qu'elle préparait à base de brioches et de pêches fraîches ou au sirop, selon la saison, était réputé dans tout le village. Elle en confectionnait habituellement chaque fois qu'il y avait une fête, à Noël par exemple, et ils se vendaient en un clin d'œil.

Après avoir remercié la vieille dame de ses attentions, Eve sortit de la pièce et se dirigea vers les escaliers. Le large hall d'entrée lui sembla glacial après la chaleur agréable de la cuisine, à tel point qu'elle se demanda si elle ne devrait pas aller chercher un pull. Mais alors qu'elle posait le pied sur la première marche, elle se rendit compte que quelqu'un descendait. Levant les yeux, elle vit Jacob Romero qui venait vers elle.

Il s'était changé, lui aussi, remarqua-t-elle, bien qu'elle ait rapidement détourné les yeux avant de s'effacer pour le laisser passer. Il avait passé un superbe pull en cashmere couleur sable qui mettait en valeur son torse puissant et musclé, et un pantalon noir ajusté.

Elle s'attendait à ce qu'il continue son chemin, mais il s'arrêta à côté d'elle. Seigneur, il était vraiment très grand ! songea-t-elle. Elle-même mesurait un mètre soixante-quinze, mais Jacob Romero la dépassait d'à peu près quinze centimètres.

Décidément, il se tenait beaucoup trop près d'elle… Eve dut faire un effort pour ne pas s'écarter de lui. Etait-ce bien une lueur amusée qu'elle découvrit soudain dans ses yeux sombres ? Se rendait-il compte de l'effet qu'il produisait sur elle ? se demanda-t-elle avec irritation.

— Je voudrais vous remercier de votre accueil, dit-il, avec un très léger accent qui renforçait la sensualité de sa voix.

Eve ne put refouler le frisson qui lui parcourut le dos.

— Cette maison ne m'appartient pas, dit-elle rapidement.

Il la déconcertait, et elle était certaine qu'il le sentait.

— Vous habitez ici, murmura-t-il simplement. Cassandra m'a dit que vous enseigniez à l'école du village. Est-ce un travail intéressant ?

— J'aime mon métier, en effet.

Puis, dans le but de lui montrer qu'elle considérait la conversation comme terminée, elle posa une main ferme sur la rampe de l'escalier, mais il ne sembla pas comprendre.

— Et… vous aimez vivre ici ? demanda-t-il. Cet endroit semble très… isolé.

— Vous voulez dire que c'est calme par rapport à Londres ? répliqua-t-elle, consciente que son ton était un peu trop agressif.

Mais elle était incapable de s'en empêcher. Il devait penser qu'elle était mal élevée, ou stupide, songea-t-elle.

— Je voulais simplement dire que ce ne doit pas être facile de n'avoir qu'une vieille dame pour toute compagnie, corrigea-t-il un peu sèchement.

Aussitôt, avec une légère pointe de malice dans la voix, il ajouta :

— Mais je vois bien que je vous ennuie. Il est évident que vous préféreriez que nous ne soyons pas ici, Cassandra et moi.

Mon Dieu, elle avait dépassé les limites de la bienséance ! s'affola Eve.

— Je n'ai jamais dit cela. Cassie est toujours la bienvenue ici, elle est chez elle.

— Bien sûr, répliqua-t-il en lui adressant un sourire qui découvrit des dents parfaites. Mais moi, je suis un intrus, je m'en rends parfaitement compte.

— Ce n'est pas ce que j'ai voulu dire, protesta-t-elle.

Eve l'avait regardé en face, mais elle se sentit obligée de baisser les yeux. Après avoir contemplé un instant son torse puissant, son regard descendit sur son pantalon moulant. Mon Dieu, c'était encore plus perturbant, songea-t-elle en contemplant le tissu qui épousait chaque ligne, chaque courbe de ses hanches et de ses cuisses.

— Je... je dois y aller, dit-elle en hâte. Ellie va se demander où je suis.

— La vieille dame ?

Quand elle sentit ses seins frôler le bras qu'il avait tendu pour l'arrêter, elle tressaillit et recula brusquement.

— Elle n'est plus dans sa chambre, continua-t-il simplement. Cassandra m'a dit qu'elle voulait absolument dîner avec nous.

Eve retrouva aussitôt ses esprits. Le fait d'apprendre que Cassie avait persuadé sa mère de quitter son lit, alors qu'elle avait vraiment besoin de se reposer, la révoltait et exacerbait la nervosité que la proximité de cet homme provoquait en elle.

— Où est-elle ? demanda-t-elle d'un ton crispé.

— Dans la bibliothèque.

Jacob Romero la contemplait, les sourcils froncés.

— Vous vous sentez bien ?

Eve recula à nouveau d'un pas. Cette fois, c'en était trop.

— Pourquoi ne me sentirais-je pas bien ? s'exclama-t-elle, feignant la surprise. Si vous voulez bien m'excuser, je vais aller voir si elle a besoin de moi.

A son grand dépit, il lui emboîta le pas et l'accompagna vers les doubles portes de la bibliothèque, à l'extrémité du couloir. Du temps de son grand-père, cette pièce avait été son bureau privé, mais maintenant, elle servait à la fois de bureau et de salon.

C'était un endroit agréable et confortable, avec ses rayonnages de livres qui couvraient les murs et dont se dégageait un agréable parfum de vieux cuir. Un feu brûlait dans l'immense cheminée et la grand-mère d'Eve était assise dans son fauteuil, devant l'âtre. Le pied posé sur un petit tabouret couvert de velours grenat, elle tenait un verre de vin rouge à la main, d'un air de défi.

Cassie était là, elle aussi, assise sur une chaise non loin de sa mère. Vêtue d'un pantalon de soie et d'une tunique assortie bleu roi qui faisait ressortir sa chevelure blonde, elle était très élégante. Quelqu'un avait tiré le vieux fauteuil de son grand-père de derrière le bureau et l'avait disposé à côté d'elle. Il était destiné à Jacob Romero, évidemment, songea cyniquement Eve. Ce qui signifiait qu'elle-même devrait se contenter de la chaise droite qu'utilisait M. Trivett quand il venait bavarder avec Ellie.

— Prends un verre de vin, Eve, lui proposa cette dernière quand elle entra dans la pièce.

Mais Jacob Romero intervint aussitôt.

— Je vais m'en occuper, dit-il en lui désignant le fauteuil installé à côté de Cassie. Asseyez-vous.

A moins de faire preuve d'impolitesse, elle ne pouvait refuser.

— Merci, dit-elle simplement.

Puis, ignorant l'irritation manifeste de Cassie, elle alla s'asseoir à côté d'elle et se tourna vers Ellie.

— Comment te sens-tu, ce soir ?

— Je vais beaucoup mieux, affirma la vieille dame. N'aie pas l'air si sévère, Eve. Je n'ai pas descendu les escaliers toute seule. M. Romero m'a portée.

Eve s'empêcha in extremis de lui lancer un regard admiratif. Sa grand-mère n'était pas un poids plume, et il devait être drôlement robuste pour l'avoir portée depuis sa chambre.

— C'est très aimable à vous, murmura-t-elle en acceptant le verre de vin qu'il lui tendait.

— Jake est très fort, dit aussitôt Cassie. Il fait tellement d'exercice…

Le sous-entendu était évident, mais il ne sembla pas le percevoir.

— Ma famille possède un chantier naval à San Felipe, dit-il d'une voix douce en se penchant en avant. Dès mon plus jeune âge, j'ai gréé des mâts et hissé des voiles. Je peux vous assurer que vous porter ne m'a posé aucun problème, madame Robertson.

Ainsi, voilà pourquoi il avait un léger accent, songea Eve.

— San Felipe ? répéta Ellie. Est-ce en Espagne ?

— Non, c'est une île des Caraïbes, madame.

Aussitôt, Eve eut une vision de sable blanc, de mer bleue et de palmiers. Pas étonnant que son teint soit aussi hâlé. Tout son corps devait être brun, songea-t-elle en frissonnant.

Seigneur, d'où lui était venue cette nouvelle pensée saugrenue ? se demanda-t-elle, furieuse contre elle-même.

— L'île appartient à la famille de Jake, maman, ajouta Cassie avec fierté. Comme son père est à la retraite, c'est lui qui dirige la compagnie.

— Comme c'est charmant ! dit Ellie, sans paraître impressionnée le moins du monde. Et que faites-vous en Angleterre, monsieur Romero ? J'aurais pensé qu'à cette époque de l'année il faisait meilleur aux Caraïbes qu'ici.

— Bien sûr, dit-il avec regret. Mais je suis obligé de passer une partie de l'année en Europe.

— L'entreprise de Jake possède des succursales dans le monde entier, précisa Cassie. Nous nous sommes rencontrés il y a quelques mois à Paris, au Salon nautique, n'est-ce pas, chéri ?

— J'ignorais que tu t'intéressais aux voiliers, Cassie, remarqua sèchement Ellie. Chaque fois que ton père et moi avons voulu t'emmener en mer, tu étais malade.

— C'était il y a longtemps, commença Cassie.

— Cassandra travaillait comme hôtesse au salon, précisa Romero.

— C'était juste pour remplir un vide entre deux rôles, expliqua Cassie avec humeur. Normalement, je n'accepte pas ce genre de jobs.

— Vraiment ? lui demanda sa mère. Rappelle-moi, quand as-tu joué pour la dernière fois ?

Eve ne put s'empêcher de prendre la défense de Cassie.

— Tu as joué dans la reprise de *Orgueil et Préjugés*, n'est-ce pas, Cassie ? Tu tenais le rôle de l'une des sœurs Bennett, c'est bien ça ?

— Tu sais très bien que ce n'était pas l'une des sœurs Bennett, siffla Cassie en lui décochant un regard mauvais.

— Alors, celui de Mme Bennett, peut-être ? lui demanda Ellie en souriant.

— Etes-vous restés longtemps à Paris, toi et M. Romero ? demanda précipitamment Eve.

Cette fois, Cassie sembla lui être reconnaissante de son intervention dans ce duel avec sa mère.

— Seulement quelques jours, répondit-elle. Mais Jake m'avait promis de me rappeler à Londres et il l'a fait. Il y a six mois de cela, n'est-ce pas, chéri ?

— Oui, à peu près.

Stupéfaite, Eve le vit alors se tourner vers elle.

— Et je m'appelle Jake, ou Jacob, si vous préférez.

Consciente que tous la regardaient, Eve se trouva forcée de répondre.

— Très bien.

Puis, après avoir réussi à détacher les yeux du visage troublant de Jake Romero, elle se leva et s'adressa à sa grand-mère.

— Je vais aller voir si Mme Blackwood n'a pas besoin d'aide.

— Peux-tu me rapporter quelque chose à boire ? demanda aussitôt Cassie en lui tendant son verre. Je voudrais du whisky, s'il y en a. Je n'aime pas ce vin.

— Et moi je n'aime pas tes manières ! répliqua aussitôt sa mère.

Eve regretta d'avoir proposé d'aller à la cuisine. Une atmosphère très tendue régnait maintenant dans la pièce et elle redoutait ce que sa grand-mère allait dire ensuite.

— Je ne suis plus une enfant, *mère*.

Tout le monde devait avoir remarqué qu'elle avait abandonné le « maman » mielleux.

— Et je n'aime pas le vin rouge, c'est tout. Mais tu le savais.

— Je l'avais oublié, dit sa mère avec indifférence. Tu viens si rarement nous voir, Cassie. Je ne peux pas me souvenir de tout.

Dans l'espoir de mettre un terme à l'affrontement, Eve prit le verre vide de Cassie et lui dit :

— Oui, il y en a à la cuisine, en effet. Tu pourrais peut-être m'accompagner ?

Cassie la regarda méchamment.

— Excuse-moi, dit-elle à Romero.

Puis elle se leva et traversa la pièce pour rejoindre Eve qui l'attendait devant la porte.

Elle attendit que celle-ci soit refermée derrière elles et qu'elles aient traversé le hall avant de lui lancer avec agressivité :

— Tu peux m'expliquer à quoi tu joues ?

— J'aurais dû savoir que rien de ce que je ferais ne te plairait, dit Eve d'un ton neutre. Et moi qui croyais te rendre service !

— Que veux-tu dire ?

— Tu ne te rends pas compte que ta mère n'attend que l'occasion de faire exploser ce mythe que tu as créé autour de toi ? Si tu crois qu'elle a tout oublié, tu te trompes.

— Tu n'as rien fait pour l'aider, évidemment !

Eve haussa les épaules.

— Si tu veux penser cela, je ne peux pas t'en empêcher.

— Que suis-je censée croire d'autre ? demanda-t-elle brutalement avant de se radoucir tout à coup. Elle ne dira rien, n'est-ce pas ?

— Si tu continues à la provoquer, je ne sais pas, répondit sincèrement Eve.

— Mais c'est elle qui me provoque ! Dois-je encaisser tout ce qu'elle dit sans me défendre ?

— Je ne peux répondre à cette question. Cela dépend plutôt de ce que tu veux que ton… invité sache de toi.

La bouche de Cassie se crispa.

— Tu me menaces ?

— Non ! s'écria Eve. Pourquoi te menacerais-je ? Je me moque bien de ce que tu fais et de qui tu fréquentes.

— Bien sûr ! ironisa Cassie. Je me demande si ma mère sait quel genre de vie tu menais avant qu'elle arrive comme une bonne fée pour te sauver.

— Elle le sait, dit Eve.

Puis, sans plus se préoccuper de Cassie, elle ouvrit la porte et pénétra dans la chaleur rassurante de la cuisine.

3.

Le lendemain matin, il faisait très froid quand Jake sortit de son lit. Le chauffage ne s'était pas encore déclenché, constata-t-il en touchant le radiateur avant de se diriger vers la fenêtre. Dehors, une fine couche de gel adoucissait le contour des arbres.

Malgré la déception évidente de Cassandra, il avait dormi seul. Il savait qu'elle l'avait invité à l'accompagner parce qu'elle espérait que, durant ces quelques jours passés ensemble, leur relation prendrait un caractère plus intime. Mais cela ne l'intéressait pas, et à vrai dire, il était même soulagé que sa mère les ait installés dans deux chambres séparées.

En bas, dans la cour, une lueur attira soudain son attention. La fenêtre de sa chambre donnait sur l'arrière de la maison, et il vit une silhouette se diriger vers les annexes qui étaient à peine visibles dans la semi-obscurité.

C'était Eve. Sa haute silhouette mince était facilement reconnaissable. Vêtue d'un jean et d'un gros pull-over, son épaisse natte sautant sur son épaule, elle évoluait avec une grâce inconsciente qui l'émut malgré lui. Qu'est-ce qu'il lui prenait ? se demanda-t-il, irrité contre lui-même. Elle n'était pas aussi belle que Cassandra, pourtant. Ses traits étaient trop irréguliers, sa bouche trop grande, son nez trop long…

Pourtant, la jeune femme avait du chien, il ne pouvait le nier, et son charme exotique un peu étrange lui plaisait beaucoup. La veille au soir, quand ils s'étaient rencontrés au bas des escaliers, il avait été fasciné par son beau regard gris et s'était surpris à vouloir faire naître un sourire sur ses lèvres pulpeuses.

Il n'y était pas parvenu. Pas encore, du moins. Pour une raison connue d'elle seule, elle semblait avoir éprouvé une antipathie instinctive envers lui, et malgré ses tentatives répétées, il n'avait pas réussi à la dérider. Elle avait été forcée de se montrer polie durant ce dîner plutôt tendu, à cause de l'attitude de Cassandra et de sa mère, mais il avait bien senti sa froideur à son égard.

Dans ce cas, il devrait faire des efforts, songea-t-il en refusant de se demander pourquoi l'attitude de la jeune femme le préoccupait autant. Puis il se détourna rapidement de la fenêtre et se dirigea vers la salle de bains attenante à sa chambre. Laissant sa douche pour plus tard, il se passa un peu d'eau sur le visage, se brossa les dents et se coiffa rapidement. Cela irait pour l'instant, décida-t-il, et après s'être regardé une dernière fois dans le miroir, il revint dans sa chambre.

Quand il enfila le vieux jean qu'il emportait toujours avec lui, il frissonna un peu tandis que le tissu froid frôlait sa peau. Puis, attrapant le pull en cashmere qu'il avait porté la veille au soir, il le passa.

Quelques minutes plus tard, sa veste en cuir jetée sur l'épaule, il descendit silencieusement les escaliers. Une fois arrivé dans le hall, il hésita, ne sachant pas quelle direction prendre. Puis il décida de suivre le couloir qui, pensait-il, le conduirait vers l'arrière de la maison.

Il ne s'était pas trompé. Ou du moins, pas complètement, car quand il ouvrit la porte au fond du couloir, il se retrouva dans la cuisine. La gouvernante, qui allait sortir une grille de petits pains odorants du four, leva les yeux sur lui avec surprise. Jake comprit qu'il devait être la dernière personne qu'elle s'attendait à voir surgir de si bon matin.

— Monsieur Romero ! s'exclama-t-elle, l'air perplexe.

Mais elle se ressaisit bientôt et posa la grille de petits pains sur la grande table.

— Vous désirez quelque chose ? demanda-t-elle.

— Je… J'avais l'intention d'aller faire un tour, dit-il, légèrement embarrassé, et je cherchais la sortie de ce côté.

— Ah, dit Mme Blackwood en poussant les petits pains

un peu en avant sur la table. Eh bien, vous pouvez passer par ici, monsieur Romero.

Elle lui désigna une autre porte.

— Vous tomberez d'abord sur une petite pièce qui me sert de réserve, puis vous verrez une porte qui conduit dehors. Mais vous êtes sûr de vouloir sortir si tôt ? Il fait très froid, vous savez.

— Ne vous en faites pas pour moi, dit-il. Mmh… du pain tout chaud ! Vivement le petit déjeuner.

— Vous pouvez en prendre un, si vous voulez, dit timidement Mme Blackwood.

— Merci, dit-il en souriant.

Il en choisit un à la croûte bien dorée avant de se diriger vers la porte.

Une fois dehors, il découvrit que la gouvernante avait raison. Heureusement qu'il avait pris sa veste… L'air était glacé et le petit pain refroidit rapidement dans sa main. Il le prit entre ses dents et enfila rapidement sa veste. Après l'avoir boutonnée de haut en bas, il reprit le petit pain et se dirigea dans la direction qu'avait prise Eve tout à l'heure.

Il parvint rapidement aux écuries. Les bâtiments bas occupaient deux côtés d'une cour pavée, tandis que la masse sombre d'une grange se dressait au fond. De la lumière filtrait au bas de la porte entrouverte de celle-ci.

Tout en songeant qu'elle ne serait certainement pas contente de le voir, il traversa la cour en terminant le délicieux petit pain.

Une fourche dans les mains, Eve était en train de mettre de la paille sur une charrette à bras. Elle avait remonté les manches de son gros pull-over sur ses coudes, et quand elle se pencha vers les balles de paille empilées contre le mur de la grange, il entrevit une ravissante bande de peau nue au-dessus de la ceinture de son jean. Elle ne semblait pas souffrir du froid, constata-t-il avec admiration.

Il se racla la gorge. Il l'avait surprise, il n'y avait aucun doute, car il vit son teint pâle s'empourprer quand elle le vit.

— Que faites-vous ici ? demanda-t-elle d'un ton irrité en se redressant.

— Je visite la propriété, répondit-il d'un air détaché. Que

faites-vous donc ? Cassandra m'avait dit que sa mère avait vendu tous les chevaux.

— Oui, sauf un, dit Eve brutalement. Où est Cassie ?

Jake haussa les épaules et s'appuya d'une épaule contre le mur de la grange.

— Au lit, je suppose, répondit-il en déboutonnant sa veste pour fourrer ses mains sous ses bras dans l'espoir de se réchauffer les doigts.

Eve se raidit aussitôt. En effet, elle ne put s'empêcher de remarquer son jean, qui moulait son anatomie virile.

Ce ne fut qu'au moment où elle leva les yeux et rencontra les siens qu'elle se rendit compte qu'elle le contemplait d'un œil approbateur. Se sentant humiliée, elle voulut lui montrer qu'il lui était indifférent et lui lança d'un ton brutal :

— Vous ne le savez pas ?

— Qu'est-ce que je ne sais pas ? lui demanda-t-il innocemment.

— Ne savez-vous pas où est Cassie ? reprit-elle en haussant les épaules.

— Vous pensez que nous avons passé la nuit ensemble, n'est-ce pas ? suggéra-t-il d'une voix douce.

Bon sang, il avait tellement l'air de se moquer d'elle.

— Eh bien, je suis désolé de vous décevoir, mais j'ai dormi seul, dit-il en dardant son regard sur elle. Et très bien, d'ailleurs.

Ce qui n'était pas entièrement vrai.

— Oh... Eh bien tant mieux !

Puis elle lui tourna le dos et se remit à son travail. Redoublant d'énergie, elle enfonça la fourche dans la paille.

— Laissez-moi vous aider.

Eve leva les yeux pour le regarder avec incrédulité.

— Je... je ne crois pas.

— Pourquoi ?

— Parce que vous..., commença-t-elle en s'humectant les lèvres. C'est... c'est un travail sale.

— Et alors ?

Elle soupira.

— Ecoutez, pourquoi n'allez-vous pas faire votre promenade en me laissant finir mon travail ?

— Parce que je veux voir ce cheval pour qui vous vous donnez tant de peine, répondit Jake.

Puis, après avoir ôté sa veste et l'avoir jetée sur un vieux baril d'huile rouillé, il s'approcha d'elle et lui prit la fourche des mains sans qu'elle résiste.

— Vous voyez, ce n'était pas si difficile…

Impuissante, Eve inspira profondément et s'écarta avec réticence pour le laisser faire.

— Ça ne va pas plaire à Cassie, le prévint-elle.

— Et cela vous inquiète ? demanda-t-il avant de planter fermement la fourche dans la paille. Vous savez, j'ai besoin de bouger un peu. Il y a trop longtemps que je reste assis à me croiser les doigts.

— Je croyais que vous aviez l'habitude de faire de l'exercice ?

— Oui, c'est vrai. Mais durant les six dernières semaines, j'ai voyagé dans toute l'Europe, vérifiant des commandes, négociant des contrats…

Eve hésita. Elle avait une envie terrible de savoir si Cassie l'avait accompagné. Mais qu'est-ce que cela pouvait bien lui faire ?

— N'avez-vous pas d'assistant qui s'occupe de cela ? demanda-t-elle.

Jake se redressa et lui décocha un regard aigu.

— Pourquoi ne me demandez-vous pas carrément si Cassandra était avec moi ? C'est ce que vous voulez savoir, n'est-ce pas ? Sa mère vous a-t-elle chargée de découvrir quelles étaient mes intentions ?

— Non ! s'exclama Eve, indignée. Et je me fiche bien de savoir si Cassie était avec vous ou pas.

— D'accord. Mais je vous informe néanmoins que Cassandra est restée à Londres.

— Peu importe, dit-elle avec indifférence. Mais il y a assez de paille, maintenant. Si vous voulez voir Storm, suivez-moi.

Aussitôt, elle se dirigea vers la porte. Jake remit sa veste, vaguement irrité d'avoir été traité si vertement. Bon sang, qu'avait-il dit, ou fait, pour mériter la froideur qu'elle manifestait à son égard, et à chaque occasion ?

Si elle voulait la charrette de paille, elle n'aurait qu'à venir la chercher elle-même, après tout ! Le ciel était plus clair à présent, mais il faisait toujours aussi froid et il boutonna sa veste et enfonça ses mains dans ses poches en la suivant dans la cour pavée.

Les écuries étaient incroyablement chaudes, si on songeait qu'un seul animal s'y trouvait. A moins que la présence de la jeune femme y soit pour quelque chose, songea-t-il avec ironie. Apparemment, Eve préférait la compagnie du cheval à la sienne…

Son box se trouvait à l'extrémité de la rangée de stalles vides. Il les avait entendus s'approcher et les accueillit avec un hennissement. C'était une bête à l'air solide, à la robe alezane, avec une tache blanche entre les yeux. Des yeux intelligents, remarqua aussitôt Jake quand le cheval frotta son museau contre la poche du jean d'Eve pour quémander un peu de nourriture.

Elle en sortit une petite pomme et le laissa la prendre dans sa main. Il la dévora rapidement, montrant des bonnes dents pour son âge. En effet, d'après Jake, il n'était plus tout jeune, mais il avait l'air vraiment robuste et bien musclé.

— Quel âge a-t-il ? demanda-t-il.

— C'est une jument, dit-elle en ouvrant la porte pour lui passer un licou. Elle s'appelle Storm Dancer, et elle a vingt-huit ans. Mme Robertson l'a vue naître.

Jake s'écarta pour laisser sortir la jument, qui en profita pour lui pincer l'oreille au passage, mais sans le mordre. Il vit qu'Eve l'observait avec surprise.

— Eh oui, elle m'aime bien, dit-il, très amusé de la situation. Je suis désolé…

— J'imagine que toutes les femelles réagissent comme ça avec vous, répliqua aussitôt Eve.

Quand elle se rendit compte de ce qu'elle venait de dire, elle devint écarlate.

— Toutes sauf vous, remarqua Jake sèchement, tout en les suivant, elle et Storm Dancer, le long des stalles vides.

— Vous m'êtes indifférent, voilà tout, monsieur Romero, dit-elle sans se retourner.

Mais Jake était certain qu'elle mentait.

— Je suis heureux de vous l'entendre dire, commenta-t-il quand ils sortirent dans l'air froid.

A ce moment, elle se retourna vers lui.

— Cela me laisse de l'espoir, ajouta-t-il en soutenant son regard.

— De l'espoir ? Que voulez-vous dire ?

— Eh bien, l'espoir qu'un jour vous pourriez m'aimer bien, vous aussi, dit-il avec nonchalance. A présent, où allons-nous ?

— *Je* vais conduire Storm dans l'enclos, dit-elle. Quant à vous, vous devriez rentrer à la maison. Cassie va se demander où vous êtes passé.

Il jeta un coup d'œil à sa montre.

— A 7 h 10 ? J'en doute.

— Vous la connaissez si bien, n'est-ce pas ?

— Parce que j'ai couché avec elle ?

Une fois encore, il vit qu'il l'avait décontenancée. Mais il constata aussi qu'elle tentait de le dissimuler.

— C'est bien ce que vous avez fait, non ? demanda-t-elle d'un ton féroce.

A sa grande surprise, il ne sentit pas la colère l'envahir, mais un désir irrésistible de prendre son visage entre ses mains et de l'embrasser.

Sa bouche semblait douce et vulnérable, en dépit de ses tentatives désespérées pour se donner un air dur. Quel goût avaient ces lèvres ? se demanda-t-il en son for intérieur.

Bon sang, il était venu là avec une femme et voici qu'il en convoitait une autre ! En effet, toute sa virilité s'éveillait rien qu'à contempler cette bouche pulpeuse. Diable, que lui arrivait-il ?

Cassandra se transformerait en furie si elle éprouvait le moindre soupçon qu'il était attiré par la compagne de sa mère. Cela ne faisait-il pas plus de six mois qu'elle essayait, sans succès, de donner un tour plus intime à leur relation…

Pourtant, il l'aimait bien — quand elle n'essayait pas de l'attirer dans son lit. Mais de là à franchir le pas et à s'engager avec elle… C'était tout bonnement impensable, songea-t-il avec force.

— Cela est-il important pour vous ? demanda-t-il doucement. Mais vous avez raison, je crois que je ferais mieux d'aller la retrouver.

« Oui, en effet, et vous n'auriez jamais dû vous éloigner d'elle », songea Eve avec amertume tout en se dirigeant vers l'enclos.

A présent, elle regrettait de l'avoir provoqué. Bien qu'elle soit persuadée que sa rencontre avec Jake Romero ne présageait rien de bon, quelque chose en lui la troublait profondément. Et, en dépit de sa détermination farouche à se montrer indifférente à sa présence, elle avait savouré leur joute verbale. *Savouré le fait d'être avec lui*, pensa-t-elle, incapable de retenir le frisson qui la parcourut tout entière.

Seigneur, si elle n'y prenait pas garde, elle pressentait que la situation pouvait devenir *très* dangereuse.

4.

Une fois dans sa chambre, Jake prit une douche, puis enfila un pantalon bleu marine en toile épaisse et un polo violet à manches longues. Quelques instants plus tard, il prenait son petit déjeuner dans le salon quand Cassandra finit par se montrer.

En revanche, il n'avait pas revu Eve. Comme il était déjà plus de 9 heures, il pensa qu'elle était probablement partie travailler. Quant à Mme Robertson, elle se reposait encore dans sa chambre.

Cassandra entra lentement dans la pièce, encore vêtue du kimono de soie rouge qu'elle disait avoir reçu d'un admirateur de retour de Hong Kong. Il faisait un peu frais pour porter ce genre de vêtement, songea Jake. Mais il savait qu'elle affectionnait ce kimono. Elle pensait qu'il flattait son teint clair. Et, comme elle semblait ne rien porter en dessous, Jake comprit où elle voulait en venir.

— Chéri ! s'exclama-t-elle avec humeur. Où étais-tu donc passé ? Je suis allée dans ta chambre ce matin et tu n'y étais pas. Je commençais à m'inquiéter, tu sais... Et maintenant, je te retrouve ici, en train de dévorer un petit déjeuner gargantuesque. N'est-ce pas un peu trop riche pour tes artères ?

— C'est délicieux, en tout cas, dit Jake, imperturbable.

— Mais... où étais-tu ? insista-t-elle d'un ton irrité.

— Quand ?

Jake feignait de ne pas comprendre, mais Cassandra n'était pas décidée à abandonner aussi facilement.

— Tout à l'heure, dit-elle en enroulant le bout de la ceinture de son peignoir autour de son doigt. Et ne me dis pas que tu étais en train de prendre une douche, parce que j'ai vérifié !

Jake finit le dernier morceau d'une délicieuse saucisse avant de reposer son couteau et sa fourchette.

— J'étais sorti, dit-il simplement. Pourquoi ne vas-tu pas t'habiller avant d'aller voir comment se porte ta mère, ce matin ?

— Je m'en moque, répliqua Cassandra. Et elle-même se fiche éperdument de moi. As-tu vu comment elle m'a tournée en ridicule, hier soir ? Tout ça parce que je ne me suis pas contentée de cette vie provinciale... Elle saisit toutes les occasions pour me rabaisser.

Jake haussa les épaules. Il ne pouvait nier que Mme Robertson l'avait provoquée. Mais il ne connaissait pas l'histoire de cette famille, aussi lui était-il difficile de se faire une opinion. C'était Eve qu'il plaignait le plus. N'était-elle pas prise entre ces deux femmes qui semblaient déterminées à s'affronter sans merci ? Pourtant, elle avait pris la défense de Cassandra.

— De toute façon, il est encore tôt, ajouta celle-ci.

Apparemment, elle avait d'autres idées en tête. Elle contourna la table pour se rapprocher de lui, puis entrouvrit son peignoir. Il ne s'était pas trompé : elle était entièrement nue en dessous.

— Pourquoi ne remonterions-nous pas ensemble ?

Jake se leva et repoussa sa chaise. Puis il saisit les deux pans du kimono. Et, bien qu'il sache qu'elle s'attendait à ce qu'il l'attire contre lui, il referma le vêtement sur elle.

— Va prendre une douche froide, Cassandra, lui dit-il d'un ton neutre. J'ai l'intention d'aller explorer un peu les environs. Si tu veux venir avec moi, dépêche-toi. Je te donne une demi-heure pour te préparer.

Il lui sembla qu'elle jurait tout bas, tandis qu'elle se drapait dignement dans son kimono avant de se diriger vers la porte.

— Il me faut au moins une heure, dit-elle en lui jetant un regard par-dessus son épaule.

Ce vendredi-là, Eve eut un mal fou à se concentrer sur son travail. Les enfants le comprirent rapidement et s'agitèrent plus que d'habitude, si bien qu'elle dut hausser le ton pour ramener l'ordre dans la classe.

A l'heure du déjeuner, les choses se gâtèrent quand Mme Portman, la directrice, convoqua toutes les institutrices à une réunion après la fin des cours. Normalement, il n'y avait jamais de réunion le vendredi. En fin de semaine, la plupart d'entre elles étaient en effet pressées de rentrer chez elles. Mais quand Mme Portman les rejoignit, l'air grave, Eve eut un mauvais pressentiment.

Elle ne s'était pas trompée. Le matin même, la directrice avait appris que l'école primaire de Falconbridge allait être rattachée à une plus grande école, celle d'East Ridesdale. Les autorités locales ayant décrété que le petit établissement n'accueillait pas assez d'élèves pour justifier les dépenses de fonctionnement, elles avaient décidé de le fermer avant la fin du prochain trimestre.

Quand Mme Portman eut fini de parler, un silence consterné se fit dans la pièce. Les institutrices avaient l'impression de former une famille, et l'idée de se retrouver séparées et envoyées dans différentes écoles leur semblait terrible. Sans compter les effets négatifs que cette dispersion allait produire sur les enfants.

— Mais, ont-ils le droit de faire cela ? demanda Jennie Salter avec inquiétude. Je croyais avoir lu quelque part que les parents luttaient contre ces fermetures.

— Oui, en effet, approuva Mme Portman. Mais je ne pense pas que les parents de nos élèves soient préparés à affronter les autorités locales. En particulier si le maintien de l'école doit entraîner une augmentation des impôts locaux.

— Ainsi, l'école fermera à Pâques, dit Eve, le cœur lourd.

— Oui, officiellement, dit Mme Portman. Mais bien sûr, je n'exigerai pas que vous restiez jusqu'au dernier moment avant de chercher un autre poste. D'autre part, dès que les parents apprendront la nouvelle, ils commenceront à inscrire leurs enfants dans d'autres écoles.

Quand elle rentra à pied chez elle, un peu plus tard, Eve n'était pas d'humeur à répondre aux coups de Klaxon de l'Aston Martin qui la dépassa sur la route.

Romero était au volant, bien sûr, Cassie assise fièrement à côté de lui.

Non, elle n'était pas jalouse de cette femme, songea farouchement Eve. Dans le passé, Cassie ne lui avait jamais fait de cadeaux, et désormais elle n'attendait plus rien d'elle.

Le crissement des pneus la sortit de ses pensées. La voiture revenait maintenant vers elle en marche arrière. Seigneur, ils allaient lui proposer de la ramener en voiture ! comprit-elle, mal à l'aise. Et elle devinait qui en avait eu l'idée.

La vitre se baissa et Romero passa la tête à l'extérieur.

— Montez, dit-il simplement.

— Ce n'est pas la peine, dit Eve entre ses dents.

— Je t'avais bien dit qu'elle refuserait, dit Cassandra en étouffant un bâillement ennuyé. Allez, chéri, ferme cette vitre, s'il te plaît, j'ai froid.

Jake serra les mâchoires. Ayant passé la plupart de la journée à divertir Cassandra, il n'était pas d'humeur à écouter ses plaintes. Mais Eve ne lui facilitait vraiment pas la tâche ! Soudain, il eut une envie terrible de rentrer immédiatement à Londres.

Eve avait l'air frigorifié, remarqua-t-il. Bien qu'elle porte un épais duffle-coat, ses traits étaient anormalement pâles. Ignorant les protestations de Cassandra, il ouvrit grand la portière et sortit du véhicule.

— Il reste encore presque un kilomètre, dit-il, conscient qu'Eve avait reculé instinctivement quand il s'était approché d'elle.

— Et alors ? demanda-t-elle en haussant ses sourcils bruns.

— Alors il fait froid, et vous avez l'air fatigué. J'ai l'impression que la journée a été dure avec les enfants.

« Vraiment ? » Eve pinça les lèvres, se demandant pourquoi elle était si réticente à monter dans la voiture. Ce n'était pas seulement à cause de Cassie, bien que celle-ci l'observât froidement. Elle sentait confusément qu'elle ne devait pas laisser cet homme s'approcher davantage.

— J'ai besoin de marcher, dit-elle enfin, soutenant son regard avec défi. Mais je vous remercie quand même.

— J'aimerais bien vous croire, murmura-t-il.

Jake repensa à l'acquisition qu'il avait faite l'après-midi même et rouvrit la portière de la voiture avant de se pencher à l'arrière. Il prit la longue écharpe en mohair noire qu'il avait achetée dans une boutique artisanale qu'ils avaient visitée.

— Tenez, dit-il en la tendant à Eve.

Comme elle la prenait sans rien dire, il ajouta :

— A tout à l'heure, n'est-ce pas ?

Eve approuva d'un signe de tête, mais elle attendit que l'Aston Matin ait disparu pour déplier l'écharpe avant de l'enrouler autour de son cou. Il avait raison. Elle avait vraiment froid, et le mohair épais et doux fut le bienvenu. Il avait gardé le parfum de Jake Romero : les effluves d'une eau de toilette raffinée se mêlaient subtilement à son odeur masculine. Elle ne put s'empêcher d'inhaler profondément le mélange qui sembla se répandre dans ses veines en y diffusant une délicieuse chaleur.

Après avoir enfoncé ses mains gantées dans ses poches, elle s'avança dans l'allée qui menait à la maison.

Heureusement, sa grand-mère était seule dans la bibliothèque quand Eve l'y rejoignit. Mme Blackwood l'avait prévenue que Mme Robertson avait insisté pour appeler l'hôpital de Newcastle et annuler le rendez-vous.

— Elle a dit que sa cheville allait beaucoup mieux ce matin, avait dit la gouvernante. Puis, une minute après, elle était en bas et sortait les albums photos de la commode. Quand je lui ai demandé ce qu'elle faisait, elle m'a dit qu'elle voulait voir à quoi ressemblait Cassie à votre âge.

— Vous a-t-elle dit pourquoi ?

— Non, avait répondu Mme Blackwood en hochant la tête. Je crois qu'elle se sent un peu nostalgique, c'est tout. A cause de la présence de sa fille, probablement.

Quand Eve entra dans la bibliothèque, sa grand-mère avait les yeux perdus dans le vide. La vieille dame avait quelque chose en tête, songea-t-elle avec appréhension. Pourvu que cela n'ait rien à voir avec elle…

— Bonsoir. Je viens d'apprendre que tu avais refusé d'aller passer la radio. Comment te sens-tu, à présent ?

Mme Robertson cligna des yeux, puis regarda sa petite-fille comme si elle la voyait pour la première fois.

— Je vais bien, dit-elle d'une voix douce. Viens-tu seulement de rentrer, ma chérie ?

— Oui, il y a quelques minutes à peine, répondit Eve. Hum… Mme Blackwood dit que tu es restée en bas toute la journée. Si tu ne veux pas suivre les conseils du médecin, tu pourrais au moins te reposer, tu ne crois pas ?

— Parce que je n'avais pas un bel homme pour m'aider à descendre ? s'enquit la vieille dame. J'ai réussi toute seule, avec l'aide de ma canne, bien sûr.

— Oui, mais quand même…

— Tu m'ennuies, Eve, dit Mme Robertson d'une voix agitée. A propos, as-tu entendu une voiture tout à l'heure ?

— Oh, je suppose qu'il s'agissait de celle de M. Romero, dit-elle en se forçant à sourire. Il m'a dépassée sur le chemin.

— Cassie est donc rentrée ?

— Je suppose. As-tu pris ton thé ?

— Je n'en ai pas voulu, répondit la vieille dame d'un air maussade. Où est-elle à présent ?

— Cassie ? Elle a dû monter se changer. Elle descendra dans quelques instants.

— Et il est monté, lui aussi ? demanda Mme Robertson.

— Qui ? M. Romero ?

— Arrête de faire semblant de ne pas comprendre, Eve.

Elle s'interrompit et regarda sa petite-fille avec des yeux gris perçants.

— Que penses-tu de lui ?

Eve retint son souffle.

— Je… Il a l'air… bien.

— Bien ? Tu parles d'une réponse ! Ne crois-tu pas qu'il est trop jeune pour Cassie ? Elle a quarante-sept ans, ne l'oublie pas.

— Quarante-six, corrigea Eve. Et de nombreuses femmes épousent des hommes plus jeunes qu'elles. Regarde toutes ces actrices célèbres !

— Cassie n'est pas une actrice célèbre, répliqua Mme Robertson avec mépris. Et je ne crois pas que j'aie parlé de mariage. Pourquoi voudrait-il l'épouser alors qu'il peut avoir tout ce qu'il veut sans s'engager ?

Eve sentit son ventre se contracter.

— Du moment qu'ils sont heureux ensemble, dit-elle en hâte. Euh… veux-tu que je te débarrasse et que je range ces boîtes ?

— Tu sais ce qu'elles contiennent, bien sûr ? dit la vieille dame. Des photos. Des centaines de photos… Certaines en vrac, d'autres classées dans des albums. Ton grand-père adorait en prendre. J'aimerais en montrer quelques-unes à M. Romero.

— Non ! s'écria Eve, horrifiée. Tu ne peux pas, Ellie. Cela serait désobligeant envers Cassie, et tu le sais.

— Pourquoi ? lui demanda sa grand-mère d'un air de défi. Qu'y a-t-il de désobligeant à vouloir les lui montrer ? Ça pourrait l'intéresser de voir à quoi elle ressemblait quand elle était jeune fille.

— Tu ne peux pas faire cela.

Eve se pencha et prit quelques boîtes dans ses bras pour les emporter vers la commode où elles étaient rangées d'habitude.

— Au fait, j'ai quelque chose à t'annoncer.

— A propos de Cassie, ou de M. Romero ?

— Ni l'un ni l'autre, dit Eve, tendue.

Elle revint prendre deux autres boîtes.

— Mme Portman nous a appris que l'école allait fermer à Pâques.

— Non ! s'exclama sa grand-mère, visiblement choquée. Pourquoi ?

— Oh, cela fait partie des restructurations envisagées par le gouvernement, dit Eve. Nous savions bien que Falconbridge attirait de moins en moins d'élèves. Ils iront à Ridesdale, ou dans d'autres écoles privées.

— Mais enfin, il s'agit d'enfants, pas de robots !

— Je sais, dit Eve. Il va falloir que je trouve un autre poste.

— Tu ne vas pas partir, n'est-ce pas ? demanda Ellie, le regard rempli d'inquiétude.

Eve posa la main sur l'épaule de sa grand-mère.

— Bien sûr que non, dit-elle doucement. Tu es coincée avec moi maintenant. Watersmeet est ma maison.

— Tu es une bonne fille, dit Mme Robertson en refermant sa main sur la sienne. Je ne sais pas ce que…

La sonnerie du téléphone l'interrompit et Eve alla répondre.

— Allô ! Ici Watersmeet.

— Pourrais-je parler à Mlle Wilkes, s'il vous plaît ?

— Mlle Wilkes ? répéta Eve sans comprendre.

Puis elle se souvint que c'était le nom d'actrice de Cassie.

— Oh, oui, bien sûr, dit-elle. Je vais la chercher, ne quittez pas.

— Qui est-ce ? demanda sa grand-mère alors qu'Eve se dirigeait vers la porte.

— Une femme demande à parler à Cassie, murmura-t-elle.

— Cassie ! s'exclama sa grand-mère sans prendre le soin de baisser la voix. Pourquoi cette femme veut-elle lui parler ?

Eve ne prit pas le temps de lui répondre. Après avoir grimpé les escaliers quatre à quatre, elle alla frapper à la porte de Cassie. Pas de réponse. Il n'y avait qu'un endroit où elle pouvait se trouver, songea Eve en soupirant : dans la chambre de Jake Romero. L'idée de les déranger dans un moment d'intimité lui déplaisait profondément.

Quand elle frappa à la porte, elle entendit un cri de protestation et elle se demanda avec appréhension ce qu'elle allait découvrir quand la porte s'ouvrirait. Mais, à sa grande surprise — et à son grand soulagement —, Jake Romero lui apparut, complètement habillé.

— Je… Quelqu'un demande Mlle Wilkes au téléphone, bredouilla-t-elle, se sentant stupide.

Son embarras redoubla quand Cassie surgit derrière lui et vint poser une main possessive sur son épaule. Son chemisier était partiellement déboutonné et laissait entrevoir ses seins nus.

— Au téléphone ? Pour moi ? demanda-t-elle en haussant les sourcils d'un air incrédule. Tu en es sûre ?

Eve reprit aussitôt ses esprits.

— Oui, dépêche-toi, répondit-elle sèchement.

Puis elle se retourna et se dirigea vers les escaliers en ajoutant par-dessus son épaule :

— Tu peux répondre dans le hall, si tu veux être tranquille. Ta mère est dans la bibliothèque.

— Tu te rends compte, dit Cassandra à Jake d'un ton scandalisé, il n'y a même pas de téléphone à l'étage !

— Je suis sûr que cela ne pose aucun problème à ta mère, rétorqua-t-il d'un ton brusque. Dépêche-toi. De toute façon, j'allais prendre une douche.

— Oh, mais nous allions…

— Tu allais retourner dans ta chambre, dit Jake d'un ton péremptoire.

Il attendit qu'elle se soit éloignée avant de refermer la porte brutalement.

Bon sang, pourquoi était-il si irrité qu'Eve les ait trouvés ensemble dans sa chambre ?

5.

Jake prit la précaution de fermer sa porte à clé avant d'aller dans la salle de bains. Il craignait que Cassandra ne revienne après avoir répondu à son coup de téléphone, et il ne voulait pas se retrouver dans la situation embarrassante d'avoir à la repousser de nouveau. Depuis qu'ils étaient arrivés à Watersmeet, leur relation s'était beaucoup dégradée, et il n'avait plus aucun désir de la prolonger.

Peut-être était-ce en raison de la manière dont elle traitait sa famille, songea-t-il en penchant la tête pour laisser l'eau brûlante couler sur ses épaules. Cassandra montrait vraiment peu de considération pour sa mère, même s'il avait l'impression que celle-ci, parfois, le méritait.

Quant à Eve… Eh bien, sa situation était étrangement ambiguë. Elle travaillait pour subvenir à ses besoins, et dès qu'elle le pouvait, elle aidait à l'entretien de la propriété. Et pourtant, il percevait qu'un lien mystérieux l'unissait à la vieille dame, un lien qu'il ne parvenait pas à identifier.

Il ne comprenait pas non plus sa propre réaction envers la jeune femme, reconnut-il, tout en offrant son visage à l'eau bienfaitrice. Elle lui manifestait une antipathie si évidente… Dans ce cas, pourquoi ressentait-il ce désir persistant de lui prouver qu'il n'était pas le salaud pour qui elle semblait le prendre ? Pourquoi sentait-il toute sa virilité s'éveiller et lui chauffer le sang dès qu'il s'approchait d'elle, allant jusqu'à perturber son sommeil ?

Bon sang, était-il en train de devenir fou ? Depuis quand éprouvait-il un tel désir envers une femme qui le repoussait ? Il fallait qu'il se ressaisisse, et vite…

Soudain, il eut l'impression que quelqu'un frappait à sa porte, mais il l'ignora. S'il s'agissait de Cassandra, il n'avait pas l'intention de lui ouvrir. Et si ce n'était pas elle… ?

Non, ce n'était pas la peine de rêver. Il n'y avait pas la moindre chance pour que ce soit Eve qui revienne. Surtout après ce qu'elle avait découvert tout à l'heure, songea-t-il avec irritation contre Cassandra.

Quelques instants plus tard, après s'être habillé, il quitta sa chambre et descendit dans le hall.

Il hésita devant la porte de la bibliothèque, ne sachant pas s'il devait frapper avant d'entrer. Comme il n'y avait pas de lumière au bas de la porte, il présuma qu'il était le premier et tourna la poignée. Quand la porte s'ouvrit, il découvrit Eve, assise en tailleur sur un coussin devant l'immense cheminée où crépitait un feu accueillant.

Aussitôt, elle se releva et alluma la lampe la plus proche. Jake se rendit alors compte que ses bonnes résolutions s'évanouissaient en un éclair. Il ne pouvait ignorer la jeune femme. Il ne *voulait* pas l'ignorer.

Elle portait le même pantalon que la veille au soir, mais elle avait passé un pull noir décolleté en V qui épousait la jolie rondeur de ses seins. L'éclairage tamisé donnait une opacité à ses yeux gris dont il aurait bien aimé percer le secret.

En effet, le simple fait de la regarder, de contempler ses traits pâles et ses cheveux noirs comme le jais, l'emplissait d'un désir irrésistible de découvrir non seulement ses pensées, mais les trésors qui se dissimulaient sous ses vêtements.

« Ça suffit, à présent ! »

Il le dit presque à voix haute tandis qu'elle l'observait par-dessus le dossier du fauteuil derrière lequel elle s'était réfugiée. Elle ôta l'écharpe qui entourait son cou et la lui tendit.

— J'ai voulu vous la rendre tout à l'heure, dit-elle, avançant d'un pas vers lui. Mais vous ne m'avez pas entendue frapper.

S'il avait su ! S'il avait su que c'était Eve qui était venue frapper à sa porte…

— J'étais probablement sous la douche, dit-il.

Il perçut sa moue incrédule. Elle ne le croyait pas, évidemment. Elle devait penser que lui et Cassandra avaient repris ce qu'elle avait interrompu plus tôt.

Bon sang, elle n'avait pas le droit de le juger ! Même si lui et Cassandra avaient fait l'amour sur la pelouse devant les fenêtres de la maison, cela ne la regardait pas.

— Comment va Mme Robertson, ce soir ? demanda-t-il pour calmer les émotions qui se bousculaient en lui. Je pensais qu'elle serait déjà là.

Maintenant qu'elle n'avait plus l'écharpe pour les occuper, Eve ne savait pas quoi faire de ses mains. Après un moment de malaise, elle les fourra dans ses poches.

— Elle ne va pas tarder à descendre.

— Voudrait-elle que j'aille…

— La chercher ? l'interrompit Eve. Non, je ne crois pas que cela soit nécessaire.

— Prenez-vous toutes les décisions à sa place ?

Ses yeux sombres rivés sur elle étaient bien trop intenses, songea-t-elle, un peu affolée.

— Bien sûr que non, répondit-elle sèchement. Si vous voulez bien m'excuser, je vais aller voir si elle…

— Et si je ne le fais pas ?

Eve retint son souffle.

— Si vous ne faites pas quoi ?

— Si je ne vous excuse pas, dit-il d'une voix suave.

Ses yeux s'assombrirent encore.

— Cela vous est-il si désagréable de me tenir compagnie pendant quelques minutes ? continua-t-il. Je ne vais pas vous sauter dessus.

— De toute façon, vous n'oseriez pas, affirma-t-elle, espérant de toutes ses forces qu'il s'abstiendrait.

— N'en soyez pas si sûre, murmura-t-il.

Eve crut voir l'ombre d'un sourire amusé au coin de ses lèvres.

— J'aimerais simplement en savoir un peu plus sur vous, continua-t-il.

— Cassandra va bientôt nous rejoindre, dit-elle précipitamment. Elle… elle pourra vous dire tout ce que vous voulez savoir.

— J'en doute, dit-il en lui désignant une chaise. Pourquoi ne pas vous asseoir et me le dire vous-même ?

— Peut-être n'en ai-je pas envie.

— J'avais cru le comprendre, en effet. Et je me demande pourquoi…

Eve laissa échapper un soupir embarrassé, et alla s'installer avec mauvaise grâce sur la chaise qu'il lui avait indiquée. Puis, comme il ne faisait pas mine de s'asseoir en face d'elle, la dominant comme une sorte de prédateur surveillant sa proie, elle se força à lever les yeux vers lui.

— Eh bien ?

Jake était de plus en plus intrigué. Elle semblait si distante, presque sur la défensive… Il sentit son intérêt pour elle se transformer en une attirance qui n'avait rien à voir avec le sexe. Enfin, presque rien…, admit-il sincèrement, conscient que son attitude froide l'excitait.

En tout cas, il n'avait pas envie d'examiner la nature de cette attirance pour l'instant. Et, se rendant compte que sa position dominatrice n'incitait pas aux confidences, il recula vers la cheminée et s'installa sur une chaise en face d'elle.

— Parlez-moi de vous, dit-il. Avez-vous toujours vécu dans le nord de l'Angleterre ?

— Non, répondit-elle brièvement, le forçant ainsi à lui poser une autre question.

— Vos parents s'étaient-ils établis dans une autre région ?

— Je n'ai pas de parents, répondit-elle. Est-ce tout ?

— Non, ce n'est pas tout, s'exclama-t-il, irrité malgré lui. Tout le monde a des parents, Eve. Ou croyez-vous encore que les bébés soient apportés par des cigognes ou naissent dans les choux ?

Quand il vit aussitôt sa peau claire se colorer jusqu'au cou, il ne put s'empêcher de se sentir ébranlé au plus profond de lui-même par sa soudaine vulnérabilité.

— Je sais comment on fait les bébés, monsieur Romero, déclara-t-elle d'un ton guindé. Peut-être pas aussi bien que vous, je le reconnais, mais…

— Qu'entendez-vous par là, je vous prie ?

Eve semblait un peu nerveuse à présent, et il soupçonna

qu'elle avait parlé sans songer aux conséquences de ses paroles. Mais à présent, elle était forcée de continuer.

— Je… Je n'ai pas d'enfants, monsieur Romero. Peut-être en avez-vous ?

Il était certain que ce n'était pas ce qu'elle avait voulu dire, mais il n'allait pas le lui faire remarquer.

— Non, dit-il, en savourant sa confusion. Je n'ai pas d'enfants. Enfin, pas que je sache.

Cette fois, elle rougit encore plus.

— Pour votre information, sachez que je n'ai jamais connu mes parents. Mes parents biologiques, je veux dire.

— Vous avez été adoptée ?

— En quoi cela peut-il vous intéresser ? soupira-t-elle.

— Que vous le croyez ou non, cela m'intéresse.

Elle resta silencieuse durant un long moment, avant de lever la tête pour le regarder droit dans les yeux.

— Oui, j'ai été adoptée. Enfin, pendant quelques années. Je me suis enfuie à l'âge de douze ans.

A douze ans ? Il n'arrivait pas à le concevoir. A quoi ressemblait-elle alors ? A une fillette avec des couettes ? Une pré-adolescente rebelle ?

— Je ne m'en suis pas sortie comme ça, évidemment, continua-t-elle.

Son regard était rivé à ses mains, croisées à présent sur ses genoux.

— On m'a retrouvée et j'ai été renvoyée chez ce… dans ma famille adoptive. Mais je me suis enfuie à nouveau, jusqu'à ce que les autorités décident qu'il vaudrait mieux laisser les services sociaux s'occuper de mon cas.

— Mais vous étiez si jeune !

— J'étais assez grande pour savoir ce que je voulais — et ce que je ne voulais pas.

Puis elle serra les lèvres, comme si elle ne voulait pas en dire plus. Soudain, elle sembla se raviser et ajouta avec un hochement de tête :

— Cela s'est passé il y a longtemps. J'avais oublié.

C'était faux, il en était persuadé. Il se souvint alors d'un détail que lui avait dit Cassandra.

— Vous êtes une parente des Robertson, n'est-ce pas ?

A sa grande surprise, il la vit aussitôt pâlir terriblement, sa peau devenant presque transparente.

— Qui vous a dit cela ? demanda-t-elle d'une voix blanche.

— Cassandra, dit-il prudemment. N'est-ce pas vrai ?

Au grand soulagement d'Eve, la porte s'ouvrit à cet instant. Aussitôt, le lustre central s'alluma et Cassandra apparut sur le seuil, l'air furieux.

Elle portait une robe de soirée corail qui épousait ses formes féminines, et bien que sa toilette fût ravissante, elle était complètement inappropriée pour un simple dîner en famille. De toute évidence, elle avait décidé d'utiliser les grands moyens pour arriver à ses fins, songea Jake avec dérision. Hélas pour elle, tous ses efforts le laissaient de marbre.

— Que se passe-t-il ? demanda Cassandra d'un ton autoritaire en les contemplant tour à tour.

Eve se sentit comme prise en faute. Ce qui était ridicule. En effet, pourquoi se serait-elle sentie coupable de parler avec Jake Romero ?

Parfaitement à l'aise, ce dernier se leva.

— Eve m'a rendu l'écharpe que je lui avais prêtée tout à l'heure et je lui ai demandé comment allait Mme Robertson ce soir, dit-il sèchement. Je lui ai proposé d'aller chercher ta mère, mais Eve a pensé que cela n'était pas nécessaire. Puis nous avons parlé de…

— Je ne désire pas entendre le compte rendu de votre conversation, lui lança brutalement Cassandra.

Jake haussa des sourcils interrogateurs.

— Non ? Je croyais que c'était ce que tu avais demandé…

— Tu avais parfaitement compris ce que je voulais dire, répliqua-t-elle en le foudroyant du regard. Depuis combien de temps tiens-tu compagnie à Eve ?

— Cela a-t-il vraiment de l'importance ?

— Tu n'as pas songé à me prévenir que tu descendais ?

— Je suis désolé, dit Jake d'un ton où perçait un léger agacement. J'ignorais que je devais te tenir au courant de mes allées et venues.

— J'avais pensé… que tu serais curieux de savoir qui

m'avait appelée, dit-elle enfin, se retournant pour fermer la porte et montrant ainsi son dos nu.

A cet instant, Eve se leva à son tour et annonça qu'elle allait voir si tout allait bien à la cuisine.

Quand ils se retrouvèrent seuls, Cassandra s'avança aussitôt vers lui.

— Dieu merci, elle est partie ! s'exclama-t-elle, d'un ton beaucoup plus chaleureux à présent. Tu ne devineras jamais ce qui m'arrive…

Elle posa ses mains sur son cou, avant de les glisser sous le col de sa chemise.

Jake se dégagea doucement.

— Eh bien, dis-le moi, dit-il d'un ton léger. Mais si nous prenions d'abord un verre ?

— Tu ne comprends pas. C'est important.

— Très bien. Je t'écoute.

— On me propose un rôle dans *A tout jamais*, dit-elle, les yeux brillants d'excitation. Ce n'est pas extraordinaire ?

— *A tout jamais…* ?

— Oh, Jake ! Tu as forcément entendu parler de *A tout jamais* ! C'est l'une des séries télévisées les plus célèbres du moment.

Jake se retint de lui faire remarquer que, durant ses rares visites en Angleterre, il avait à peine le temps de regarder le journal télévisé, et qu'a fortiori il ignorait tout des séries à succès.

— Eh bien, bravo ! Tu dois être tout excitée.

— Tu parles ! Amy aussi. Tu sais, mon agent. C'est elle qui m'a appelée, bien sûr. J'avais passé une audition il y a des semaines et j'avais perdu tout espoir de recevoir une réponse positive, mais apparemment, la… euh… l'actrice qu'ils avaient d'abord choisie s'est désistée, alors…

— Ils ont pensé à toi.

— Oui.

— C'est un rôle important ?

— Eh bien, pour commencer, il ne s'agit que de trois épisodes, lui expliqua calmement Cassandra. C'est comme ça qu'ils pratiquent. Ils introduisent un nouveau personnage dans l'histoire, et s'il plaît aux spectateurs, ils développent le rôle.

— Ah, approuva Jake. Dans ce cas, je suppose que tu souhaites retourner à Londres le plus tôt possible ?

Il se rendit compte que cette perspective le séduisait, mais qu'en même temps il se sentait gagné par une profonde frustration.

— Amy m'a demandé de rentrer dès demain, reconnut Cassandra en se mordillant la lèvre. Il y a tant de détails à régler : les contrats à signer, les répétitions… Je n'arrive pas à y croire.

— Tu vas être très occupée, remarqua Jake.

« Et tu me laisseras un peu tranquille », continua-t-il en son for intérieur.

A cet instant, la porte s'ouvrit avec fracas et la mère de Cassandra fit irruption dans la pièce en s'appuyant pesamment sur sa canne.

— Je suis désolée de cette apparition bruyante, dit-elle à Jake. J'ai perdu l'équilibre en voulant saisir la poignée. Mais, je vous en prie, continuez, j'ai sans doute interrompu une discussion passionnante.

— Votre fille a obtenu un rôle dans *A tout jamais*, lui annonça-t-il avec un grand sourire. Mais attendez, laissez-moi vous aider.

Après lui avoir pris le bras avec un soulagement évident, Mme Robertson s'avança lentement dans la pièce. Une fois qu'elle fut installée dans son siège, elle darda ses yeux perçants sur sa fille.

— *A tout jamais*, eh bien ! Qui l'eût cru, n'est-ce pas ?

— Pas toi, apparemment, répliqua Cassandra en allant s'asseoir sur une chaise en face de sa mère. Tu ne me félicites pas ? C'est exactement le genre de rôle que j'espérais.

Sa mère haussa les épaules avec indifférence.

— Cela signifie sans doute qu'à l'avenir nous te verrons encore moins souvent.

— Ça te préoccupe ? demanda Cassandra avec amertume.

— Il n'y a pas que moi, ici, répliqua sèchement sa mère. Mais si c'est ce que tu désires, il n'y a plus rien à ajouter. Je te souhaite bonne chance. Cela faisait assez longtemps que tu ne travaillais pas.

— Je me suis reposée ! explosa Cassandra. Je suis une actrice, maman, pas une… institutrice. Bon sang !

Jake étouffa un juron. Il songea qu'elle avait eu tort de faire allusion au métier d'Eve et il ne fut pas surpris quand il entendit Mme Robertson répliquer aussitôt :

— Eve est intelligente, Cassie, dit-elle d'un ton méchant. C'est une qualité que personne ne pourrait te reprocher.

— Comment oses-tu ?

— Pardon ? Tu crois qu'apprendre quelques phrases et les répéter comme un perroquet devant une caméra demande de l'intelligence ?

— Je crois surtout que tu n'y connais rien.

Jake comprit qu'il devait arrêter cette conversation avant qu'elles se laissent aller à dire quelque chose qu'elles regretteraient ensuite.

— Est-ce que je peux vous servir à boire ? Mme Robertson, un verre de vin ? Et toi, Cassandra ?

Un silence presque hostile lui répondit. Mais après quelques instants, la mère de Cassandra sembla retrouver ses bonnes manières.

— Oui, je prendrais volontiers un verre de vin. Merci, monsieur Romero, dit-elle rapidement.

— Je vous en prie, dit Jake, soulagé. Et toi, Cassandra ?

— Un whisky, avec des glaçons — s'il y en a —, dit-elle sans le regarder.

Après avoir donné leurs boissons aux deux femmes, il se servit un whisky. Le pur malt coula agréablement dans sa gorge. Quand Mme Robertson se remit à parler, il réprima un soupir. Qu'allait-il encore se passer ?

— Je suppose que tu partiras demain de bonne heure, Cassie ? demanda-t-elle.

— Oui. Je dois rentrer à Londres, dit-elle simplement.

— Ah, dit la vieille dame avec un regain d'intérêt inattendu. Alors, tu seras très occupée durant les prochains jours, n'est-ce pas ? Avec les répétitions et tout cela ?

A présent, Cassandra regardait sa mère avec méfiance. Ce que Jake comprenait parfaitement.

— Je crois, oui.

— Eh bien…, reprit la vieille dame, l'air songeur, comme tu l'as fait remarquer tout à l'heure, je n'y connais rien, Cassie, mais j'ai l'impression que tu n'auras pas beaucoup le temps de t'occuper de M. Romero.

— Où veux-tu en venir ? demanda sa fille avec une appréhension manifeste.

— Oh…, commença Mme Robertson en haussant les épaules. C'est que je n'aimerais pas que M. Romero ait l'impression qu'il n'est pas le bienvenu ici. S'il veut rester un peu plus longtemps avec nous…

Sa fille sembla horrifiée par cette suggestion.

— Tu ne parles pas sérieusement !

— Mais si, bien sûr. J'ai constaté qu'il s'intéressait beaucoup à notre région et, à moins que des affaires pressantes ne l'attendent à Londres, je ne vois pas pourquoi il ne prolongerait pas un peu son séjour à Watersmeet.

— C'est impossible ! s'exclama Cassandra en se levant. Je ne… Jake revient avec moi à Londres, évidemment !

Sa mère haussa les sourcils d'un air provocant.

— N'est-ce pas à lui d'en décider ?

— Il ne peut pas rester. Nous… Nous n'avons qu'une voiture.

— Il pourra toujours te conduire à l'aéroport de Newcastle. Je suis sûre qu'il y a de nombreux vols pour Londres.

Cassandra tremblait de fureur.

— Tu crois qu'en demandant à Jake de rester tu vas gâcher mon bonheur d'avoir décroché ce rôle !

— Car ton bonheur est toujours la seule chose qui compte, n'est-ce pas ? demanda sa mère d'un ton glacial. Peu importe qui tu blesses, qui souffre à cause de ton… ton égoïsme, du moment que tu es *heureuse* ! Cela ne te vient même pas à l'esprit que Jacob puisse préférer rester ici. Que crains-tu donc, Cassie ? Qu'Eve ne te le vole en ton absence ?

Jake se demanda ce que Cassandra aurait pu faire s'il ne s'était pas interposé entre elles. Elle semblait folle de rage au point d'arracher les yeux à la vieille dame… Même si celle-ci le méritait, il ne pouvait la laisser faire !

— Calme-toi, je t'en prie, dit-il calmement. De toute façon, je ne peux pas rester, même si je suis très touché par votre invitation, madame Robertson. Je vous remercie infiniment, mais je dois rentrer à Londres, moi aussi.

6.

Néanmoins, le lendemain matin, le départ de Jake se trouva fortement compromis.

Quand Eve le rencontra sur le palier du premier étage, au moment où il allait descendre pour le petit déjeuner, elle vit aussitôt à son teint gris et à ses yeux brillants qu'il était malade.

— Je crois que vous avez la grippe, dit-elle. Comment vous sentez-vous ? Vous avez une mine… affreuse.

— Merci…, parvint-il à articuler avec une pointe d'humour. Mais ça va aller. Cassandra doit rentrer à Londres aujourd'hui.

Eve était déjà au courant. En effet, bien que personne n'en ait parlé durant le dîner, sa grand-mère lui avait confié la nouvelle en montant se coucher.

— Et vous croyez que vous êtes en état de conduire pendant quatre cents kilomètres ?

Et pourtant, elle se sentirait beaucoup mieux quand ils seraient partis, lui et Cassie. Mais il tremblait si violemment qu'elle insista.

— Je pourrais emmener Cassie à l'aéroport. Elle trouvera facilement un vol pour Londres.

Se souvenant de la réaction de Cassandra quand sa mère lui avait suggéré la même chose, la veille au soir, Jake doutait qu'elle accepte cette solution. Mais en vérité, il se sentait horriblement mal en point. Et pour l'instant, il n'avait qu'une envie : aller se recoucher le plus vite possible.

— Allons lui demander ce qu'elle en pense, dit-il en frissonnant.

Bon sang, il se sentait à la fois glacé et brûlant…

Peut-être cela avait-il quelque chose à voir avec la présence d'Eve tout près de lui, qui le regardait enfin sans animosité…

— Non, dit-elle d'un ton ferme. Vous allez retourner tout de suite au lit pendant que j'irai parler à Cassie. Je suis sûre qu'elle comprendra.

— D'accord, dit Jake en se passant la main dans les cheveux. Mais je doute que…

Sans s'attarder davantage, Eve dévala l'escalier et se rendit à la cuisine.

— M. Romero ne partira pas ce matin, dit-elle à Mme Blackwood qui la dévisagea avec surprise. Il a la grippe. Avons-nous des bouillottes ? Il tremble des pieds à la tête.

— Je crois qu'il y en a dans ce placard, dit la gouvernante en lui indiquant une porte du doigt, tout en surveillant les tranches de bacon sur le gril. Est-ce que Mlle Cassie va rester, elle aussi ?

— Je ne crois pas. Je vous ai parlé de ce rôle qu'on lui a proposé, n'est-ce pas ? Je ne crois pas qu'elle prenne le risque de le perdre.

— Mais, si M. Romero est malade…

— Eh bien, vous verrons, dit Eve.

Etait-elle trop cynique ? se demanda-t-elle tandis qu'elle remplissait la bouilloire. Après tout, Mme Blackwood avait peut-être raison. Jake Romero semblait beaucoup compter pour Cassie. Mais d'un autre côté, des rôles comme celui-là ne couraient pas les rues.

Et puis, il lui fallait encore persuader Cassie de prendre un avion pour rentrer à Londres. Cela n'allait pas être facile, se dit Eve.

Laissant Mme Blackwood s'occuper des bouillottes et les porter dans la chambre de Jake, Eve remonta au premier étage pour aller trouver Cassie qui était encore dans sa chambre.

Quand elle frappa à sa porte, elle entendit une voix sensuelle lui répondre.

— Entre, chéri. Je savais bien que tu ne pourrais pas attendre que nous soyons rentrés à Londres.

La situation était vraiment trop embarrassante… Eve attendit sans bouger, espérant que Cassie se rendrait compte de sa méprise. Mais quand la porte s'ouvrit, elle lui apparut dans son kimono à peine fermé sur son corps nu.

Comme Eve aurait pu s'y attendre, sa réaction fut explosive.

— Qu'est-ce que tu fais ici ? Si tu viens pour essayer de me persuader d'aller m'excuser auprès de cette vieille sorcière, tu peux repartir tout de suite ! C'est la dernière fois qu'elle me voit. Je ne remettrai plus jamais les pieds ici !

— Sauf si tu es fauchée, répliqua sèchement Eve. De toute façon, je ne suis pas venue pour te parler de ta mère. M. Romero est malade. Il est incapable de prendre le volant et ne pourra pas te ramener à Londres aujourd'hui.

L'expression de son visage changea aussitôt.

— Jake ? demanda-t-elle, totalement incrédule. Qu'est-ce qu'il a ?

— Je pense que c'est la grippe, dit Eve, remarquant la façon dont les yeux de Cassie se durcissaient. Il paraît vraiment mal en point.

— Tu es sûre que ce n'est pas une manœuvre de ma mère pour le garder ici ? demanda Cassie d'un air sceptique.

— Que veux-tu dire ?

— Ne t'a-t-elle pas dit qu'elle lui avait proposé de rester ici quelques jours ?

— Non, dit Eve en fronçant les sourcils. Elle ne m'en a pas parlé.

— Eh bien, elle l'a fait. Je suis sûre qu'elle est capable d'avoir versé quelque chose dans son verre. Elle ferait n'importe quoi pour me nuire.

— On ne peut pas intoxiquer quelqu'un, voyons ! protesta Eve avec impatience.

— Comment sais-tu qu'il est malade, à propos ? s'exclama soudain Cassie.

— Je l'ai croisé sur le palier alors que j'allais descendre pour le petit déjeuner. Il avait les yeux tout brillants et il grelottait. Va le voir si tu ne me crois pas.

— Oh, non, surtout pas ! s'exclama Cassie en reculant. Je ne peux prendre aucun risque. Je ne peux pas me permettre d'être malade, tu comprends ? Si j'avais la grippe, ils donneraient peut-être le rôle à quelqu'un d'autre…

— Je ne crois pas, dit Eve.

— Peut-être, mais moi je ne prendrai aucun risque, dit Cassie d'un ton ferme. Je suis désolée, bien sûr, mais si Jake est malade, alors je crois que je vais devoir trouver un autre moyen de rentrer à Londres.

— Sans même le voir ? demanda Eve, profondément choquée.

— Il comprendra, dit Cassie en haussant les épaules. Tu vas me conduire à l'aéroport, n'est-ce pas, ma chérie ? Maman a dit qu'il y avait des vols réguliers pour Londres, au départ de Newcastle.

— Ne m'appelle pas ma chérie, riposta sèchement Eve. Tu ferais mieux de te renseigner pour savoir à quelle heure tu peux obtenir un billet d'avion.

— Oh, mon Dieu ! dit Cassie en changeant à nouveau d'expression. Un billet d'avion ! Je n'ai pas de liquide sur moi et je ne peux plus rien retirer sur mes cartes de crédit.

— Ce n'est pas mon problème, dit Eve en se détournant pour s'en aller.

Mais Cassie la retint par le bras.

— Tu ne pourrais pas me prêter un peu d'argent, ma douce ? demanda-t-elle d'un ton cajôleur. Je te le rendrai. Dès que j'aurai été payée. Tu sais que tu peux me faire confiance.

— Depuis quand ? demanda Eve d'un ton sardonique. Combien de fois t'ai-je entendue dire ça à Ellie ?

— Oublie Ellie, dit Cassie avec irritation. Ceci est entre nous, Eve. Allez… Tu me dois bien ça, non ?

Eve n'en revenait pas.

— Comment oses-tu me dire une chose pareille ?

— Tu n'as pas encore dépassé cela ? s'étonna Cassie d'un air las. Tu es bien tombée ici, non ? Sans *ma* mère, où serais-tu aujourd'hui ?

— Oui, effectivement, dit Eve, totalement écœurée. Je te le demande…

Mais elle savait qu'elle perdait son temps. Sa propre personne mise à part, Cassie avait toujours été incapable de se soucier de quiconque. Elle n'allait pas changer maintenant.

— D'accord, répondit-elle enfin. Je te prêterai l'argent

pour le billet et je t'emmènerai à l'aéroport. Mais je le fais uniquement pour que tu n'ailles pas importuner Ellie.

— Merci, tu es un amour !

La semaine suivante, la fête paroissiale d'automne devait avoir lieu au village, et Eve avait promis à Harry Murray d'aller le rejoindre au presbytère le dimanche soir, afin de l'aider aux préparatifs.

Durant ces derniers mois, elle et Harry étaient devenus bons amis, et Eve se rendait bien compte qu'il espérait que leur amitié se transforme en une relation plus intime.

Qu'en pensait-elle ? Elle ne le savait pas trop. S'engager avec un homme lui paraissait extrêmement périlleux et, pour l'instant, elle refusait d'envisager cette éventualité.

Mais tandis qu'elle marchait dans la direction du presbytère, ce n'était pas au pasteur qu'elle songeait. En effet, malgré tous ses efforts pour ne pas penser à Jake Romero, son image l'obsédait sans répit.

Jusqu'à présent, il n'avait pas quitté son lit, et depuis qu'elle avait conduit Cassie à l'aéroport la veille, elle avait laissé Mme Blackwood s'occuper de lui. D'après la gouvernante, il avait dormi presque toute la journée.

— Il est épuisé, lui avait-elle dit au moment du dîner, tout en posant une superbe tourte au fromage sur la table. Et, comme le disait ma vieille mère, le sommeil est le meilleur remède dans ces cas-là. Vous verrez, dans quelques jours, il sera en pleine forme.

Eve la croyait volontiers. Romero était robuste et ne se laisserait pas terrasser par un simple virus. D'autre part, il avait dit à Ellie qu'il devait absolument être de retour à Londres avant la fin de la semaine.

Sa grand-mère avait elle aussi passé presque toute la journée précédente au lit. En effet, la visite de Cassie l'avait fatiguée, et Eve avait été ravie de la voir raisonnable, pour une fois…

Harry Murray vint lui ouvrir lui-même la porte. Grand, très mince et anguleux, il était presque chauve, en dépit de son jeune âge. Cependant, il émanait de son visage une beauté bienveillante qui incitait aux confidences, et il était d'ailleurs très populaire dans le village. Depuis son arrivée à Falconbridge, la congrégation de l'église s'était considérablement agrandie.

— Bonsoir, lui dit-il avec chaleur. Tu as les joues toutes roses, fait-il froid ?

— Je ne sais pas si c'est un compliment ou pas, dit-elle en lui tendant son duffle-coat. Mais oui, il fait froid. D'après la météo, il pourrait même neiger cette nuit.

Harry accrocha son manteau à la patère sculptée avant de la conduire vers le bureau.

— J'espère qu'ils se trompent, dit-il. Cela empêcherait les gens de venir à la fête.

— Ne t'inquiète pas inutilement. Ce ne serait pas la première fois que leurs prévisions seraient erronées, n'est-ce pas ? Mon Dieu, tu as récolté tout ça !

— Oui. Je crois que j'ai fait du beau travail, dit Harry, l'air content. C'est pour cela que je te suis vraiment reconnaissant d'être venue m'aider. Avant de nous mettre à la tâche, veux-tu que je demande à Mme Watson de nous apporter une petite collation ?

— Oh, non, merci, répondit Eve. Je sors de table. Nous prendrons quelque chose tout à l'heure.

Pendant une bonne heure, ils furent occupés à trier des vêtements et toutes sortes d'objets, ainsi que tous les magazines et les livres donnés par les paroissiens.

Finalement, Harry se redressa et frotta ses mains poussiéreuses sur son pantalon.

— Je crois que ça suffit pour ce soir, dit-il. Je suis sûr que je pourrai finir tout seul.

Eve leva les yeux d'un carton de vieilles bandes dessinées et le regarda.

— Tu crois… ?

— Oui, ne t'en fais pas.

Harry lui tendit alors la main pour l'aider à se relever.

— Je ne veux pas passer toute la soirée à travailler, continua-t-il.

— D'accord.

Eve dégagea sa main et contempla ses doigts couverts de poussière.

— Si tu veux bien, je vais d'abord aller nettoyer ça.

— Bien sûr, dit Harry en allant lui ouvrir la porte. Tu sais où est la salle de bains. Je vais demander à Mme Watson de nous apporter… Que veux-tu ? Du thé ou du café ?

— Comme tu voudras.

— Du thé, alors. Tu sais que je ne suis pas un grand buveur de café.

Debout devant le lavabo, Eve se regarda dans le miroir. Elle remarqua ses yeux brillants et ne put s'empêcher de penser aussitôt à Jake Romero. Pourquoi songeait-elle à lui alors qu'elle était avec Harry, se demanda-t-elle avec irritation. Et pourquoi son image la tourmentait-elle sans cesse, où qu'elle soit… Elle ne pouvait en effet empêcher des visions de plus en plus troublantes d'envahir son cerveau, de sentir ses yeux sombres posés sur elle, de voir son beau sourire destiné à elle, rien qu'à elle.

Bon sang, c'était l'amant de Cassie ! Mais elle était forcée de reconnaître qu'elle n'avait jamais rencontré d'homme aussi séduisant, aussi fascinant, ni aussi sexy que lui.

De toute façon, il ne s'agissait que d'une attirance physique, se rassura-t-elle. Néanmoins, le fait de sentir qu'il exerçait une sorte d'emprise sur elle, sur ses sens, était délicieusement grisant. Soudain, elle regretta qu'il ne soit pas reparti avec Cassie, parce qu'ainsi elle l'aurait déjà complètement oublié.

« En es-tu sûre ? » la taquina une petite voix insolente.

Seigneur, avait-elle perdu la raison ? Avait-elle oublié qu'elle n'était pas du genre à attirer un homme comme lui ?

Après avoir replacé la serviette en éponge sur son support, elle se dirigea vers la porte. Harry devait se demander ce qui se passait.

Quand elle revint dans le bureau, Mme Watson, la gouvernante, avait déjà amené le thé et des biscuits. Quant à Harry, il marchait nerveusement de long en large.

Dès qu'il la vit, il s'immobilisa et lui demanda avec inquiétude :

— Tout va bien ?

— Oui, bien sûr, dit Eve en faisant de son mieux pour ne pas rougir. Je t'avais dit que je voulais me laver les mains.

— Oui, il y a presque un quart d'heure ! Assieds-toi. Le thé va être froid.

Bien qu'elle comprenne sa réaction, Eve ne put s'empêcher d'en être agacée.

— Excuse-moi. Je ne savais pas que tu comptais les minutes.

Aussitôt, elle vit son visage se décomposer.

— Mais je…, commença-t-il d'un air malheureux. J'étais seulement…

— Impatient de boire ton thé, je sais, dit Eve en réussissant à sourire faiblement. Eh bien, je suis là, à présent. Tu veux que je le serve ?

— Oui, s'il te plaît.

Soulagé, Harry s'installa à côté d'elle et allongea ses longues jambes devant le feu qui brûlait dans la cheminée.

— Pardonne-moi, reprit-il. J'ai tendance à me montrer possessif dès qu'il s'agit de toi.

— Possessif ? répéta-t-elle, mal à l'aise.

Elle ne souhaitait pas du tout ce genre de comportement de la part de Harry. Ils ne partageaient pas ce type de relation. En tout cas, pas encore.

— Oui, dit-il en reposant la tasse de thé qu'elle venait de lui tendre.

Il se pencha vers elle.

— Eve, ne crois-tu pas qu'il est temps que notre relation passe à un autre stade ?

— Oh, Harry…

— Non. Ecoute-moi jusqu'au bout, reprit-il avec détermination. Tu sais ce que je ressens pour toi. Je ne m'en suis pas caché. J'ai entendu dire qu'il y avait un étranger chez vous, et j'avoue que je suis jaloux.

— Jaloux ? s'exclama Eve, horrifiée.

Harry lui avait toujours semblé si calme, si ouvert. Et quant à ne pas cacher ses sentiments… Eh bien, le seul contact physique qu'ils avaient jamais échangé se résumait au chaste baiser qu'ils se donnaient pour se dire au revoir.

— Tu m'en veux ? lui demanda-t-il tout à coup. Je m'attendais à ce que tu me parles de lui, mais tu n'en as rien fait.

— Mais… M. Romero était l'invité de Cassie, pas le mien, protesta-t-elle, stupéfaite qu'il puisse se sentir le droit de la questionner de cette façon.

— Pourtant, elle est repartie à Londres, n'est-ce pas ? Sans lui…, insista Harry.

Eve ne put retenir un soupir indigné.

— Oui, répondit-elle d'un ton sec. M. Romero est resté parce qu'il n'était pas bien, c'est tout. A présent, puis-je avoir un biscuit, s'il te plaît ?

— Bien sûr… Bien sûr.

Harry prit aussitôt l'assiette, mais dans sa hâte il en renversa le contenu sur le sol. Le visage cramoisi, il se pencha pour ramasser les biscuits cassés, juste au moment où Eve faisait la même chose, si bien que leurs têtes se heurtèrent.

— Oh, mon Dieu ! s'exclama-t-il d'un ton contrit. Je suis si maladroit !

Il la prit par les épaules, la forçant ainsi à le regarder.

— Est-ce que je t'ai fait mal ?

— Non, non. Ce n'est rien.

Eve essaya de prendre la chose avec légèreté, mais elle était terriblement consciente du poids des mains de Harry sur ses épaules, et de son souffle haché tandis qu'il la fixait.

Elle se dit ensuite qu'elle aurait dû deviner ce qui allait suivre, mais elle comprit ses intentions quelques secondes seulement avant qu'il n'approche son visage du sien. Elle détourna aussitôt la tête, mais il réussit néanmoins à poser ses lèvres humides sur le coin de sa bouche.

Quand elle laissa échapper une protestation étouffée, il interpréta à tort sa réaction et enfouit son visage brûlant dans son cou.

— Oh, Eve, murmura-t-il. Je ne te ferai jamais aucun mal.

Interdite, elle sentit tout son corps se raidir complètement, jusqu'à devenir insensible. Ses mains pesantes et son souffle irrégulier lui rappelaient trop fortement un autre homme abhorré et ses tentatives sordides pour l'approcher, la toucher, la… Se levant maladroitement de son siège, elle réussit à mettre la largeur de la table basse entre eux avant de balbutier :

— Je dois m'en aller.

— Eve !

Harry bondit de son siège, le visage en proie à un mélange d'excitation et d'embarras.

— Tu ne peux pas partir maintenant… Tu n'as même pas bu ton thé.

— Je n'en veux plus.

Eve se rendit compte qu'elle devait dire quelque chose pour dédramatiser la situation. Sinon, Harry voudrait savoir pourquoi elle réagissait aussi vivement…

— Je viens de me rappeler que j'avais promis à Ellie d'être de retour à 21 heures, et il est déjà plus de 20 h 30.

Harry fronça les sourcils.

— Tu ne pars pas à cause de ce qui vient de se passer, n'est-ce pas ?

— Non…

— Parce que, si c'était le cas, je veux que tu saches que mes intentions sont tout à fait honorables.

— Oh, Harry ! s'exclama Eve avec un remords sincère. Je ne m'y attendais vraiment pas, c'est tout.

— Mais, je croyais que nous étions amis…

— Nous *sommes* amis.

— … que nous nous comprenions, toi et moi. Est-ce que je ne compte pas du tout pour toi ?

Eve soupira. Elle aurait tellement préféré éviter cette conversation…

— Je viens de te dire que je te considérais comme mon ami. Un ami cher. Mais… il est trop tôt pour penser à autre chose.

— Trop tôt ? répéta Harry d'un ton amer. Nous nous connaissons depuis un an, Eve.

— Je sais.

A présent, elle se sentait très mal à l'aise, et elle ne désirait plus qu'une chose : quitter cet endroit, le plus vite possible.

— Je suis désolée, Harry, mais je ne suis pas prête à… à penser à toi de cette façon.

— C'est cet homme, n'est-ce pas ? s'exclama-t-il, avec un

brusque changement d'attitude. Ce... comment as-tu dit qu'il s'appelait ? Romedo, c'est ça ?

— M. Romero.

— Romero ! répéta-t-il avec mépris. D'où sort un nom pareil ?

— Il vient d'une île des Caraïbes, et c'est un nom espagnol, dit Eve d'un ton légèrement agressif. Par ailleurs, tu te trompes lourdement.

— Oh, non ! Je ne me trompe pas, riposta-t-il d'une voix très désagréable. Est-il sexy, Eve ? Te fait-il battre le coeur ? J'aurais dû savoir qu'avec ton passé il ne te faudrait pas grand-chose pour te laisser séduire par le premier homme de passage !

Eve dut faire un effort terrible pour réprimer le cri de protestation qui lui montait aux lèvres. Que lui, Harry, puisse lui parler de cette façon la remplissait d'horreur. Elle le dévisagea avec effroi et sentit son sang se glacer dans ses veines.

7.

Après avoir arraché au vol son duffle-coat de la patère, Eve s'était précipitée vers la porte et s'était enfuie dans la nuit froide. Elle ne s'était arrêtée pour enfiler son manteau que quand elle s'était sentie assez éloignée du presbytère.

Dix minutes plus tard, elle grelottait encore, et elle se demanda si elle pourrait jamais se réchauffer. Que Harry puisse avoir une telle opinion d'elle la rendait malade.

Pour l'instant, elle ne supportait pas d'y penser et poursuivit son chemin en repoussant le souvenir de ce qui venait de se passer.

Quand elle entra dans le hall de Watersmeet, elle était gelée jusqu'aux os et se dirigea directement vers la bibliothèque. Avec un peu de chance, Mme Blackwood y aurait laissé un peu de feu, se dit-elle. En effet, elle mourait d'envie de se réchauffer les pieds devant la cheminée.

Après avoir poussé la porte, elle constata avec surprise qu'une lampe était restée allumée.

Leur invité était là, installé devant l'âtre, dans le fauteuil de sa grand-mère.

Il l'avait entendue entrer, évidemment, et quand il se leva brusquement, le magazine posé sur ses genoux tomba sur le sol.

— Eve ! s'exclama-t-il d'une voix encore un peu enrouée. Excusez-moi, je n'ai pas entendu de voiture.

— Je suis rentrée à pied, dit-elle d'un ton neutre.

Tout à coup, l'idée de se réchauffer devant le feu avait perdu tout son attrait, mais elle avait trop froid pour laisser la porte ouverte.

— Mais… Mme Blackwood avait dit que Harry Murray vous ramènerait ?

En quoi cela le regardait-il ? songea Eve, un peu irritée. Mais elle réussit néanmoins à répondre avec légèreté :

— J'ai préféré marcher.

Puis elle se força à lui demander poliment :

— Comment allez-vous ?

— Je crois que je vais survivre, dit Jake avec humour.

— Ellie sait que vous êtes debout ?

— Ellie ? Oh, vous voulez dire Mme Robertson. Je ne crois pas. Je suis désolé, mais je commençais à devenir fou dans cette chambre. Mme Blackwood m'a dit que vous étiez sortie pour la soirée, alors je me suis habillé chaudement et je suis descendu ici.

Eve contempla le pull à col roulé en cashmere beige et le pantalon étroit en flanelle bleu marine qui moulait ses hanches étroites et les muscles puissants de ses cuisses. Comme d'habitude, il avait l'air très viril, et sexy en diable, songea-t-elle avec dépit.

— Avez-vous passé une bonne soirée ? continua-t-il.

Sa question l'avait prise au dépourvu, c'était évident, constata Jake. Il l'observa, appuyée contre la porte, et il comprit qu'il était bien la dernière personne qu'elle désirait voir ce soir. Ce n'était pas vraiment nouveau, songea-t-il. Pourtant, il avait l'impression qu'elle était anormalement pâle malgré ses joues rosies par le froid. Et ses yeux étaient immenses et très brillants. Presque comme si elle était sur le point de pleurer.

Bon sang, que s'était-il passé ? Qu'est-ce que ce vieux pasteur lui avait dit, ou fait ? S'il l'avait touchée, il se sentait prêt à…

A rien du tout, se dit-il en mettant un frein à son imagination un peu trop fertile. Ce qui s'était passé avec Murray ne le regardait absolument pas.

Comme elle restait muette, il insista.

— Hum… Mme Blackwood m'a dit que vous passiez la soirée à trier des dons pour préparer une fête, c'est bien ça ?

— Oui, murmura-t-elle faiblement.

— Eh bien, vous avez l'air frigorifiée, dit-il. Venez vous asseoir ici. Il fait beaucoup plus chaud devant la cheminée.

— Oh, je… je vais juste aller me coucher, dit-elle en déclinant son invitation. Je suis très fatiguée. Bon… bonne nuit.

Sapristi, il ne pouvait pas la laisser partir comme ça… Avec une rapidité dont il ne serait pas cru capable, vu son état, il traversa la pièce avant qu'elle n'ait eu le temps d'ouvrir complètement la porte, et appuya la main sur le panneau de chêne.

Elle se retourna alors et le regarda avec des yeux apeurés.

— Que… que faites-vous ? lui lança-t-elle d'une voix qui trahissait sa panique. Si vous me touchez…

— Je n'en ai pas du tout l'intention ! Je suis inquiet pour vous. J'ai l'impression que quelque chose de désagréable vous est arrivé. Je me trompe ? Est-ce que quelqu'un vous a importunée ?

— Non… Personne ne m'a importunée, sinon vous, dit-elle d'une voix légèrement tremblante. Je voulais partir et vous m'en avez empêchée.

Jake soupira lourdement.

— Je vous assure que vous n'avez rien à craindre de moi, dit-il brièvement en reculant d'un pas. Je voulais juste vous aider.

— M'aider ?

A présent, il y avait une nuance de panique dans sa voix.

— Vous ne pouvez pas m'aider. Personne ne le peut.

C'était une réponse étrange, mais pour l'instant, Jake n'avait pas l'énergie de s'attarder là-dessus.

— Si vous le dites, dit-il d'un ton maussade.

— Puis-je m'en aller, à présent ? demanda-t-elle en redressant le menton.

— Bien sûr.

— Très bien.

Après avoir resserré les pans de son manteau autour d'elle, elle se retourna vers la porte.

Mais elle ne l'ouvrit pas. Elle posa la main sur la poignée et resta immobile pendant quelques secondes puis, stupéfait, Jake la vit s'affaisser le long de la porte avant de se recroqueviller à ses pieds.

Bon sang, il fallait qu'il réagisse, même s'il n'était pas sûr de l'accueil qu'elle lui réserverait. Après s'être accroupi, il tendit la main et lui prit le menton.

Elle résista d'abord, se raidissant comme s'il avait voulu l'agresser. La colère de Jake contre Murray redoubla. Désormais convaincu que ce type était responsable de sa détresse, il avait envie d'aller lui briser le cou.

Doucement, il réussit à la relever et à la remettre sur ses pieds. Quand il tourna son visage vers le sien et qu'il vit les larmes ruisseler sur son visage, il ne put réprimer un juron.

— Je vais tuer ce salaud, murmura-t-il en l'attirant dans ses bras.

Après lui avoir opposé encore un peu de résistance, elle s'appuya finalement contre lui en tremblant de tout son corps.

Malgré son épais manteau, il sentait qu'elle était gelée. Son visage humide était pressé contre sa poitrine et, quand elle respirait, des mèches soyeuses venaient lui frôler le menton.

Presque involontairement, il pencha la tête et posa ses lèvres sur ses cheveux, inhalant profondément leur senteur citronnée. Il avait posé une main sur sa nuque douce, à la naissance de ses cheveux, et il devait faire un effort surhumain pour ne pas relever son visage afin de goûter à ses lèvres frémissantes.

Ne valait-il donc pas mieux que Murray ? se dit-il avec dégoût. Il ne pensait plus à elle, ni à sa détresse. Il ne pensait plus qu'à lui-même et à l'érection lancinante, presque douloureuse, provoquée par la présence de ce corps ravissant aux courbes délicieusement féminines pressé contre le sien.

Il ferait mieux de l'emmener près du feu, se dit-il rageusement. Elle avait besoin de chaleur, et d'un verre de cognac. D'ailleurs, il prendrait bien un whisky, lui aussi…

En temps normal, la porter n'aurait présenté aucune difficulté pour lui. En effet, elle devait peser au moins quarante kilos de moins que la vieille dame. Mais quand il la souleva du sol, il sentit les muscles de ses bras trembler. Ces deux jours passés au lit l'avaient laissé faible comme un enfant, songea-t-il avec irritation.

Et pourtant, il réussit à la porter en dépit de ses protestations et la déposa dans le fauteuil qu'il avait occupé quelques instants auparavant. Puis, sur des jambes flageolantes, il se dirigea vers le buffet où étaient rangés les alcools.

Tout en l'observant à la dérobée, Eve s'essuya les joues avec un mouchoir trouvé dans sa poche. Seigneur, elle s'était rendue ridicule et elle s'était trop laissé aller avec Jake Romero. Après ce qui s'était passé avec Harry, elle aurait dû se montrer plus prudente.

Mais elle ne s'était pas attendue à sa réaction après qu'il eut deviné que Harry l'avait importunée. Devant sa colère immédiate envers lui, et le fait qu'il ait aussitôt pensé que, quoi qu'il se soit passé, *ce n'était pas sa faute à elle*, la carapace dont elle avait entouré ses émotions s'était effondrée. Quand avait-elle pleuré ainsi pour la dernière fois ? Elle ne s'en souvenait pas.

Il revint avec deux verres en cristal.

— Je suis désolé, c'est du whisky, dit-il. Je n'ai pas trouvé de cognac.

— Merci.

Jake avala une bonne gorgée du liquide doré.

— Eh bien, j'en avais vraiment besoin !

Quant à Eve, elle porta son verre à ses lèvres et en prit une toute petite gorgée. Elle fit aussitôt la grimace. Décidément, elle n'aimait pas du tout les alcools forts.

— Faites comme si c'était un médicament, lui conseilla Jake. Ça vous réchauffera.

— Je suis réchauffée, à présent, dit-elle en faisant glisser son duffle-coat sur ses épaules.

Pendant quelques instants, il ne put détourner les yeux de la courbe pure de sa nuque surgissant au-dessus de l'encolure ronde de son T-shirt à manches longues. De couleur rose framboise, celui-ci allait bien avec le jean moulant dont la taille basse laissait voir son nombril. Mais il remarqua à peine ce qu'elle portait. Une fois encore, la simple vue de sa peau nue et lisse réveilla sa virilité.

Après avoir reposé son verre vide, il lui prit le sien des mains et en avala le contenu d'une seule gorgée. Puis, s'asseyant sur une chaise à côté d'elle pour dissimuler son excitation évidente, il dit :

— Vous ne voulez pas me raconter ce qui s'est passé ?

Elle le contempla avec de grands yeux surpris. Peut-être avait-elle espéré que le whisky lui aurait fait oublier cela. Seigneur, se rendait-elle compte de la sensualité ensorcelante qui émanait de son regard intense, de tout son être ? Non, probablement pas, et pourtant, cette lueur étrange au fond de ses prunelles grises…

— Je ne vois pas de quoi vous parlez, dit-elle, sur la défensive. Je dois avoir pris froid sur la route. Je ne m'effondre pas comme ça, d'habitude.

Apparemment, elle était bien décidée à éviter le sujet, songea Jake.

Délicatement, il prit son menton entre ses doigts. Elle se raidit aussitôt, mais il n'ôta pas sa main.

— Votre effondrement, comme vous dites, n'avait rien à voir avec le froid. Je suis certain que ce pasteur y était pour quelque chose. Dites-moi ce que ce vieux fou vous a fait, pour l'amour de Dieu !

Eve essaya en vain de se dégager.

— Harry n'est pas vieux, protesta-t-elle. Il est probablement plus jeune que vous.

Stupéfait, Jake bondit alors sur ses pieds, en proie à un mélange de colère et d'incrédulité. Bon sang ! Voulait-elle dire que, loin d'avoir été la proie d'un vieux pervers comme il l'avait craint, elle avait en réalité passé la soirée avec un homme jeune et séduisant ?

— Alors, que s'est-il réellement passé ? demanda-t-il froidement, incapable de cacher son ressentiment. Une querelle d'amoureux ? Vous a-t-il laissée tomber pour une autre ?

Eve sursauta comme s'il l'avait giflée, et toute la compassion qu'il avait ressentie pour elle plus tôt revint aussitôt. Non, il ne s'était pas trompé. Quelque chose s'était passé, quelque chose de néfaste, et il avait aggravé la situation avec ses accusations stupides.

— Eve…, commença-t-il.

Trop tard ! Elle s'était déjà levée et serrait son manteau contre sa poitrine, évitant son regard.

— Eve, je suis désolé, reprit-il.

Mais elle ne l'écoutait plus. Les yeux rivés sur la porte, elle passa à côté de lui, comme si elle désirait mettre le plus de distance possible entre eux.

Désespéré, il poussa un profond soupir. Bon sang, il ne pouvait pas la laisser partir comme cela. Il devait lui faire comprendre qu'il s'était senti trahi quand elle lui avait appris que Murray était un homme jeune, qu'il s'était senti rejeté dans son élan chevaleresque…

Les pensées se bousculaient dans son cerveau, mais elles étaient trop compliquées pour qu'il les examine de plus près. La seule chose dont il était certain, c'était que, si elle quittait cette pièce sans l'écouter, sans accepter ses excuses, il ne se le pardonnerait jamais.

Serrant les dents à l'idée d'un échec éventuel, il tendit la main et saisit la manche de son duffle-coat.

— Attendez !

Elle tira sur le vêtement et, quand elle vit que cela ne servait à rien, elle le laissa simplement choir sur le sol et marcha dessus. Tout en poussant un juron, il enjamba le manteau et réussit à lui saisir le poignet.

— Eve, je vous en prie, supplia-t-il, la forçant à s'arrêter. Vous devez me donner une chance de m'expliquer.

— Qu'y a-t-il à expliquer ?

A ce moment, elle trouva la force de lever son visage vers le sien et affronta son regard. Dieu, qu'elle était belle, tous ses traits tendus dans cet ultime élan de courage… Jake se sentit envahi par une admiration éperdue envers elle.

— Je suppose que vous pensez qu'un homme a le droit de toucher une femme qu'il est censé respecter ?

— Non ! s'exclama Jake, horrifié. C'est ce qu'il a fait ? Il a… abusé de vous, c'est ça ?

Elle le regarda comme si ce qu'elle allait dire lui coûtait un effort gigantesque.

— Il m'a embrassée ! articula-t-elle avec difficulté.

Evidemment, il allait la trouver ridicule, songea Eve avec amertume. Après tout, pourquoi faire un drame à propos d'un simple baiser, n'est-ce pas ? Comment pouvait-elle lui expliquer, sans paraître paranoïaque, qu'elle s'était sentie agressée, *outragée* même, quand Harry l'avait saisie et avait posé ses lèvres humides sur les siennes ? Jake ne connaissait rien de son histoire. Et elle n'allait certainement pas la lui raconter.

— Il vous a embrassée ? répéta-t-il, incrédule.

— Oui, dit-elle, essayant de détourner les yeux sans y parvenir. Vous devez penser que je suis folle d'être affectée par un… incident aussi… aussi… anodin.

Jake aiguisa son regard.

— Mais ce n'était pas anodin pour vous, n'est-ce pas ?

Mon Dieu, il était plus perspicace qu'elle ne l'aurait cru. Eve tripota nerveusement une mèche de cheveux qui s'était échappée de sa natte.

— Ce n'était pas le baiser en lui-même, commença-t-elle. C'est ce qui a suivi. Il… Comme je l'ai repoussé, il m'a accusée de lui préférer un autre homme.

Interloqué, Jake la dévisagea. Eh bien, lui qui s'était imaginé qu'elle avait peu d'amis, coincée ici avec une vieille dame encline à ratiociner ! Il apprenait à présent que non seulement elle avait un admirateur, mais qu'apparemment il n'était pas le seul… Ce qui l'irritait au plus haut point.

De plus en plus perplexe, il baissa les yeux et se rendit compte qu'il tenait toujours son poignet.

— Avait-il raison ? demanda-t-il en la libérant. Lui préférez-vous quelqu'un d'autre ?

— Non, dit Eve, le visage en feu.

— Alors est-ce que… vous n'aimez pas les hommes en général ?

— Non ! s'exclama-t-elle en frottant vigoureusement son poignet. Je n'aime pas que… qu'on me touche, c'est tout.

— Je vois ça, dit-il d'une voix rauque.

— Non. Vous ne pouvez pas comprendre.

— Aidez-moi…

— C'est impossible.

— Dites plutôt que vous ne le voulez pas.

Elle secoua la tête.

— Pourquoi vous intéressez-vous à moi ?

— Je n'en sais fichtre rien, mais vous m'intéressez, c'est vrai.

Soudain, l'atmosphère se chargea d'électricité et, avec un manque de retenue qu'il déplora plus tard, Jake s'approcha tout près d'elle.

— Touchez-moi, je vous promets que je ne vous ferai pas de mal.

Eve secoua la tête, mais ne recula pas d'un centimètre.

— Vous êtes fou…, murmura-t-elle.

— Je suis d'accord avec vous.

Ses yeux descendirent sur la bande de peau nue exposée sur sa taille fine.

Néanmoins, il espérait qu'il ne l'était pas au point de se surestimer en pensant qu'il pourrait l'aider à guérir une blessure qu'elle devait avoir subie des années auparavant.

— N'ayez pas peur, dit-il.

Elle était si proche de lui qu'il pouvait inhaler les senteurs délicieuses de son corps. La situation était incroyablement érotique et troublante. Des images torrides défilèrent dans son esprit. Les images de l'étreinte qu'ils auraient pu partager en d'autres circonstances et qui suffisaient à lui donner le vertige.

— Je crois que je ferais mieux de partir, dit-elle brusquement.

Jake se demanda si elle avait lu dans ses pensées.

— Merci de… de m'avoir écoutée, continua-t-elle. Et vous aviez raison, j'ai probablement eu une réaction exagérée. Pour sa défense, je dois dire qu'auparavant Harry ne s'était jamais permis la moindre familiarité envers moi.

« Au diable ce Harry ! »

Jake s'était presque exprimé à voix haute.

— Je ne crois pas avoir dit que vous aviez eu une réaction exagérée, protesta-t-il.

— De toute façon, ce n'est pas important, dit-elle en reculant d'un pas.

— C'était suffisamment important pour vous faire pleurer, lui rappela-t-il.

Puis, avant qu'il n'ait pu s'en empêcher, il s'avança et posa les mains sur sa taille nue.

Il se demanda qui était le plus choqué, elle ou lui… Bon sang, il n'avait pas eu l'intention de la toucher ! Ne venait-elle pas de lui expliquer qu'elle n'aimait pas qu'on la touche ! Mais dès que ses doigts trouvèrent sa peau chaude et incroyablement douce, tous ses doutes s'envolèrent.

— Non, murmura-t-elle.

Sa protestation ne servait à rien. Il voyait sa poitrine se soulever irrégulièrement tandis que les pointes de ses seins se dressaient sous son T-shirt. Elle était irrésistible, songea-t-il. Et, abandonnant toute tentative de jouer les héros, il pencha la tête et couvrit sa bouche de la sienne.

Sa première pensée fut qu'elle avait un goût céleste. Ses lèvres étaient brûlantes et délicieusement vulnérables. Elle garda ses mains le long de son corps, mais il sentit ses cuisses frémir contre les siennes.

Jake devait reconnaître qu'il s'était attendu à ce qu'elle lui résiste davantage. En effet, même si elle restait un peu raide, elle accueillit son baiser avide sans plus de résistance. Il en conclut que ce n'était pas le fait de ne pas avoir le choix…

L'idée était grisante, les possibilités infinies. Se sentant enhardi, il glissa sa langue entre ses dents et approfondit son baiser. Mais il se trouva soudain en proie au vertige tandis qu'il explorait sa bouche. Seigneur, il était encore très faible.

Ensuite, son humiliation fut rapide et impitoyable. Quand il y repensa plus tard, il comprit qu'il aurait dû s'y attendre. Eve n'avait pas été consentante, elle avait simplement pris son temps pour le manifester. Au moment où il avait montré sa vulnérabilité, elle avait été prête à frapper.

Ses jambes tremblaient, de plus en plus faibles. Quand il releva la tête et cligna des yeux pour retrouver ses esprits, Eve tenta aussitôt de prendre sa revanche.

Alors qu'il s'était écarté et se penchait en avant pour essayer de reprendre son souffle, elle lui lança en effet un coup de genou entre les jambes. Comme Jake avait légèrement reculé, elle ne fit que frôler son objectif, mais il perdit presque l'équilibre et tituba jusqu'au bureau pour s'y appuyer.

Il poussa un cri sourd. La jeune femme ne lui avait pas

vraiment fait mal, mais il se sentait terriblement oppressé et avait un mal fou à respirer.

Levant un instant les yeux, il la vit ramasser son manteau avant d'ouvrir violemment la porte et de se précipiter dans le hall.

8.

Eve vit la lumière filtrer entre les rideaux et sauta au bas de son lit. Quelle heure était-il donc ? Normalement, il faisait encore nuit quand elle se levait…

Après qu'elle eut tiré les rideaux d'un coup sec, un soleil éclatant se répandit aussitôt dans sa chambre. Elle jeta un coup d'œil à son réveil : il était presque 10 heures ! Les enfants devaient l'attendre à l'école !

Brusquement, elle se souvint qu'elle ne s'était endormie qu'au petit matin. Pas étonnant qu'elle ne se soit pas réveillée !

Après une douche rapide, Eve descendit et annonça à la gouvernante stupéfaite qu'elle n'avait pas le temps de prendre son petit déjeuner.

— Oh, mais M. Romero m'a dit de vous laisser dormir, protesta Mme Blackwood.

Eve se sentit mal à l'aise. Que lui avait donc raconté M. Romero ? Et comment pourrait-elle le regarder en face après ce qui s'était passé la veille au soir ?

— Où… où est-il ? demanda-t-elle en espérant qu'elle ne le verrait pas avant de partir à l'école.

— Vous n'êtes pas au courant ? Je pensais que vous vous étiez dit au revoir hier soir. Il est parti, dit-elle en jetant un regard à la pendule de la cuisine. A 8 h 30 à peu près.

— Comment ça, il est parti ? demanda Eve, ahurie.

— Il est rentré à Londres. Je lui ai dit que d'après moi il n'était pas assez bien pour faire tout ce trajet, mais il a répondu qu'il devait absolument s'en aller. Il a dû recevoir un coup de fil. Sur son téléphone portable, vous savez. Peut-être était-ce Mlle Cassie. De toute façon, cela ne me regarde pas.

— Non, en effet.

Eve se sentit tout à coup submergée par une vague de découragement.

— Eh bien, je ferais mieux d'aller prévenir Ellie qu'il est parti.

— Oh, elle le sait, dit Mme Blackwood d'un ton léger. M. Romero est allé lui dire au revoir. Madame a pensé la même chose que moi, mais que pouvait-elle faire ? Il était déterminé à partir.

— Je vois.

— Vous vous sentez bien ? lui demanda la gouvernante avec inquiétude. Vous êtes toute pâle. Etes-vous sûre que vous n'avez pas attrapé la grippe, vous aussi ?

— Non, ne vous en faites pas. Je suis un peu fatiguée, c'est tout.

— Eh bien, faites attention à vous, lui conseilla sévèrement Mme Blackwood. Et ce n'est vraiment pas le moment de partir le ventre vide, je vous assure.

— Je prendrai un café à l'école, affirma Eve. A ce soir.

En dépit du soleil éclatant, il faisait un froid vif et sec, et Eve avança d'un pas rapide sur l'allée.

Curieusement, elle se sentait horriblement frustrée que Jake Romero lui eut épargné l'embarras de le revoir. En effet, elle éprouvait un profond désir de lui parler, de s'assurer qu'elle ne lui avait pas fait vraiment mal avec sa réaction stupide. Cela dit, vu la façon dont il s'était comporté, il n'avait eu que ce qu'il méritait, songea-t-elle avec un regain d'irritation.

Seigneur, comment pouvait-elle raisonner ainsi ? Comparé à celui de Jake Romero, le comportement de Harry semblait presque innocent.

Alors pourquoi se souciait-elle de savoir si elle l'avait blessé ? Par ailleurs, si elle avait vraiment été révoltée quand Jake l'avait touchée, cela aurait dû lui être égal de ne plus jamais le revoir…

Hélas, ce n'était pas aussi simple. Au plus profond d'elle-même, elle savait que, pour la première fois de sa vie, elle avait senti une émotion inconnue vibrer en elle, une émotion dont elle n'aurait jamais osé soupçonner l'existence. Et en vérité, s'il ne s'était pas montré vulnérable, elle se rendait parfaitement compte qu'elle se serait abandonnée à lui.

Mais à quoi se serait-elle abandonnée au juste ? se demanda-t-elle avec sincérité. Après toutes ces années de solitude, le savait-elle vraiment ? Oh, elle avait bien compris ce qu'un homme désirait obtenir d'elle, et qu'il était prêt à tout pour arriver à ses fins. Cependant, elle comprenait que ce qui s'était passé la veille au soir n'avait rien à voir avec un tel comportement.

Elle ignorait tout d'une relation charnelle basée sur un consentement mutuel. Une relation semblable à celle que partageaient Cassie et Jake Romero, par exemple ?

Horrifiée, Eve frissonna. Elle avait pris la bonne décision. Car rien n'était possible avec cet homme, elle n'aurait jamais dû l'oublier, et elle aurait dû être soulagée qu'il soit parti avant qu'elle ne commette une erreur fatale.

Néanmoins, cela ne l'empêcha pas de penser à lui durant tout le trajet et durant toute la journée interminable qui suivit.

La nuit ne lui apporta pas plus de repos. En effet, le souvenir de ce qu'elle avait ressenti quand Jake l'avait embrassée la poursuivit dans son sommeil, et des rêves torrides la hantèrent jusqu'à l'aube.

Jake alla passer les fêtes de Noël sur son île natale. Seul.

Après son retour à Londres en novembre, il avait réussi à éviter tout rendez-vous intime avec Cassandra. Evidemment, elle n'avait pas manqué de lui manifester son irritation au cours de fréquents appels téléphoniques. Mais heureusement, les producteurs de la série télévisée étaient très contents d'elle et, de ce fait, elle s'était montrée moins envahissante qu'auparavant.

Pour sa part, Jake ne trouvait pas d'explication raisonnable à son aversion soudaine envers elle. Oh, bien sûr, il n'avait pas apprécié la façon dont elle avait traité sa mère, mais depuis quand se souciait-il du comportement familial de ses maîtresses ? se demanda-t-il en se moquant de lui-même.

Dans ce cas, pourquoi avait-il accepté d'accompagner

Cassandra dans le Northumberland ? S'agissait-il d'un coup du destin, afin qu'il rencontre Eve ? Non, décidément, il n'était pas prêt à accepter cette hypothèse. Pour l'amour de Dieu, avait-il oublié que cette femme l'avait détesté au premier coup d'œil ? Et qu'elle n'avait pas hésité à le frapper ?

Et pourtant il la désirait encore, et plus que jamais.

Quoi qu'il fasse, où qu'il soit, ses pensées restaient concentrées sur la jeune femme qui passait ses vacances de Noël dans une région froide et inhospitalière, avec deux femmes âgées pour toute compagnie.

Quand il revint de ses courtes vacances, le réceptionniste lui remit une foule de messages que Cassandra avait laissés à son hôtel. Apparemment, elle l'avait appelé sans cesse durant les trois derniers jours. Il fourra les messages dans sa poche : il les lirait plus tard, après s'être reposé du décalage horaire. Pour l'instant, tout ce qu'il désirait était une douche, un verre, et dormir.

Une demi-heure plus tard, il sombrait dans le sommeil.

— Bon sang ! s'exclama-t-il avec colère quand la sonnerie du téléphone le réveilla brutalement.

Il essaya de prendre le combiné sans lever la tête de l'oreiller, mais ne réussit qu'à le faire tomber sur le sol en jurant de plus belle.

Après avoir été obligé de se pencher pour le ramasser, il saisit violemment le combiné et hurla presque.

— Allô !

— Chéri ? C'est toi ?

Cassandra ! Il aurait dû y penser et demander au réceptionniste de refuser les appels jusqu'à son réveil.

— Cassandra, dit-il d'un ton contrarié. Je t'aurais appelée plus tard…

— Oh, dit-elle, apparemment déconcertée. Tu es au lit ? Mais il est 11 h 30.

— Oui, mais à San Felipe, il n'est que *5 h* 30, répliqua-t-il en faisant un effort pour garder son calme. Je viens juste de rentrer.

— Oh, oui. Je sais. Le réceptionniste m'a dit que tu devais arriver aujourd'hui.

— Vraiment ?

Jake avait bien l'intention de dire deux mots à ce réceptionniste dès qu'il en aurait l'occasion…

Quant à Cassandra, elle ne semblait pas avoir remarqué son ton ironique.

— Tu… tu es au lit en ce moment ? reprit-elle.

— Je viens de te le dire, non ?

— Ça te plairait que je vienne te rejoindre ? Je pourrais te faire un massage. Une des actrices avec qui je travaille est très douée en shiatsu, et elle m'a appris tous les mouvements. Elle dit que j'ai un grand potentiel…

— Cassandra, explosa Jake. Pourquoi m'as-tu appelé ? Tu ne m'as quand même pas réveillé pour me dire que tu avais appris à faire ces japonaiseries ! Tu m'as laissé de nombreux messages. On dirait qu'il y a eu une catastrophe…

— Maman a eu un infarctus, l'interrompit Cassandra.

Brusquement, Jake se réveilla tout à fait.

— C'est arrivé la veille de Noël, tu te rends compte ? Je voulais te le dire plus tôt, mais tu étais loin et ton téléphone était éteint.

En effet, et c'était voulu ! songea farouchement Jake, abasourdi par la nouvelle. Il avait du mal à croire que la robuste vieille dame avait subi une attaque sérieuse. Elle semblait si résistante ! Et Eve… Que devait-elle éprouver ? Il avait compris qu'elle était liée à Mme Robertson par une solide affection.

— Comment va-t-elle ? demanda-t-il en posant le pied sur le sol. Je suppose que tu es allée la voir ?

Il y eut un long silence

— En fait, je n'y suis pas allée, dit-elle enfin.

— *Tu n'es pas allée la voir ?*

— Non, répondit Cassandra précipitamment. Je me serais déplacée, tu sais que je l'aurais fait, mais elle s'est vite remise… Enfin, à peu près. Elle n'est pas restée paralysée ni rien du tout. Eve a dit qu'elle avait d'abord été un peu perturbée, mais que c'était vite passé.

— Je n'arrive pas à le croire, dit-il, scandalisé. Bon sang, un infarctus peut être fatal !

— Je le sais, dit-elle, sur la défensive.

— Cassandra, les gens ont besoin d'être entourés par leurs proches dans des moments pareils.

— Oui, évidemment. Mais elle a Eve, non ?

— Eve ! s'exclama Jake. Tu ne crois pas qu'elle apprécierait d'être un peu soutenue ?

— Elle se débrouille très bien sans moi.

— Evidemment, elle est bien obligée !

— Que veux-tu dire par là ? demanda-t-elle d'un ton visiblement inquiet. Que t'a-t-elle dit ?

— Elle ne m'a rien dit du tout, répliqua-t-il. Je pense simplement qu'elle est trop jeune pour assumer de si lourdes responsabilités. Surtout qu'elle n'est qu'une parente éloignée de ta mère.

— Tu as peut-être raison, dit-elle. Mais elle n'est pas aussi jeune que tu le crois, tu sais. Elle a vingt-cinq ans.

Pourquoi semblait-elle brusquement soulagée ? se demanda confusément Jake.

— C'est encore très jeune, dit-il simplement. Mme Robertson est-elle à l'hôpital de Newcastle ?

— Oh non, elle n'a pas été hospitalisée ! s'exclama aussitôt Cassandra. Elle est à la maison.

— A Watersmeet ?

— Evidemment.

— Et qui s'occupe d'elle ?

— Eh bien… Eve et Mme Blackwood, je suppose. Eve est en vacances en ce moment.

« Et elle les passe à s'occuper de ta mère, à ta place », songea Jake avec colère.

— Et moi, reprit Cassandra, visiblement désireuse de changer de sujet, quand vais-je te voir ?

Décidément, elle ne comprendrait jamais, songea Jake en se retenant de le lui dire à voix haute.

— Je… Je te rappellerai. Pour l'instant je suis vraiment fatigué et je voudrais me reposer un peu.

— Oh, commença Cassandra d'un ton vexé. Alors, tu ne veux pas entendre mes nouvelles ?

Jake réprima un soupir.

— Je croyais que tu venais de me les donner.

— Non, rétorqua Cassandra. Je veux dire *mes* nouvelles. Je pensais que tu serais content d'apprendre qu'on m'avait proposé de prolonger mon contrat de trois mois.

— Formidable ! s'exclama-t-il avec un entrain forcé.

— C'est merveilleux, n'est-ce pas ?

« Tu parles », songea Jake en son for intérieur, tout en se demandant pourquoi l'attitude de Cassandra envers sa mère le choquait autant. D'accord, il éprouvait une affection sincère envers sa propre mère, mais après tout Cassandra était libre de se comporter comme elle le voulait avec la sienne…

En vérité, c'était Eve qui le préoccupait. Eve, qui portait seule le poids de la maladie de la vieille dame qu'elle chérissait. Et c'était à cause d'Eve qu'il envisageait déjà de réorganiser son emploi du temps afin de prendre le premier vol à destination de Newcastle.

9.

Quand Jake arriva à Watersmeet, il faisait déjà nuit noire. Il avait bien réussi à avoir un vol en début d'après-midi, mais celui-ci avait eu une heure de retard, et il avait eu beaucoup de mal à trouver une voiture de location.

Comme la première fois qu'il était venu, de la lumière brillait aux fenêtres du rez-de-chaussée, mais ce soir, les rideaux étaient tirés.

Jake sortit de la vieille Ford et en verrouilla la portière avant de se diriger vers la porte.

Le froid était mordant, mais cette fois, il y était préparé. A l'aéroport d'Heathrow, il s'était acheté un épais manteau avant d'embarquer et, bien qu'il ne l'ait pas boutonné, il lui tenait incroyablement chaud.

Après qu'il eut frappé, un homme qu'il ne connaissait pas vint lui ouvrir. Qui diable était-il ? Harry Murray ? Le salaud avait-il réussi à regagner les bonnes grâces d'Eve pendant la maladie de Mme Robertson ?

— Bonjour, je peux vous aider ?

Il y avait une telle assurance dans le ton de son interlocuteur que Jake comprit qu'il ne s'agissait pas du pasteur. D'ailleurs, Eve avait dit que Murray était jeune, alors que cet homme avait une bonne cinquantaine d'années. Le médecin, peut-être ?

— Euh… Je m'appelle Romero. Je suis un ami de… de la fille de Mme Robertson.

— Ah oui, de Cassie ? Eh bien, elle n'est pas là, répondit-il, sans paraître impressionné le moins du monde.

— Je le sais.

— Qui est-ce, Adam ?

Jake entendit la voix d'Eve avant de la voir, et il fut stupéfait du tressaillement violent qu'il ressentit au fond de sa poitrine. Seigneur, comment allait-elle réagir quand elle se retrouverait en face de lui ?

Le dénommé Adam se retourna à demi vers elle et, comme Eve concentrait son attention sur lui, Jake eut le temps de l'observer avant qu'elle ne le remarque.

Elle avait l'air fatiguée, constata-t-il aussitôt, et ses beaux yeux gris étaient soulignés de cernes sombres. Il était évident qu'elle n'avait pas bien dormi, sans doute inquiète à propos de la vieille dame. Ses cheveux n'étaient pas soigneusement nattés, mais noués en arrière par un simple ruban.

Cela lui donnait l'air plus jeune, songea-t-il. Il regarda le gilet beige qui couvrait son buste et ressentit aussitôt une envie sauvage de le lui ôter afin de découvrir les formes délicieuses qu'il dissimulait.

— Jake… Monsieur Romero !

Elle semblait stupéfaite et ouvrait des yeux immenses et incrédules.

— Que faites-vous ici ? Est-ce que…, commença-t-elle en regardant derrière lui. Est-ce que Cassie vous accompagne ?

— Non…

Ce n'était pas l'accueil qu'il avait espéré, mais bon, il aurait dû s'y attendre.

— Tu le connais ? demanda l'homme avec surprise. Je viens de lui dire que Cassie n'était pas là.

— Je le savais déjà, répéta-t-il.

Jake avait fait un effort pour garder un ton aimable, mais il n'avait pas l'intention de se laisser intimider.

— Puis-je entrer ?

Eve jeta un coup d'œil à cet « Adam » avant de s'écarter.

— Bien sûr, dit-elle, sans grand enthousiasme. Est-ce Cassie qui vous a envoyé ?

— Non, dit-il en entrant dans le hall. Comment va Mme Robertson ?

— Comment savez-vous qu'elle a été malade ? s'étonna-t-elle.

— Par Cassie, évidemment.

— Alors, elle vous a bien envoyé ?

— Non !
— Elle sait que vous êtes ici ?
— Non plus, dit Jake en secouant la tête.
— Mais alors, comment…
— Elle me l'a dit. C'est tout.
— Qui est ce type, Eve ? intervint Adam en jetant un coup d'œil soupçonneux à Jake. Il dit qu'il est un ami de Cassie, c'est ça ?
— Oui, c'est vrai, répondit-elle.
Eve ne pouvait lui en vouloir de ne pas comprendre. Elle-même était si bouleversée et si embarrassée par cette arrivée inopinée…
Jake était si beau, songea-t-elle, dans son long manteau couleur caramel, ouvert sur un jean noir et un pull gris anthracite. Il était encore plus séduisant que dans son souvenir, et elle avait une envie désespérée de lui parler, de lui dire qu'elle était heureuse de le revoir. Qu'au fond d'elle-même, elle avait espéré son retour, s'avoua-t-elle enfin.
Mais elle ne lui dirait rien de tout cela. Car Jake était à Cassie, pas à elle.
— Eh bien, puisqu'il dit qu'il savait qu'elle n'était pas là, qu'est-ce qu'il vient faire ici ?
— Vous pourriez peut-être me le demander en premier ? remarqua Jake avec un léger sourire, même s'il mourait d'envie de lui répondre sur le même ton rogue.
— Et vous pourriez peut-être me dire enfin comment va Mme Robertson ? poursuivit-il.
— Ma mère va beaucoup mieux…
Ainsi Adam n'était pas un admirateur inconnu d'Eve, mais le frère de Cassie ! Jake ne put s'empêcher d'éprouver un soulagement inouï, suivi d'un ridicule accès d'euphorie.
— Qu'est-ce que cela peut vous faire ? reprit Adam.
— Adam, tu ne comprends pas…
— Je suis venu passer quelques jours ici en novembre, dit calmement Jake. En compagnie de votre sœur. C'est à ce moment-là que j'ai fait la connaissance de votre mère et que nous avons passé des moments très agréables ensemble. Aussi, quand Cassandra m'a dit que…

— Qui ?

— Cassandra, répondit patiemment Jake. Quand elle m'a dit que sa mère avait eu une attaque, j'ai été très inquiet.

— Pas comme Cassie, dit Adam d'un ton sévère. C'est son vrai nom, au fait. Cassandra n'est qu'une invention…

— Adam…

Une fois encore, Eve essaya d'intervenir, mais Adam ne la laissa pas parler.

— Je ne comprends toujours pas, insista-t-il, lui lançant un regard en biais. On me cache quelque chose, ou quoi ?

— Non ! s'écria-t-elle. Pourquoi n'irions-nous pas dans la bibliothèque ? Il y fait plus chaud qu'ici, et nous pourrions au moins offrir quelque chose à boire à M. Romero, Adam.

Celui-ci haussa ses larges épaules. Physiquement, il ressemblait plus à sa mère que Cassie, et de toute évidence, il n'appréciait pas l'intrusion d'un individu qu'il considérait comme le dernier admirateur de sa sœur. Mais Jake fut impressionné de constater qu'il se soumettait sans broncher à la proposition d'Eve.

Une fois entré dans la bibliothèque, Jake regarda autour de lui. Il se souvenait de chaque détail et constata avec plaisir qu'il s'y sentait très à l'aise. Pourtant, se souvint-il avec regret, c'était là qu'il avait commis l'acte impardonnable d'embrasser Eve.

— Voulez-vous un whisky ?

Jake sourit faiblement à la jeune femme.

— Avec plaisir, dit-il. Mais un tout petit, s'il vous plaît. Je conduis.

Sans dire un mot, Adam traversa la pièce et alla se réchauffer le dos devant la cheminée.

— Vous vivez dans le village, monsieur Robertson ? demanda Jake en essayant de détendre l'atmosphère.

— Non. J'ai une ferme un peu plus loin, dans la vallée. J'y vis avec ma femme et mes trois enfants. Cassie ne vous l'a pas dit ?

A vrai dire, Cassie ne lui avait pas dit grand-chose sur sa famille. Ce qui lui avait d'ailleurs parfaitement convenu. Mais après l'avoir présenté à sa mère, elle aurait pu mentionner le fait qu'elle avait un frère dans la région.

— Etes-vous venu en voiture de Londres ? demanda Eve.

— Non. J'ai pris l'avion jusqu'à Newcastle, puis j'ai loué une voiture à l'aéroport.

— Pour venir ici ? ironisa Adam. Comme c'est charmant !

Jake se demanda ce que cherchait cet homme et eut du mal à retenir la riposte cinglante qui lui vint aux lèvres.

— Ellie sera ravie de vous voir, dit précipitamment Eve. Elle est restée confinée dans sa chambre depuis son attaque et sera ravie de voir un nouveau visage.

— Et quel visage..., dit Adam d'un ton sarcastique.

Cette fois, il avait dépassé les bornes, songea Jake.

— Est-ce que ma présence vous pose un problème ? demanda-t-il, ignorant la réaction d'Eve qui s'était interposée entre eux.

— Restez en dehors de ceci, lui conseilla-t-il. Eh bien, j'attends votre réponse...

— Ce n'est pas la question, riposta aussitôt Adam.

— Alors quelle est-elle ?

Le ton de Jake était menaçant et Eve se rendit compte qu'Adam avait nettement sous-estimé son adversaire.

— Si j'ai bien compris, vous n'êtes pas le maître, ici, continua-t-il. Dans ce cas, vous n'avez rien à dire sur les visiteurs qui viennent voir votre mère, il me semble...

Adam était visiblement très excité, mais il ne bougea pas.

— Eh bien, elle non plus, dit-il d'un ton agressif en désignant Eve, elle n'est pas chez elle !

— Il le sait, Adam, protesta Eve. Pour l'amour de Dieu, qu'est-ce qu'il te prend ? M. Romero est un hôte, pas un intrus. Et, que cela te plaise ou non, Ellie l'aime bien.

— Si tu le dis, grogna Adam.

— Oui, insista Eve en lui tendant un verre dans l'espoir de le calmer. Maintenant, bois ton whisky et cesse de faire l'idiot.

— Qui traites-tu d'idiot ? demanda aussitôt Adam.

A cet instant, Jake vit avec stupéfaction un sourire frémir au coin de ses lèvres.

— Excusez-moi, dit-il d'un ton bourru à Jake, mais d'habitude, je ne supporte pas les admirateurs de Cassie.

Jake n'en revenait pas. Il ne se serait jamais attendu à ce qu'il s'excuse, et il fut reconnaissant à la jeune femme d'avoir sauvé la situation.

Eve avala une gorgée de Coca décaféiné, tout en espérant que, cette fois, la situation était détendue. Elle ne pouvait s'empêcher de se demander pourquoi Jake était revenu. Elle voulait bien croire qu'il était inquiet pour sa grand-mère, mais elle craignait confusément qu'il ne s'agisse d'autre chose. Et que cette *autre chose* ne la concerne et ne représente un danger pour elle.

— Je vais aller dire au revoir à ma mère, dit soudain Adam, en traversant la pièce pour aller poser son verre vide sur la table.

Puis, il se retourna vers Jake.

— Pourquoi ne venez-vous pas avec moi ? Eve a raison, elle sera contente d'avoir quelqu'un de nouveau à qui parler.

Jake hésita à peine une seconde, conscient qu'Adam lui tendait la perche. Et pourtant, il aurait préféré que celui-ci parte et le laisse seul avec Eve.

— Bien sûr, dit-il. Je vous accompagne.

Quand ils eurent quitté la pièce, Eve poussa un soupir de soulagement. Pendant un instant, elle avait cru que Jake allait refuser la proposition d'Adam.

Etait-il venu simplement pour s'assurer de l'état de santé d'Ellie ? se demanda-t-elle nerveusement. C'était tout à fait possible, se dit-elle en rassemblant les verres avant de les porter à la cuisine.

Quand elle revint à la bibliothèque, Jake n'était pas encore redescendu et Eve décida d'aller aux écuries. Il valait mieux qu'ils ne se revoient pas, songea-t-elle avec détermination.

A cette heure-là, Mick, l'homme que M. Trivett employait pour l'aider, devait avoir ramené Storm Dancer dans son box. Quand Eve était énervée, elle aimait passer un moment avec la vieille jument, cela la calmait toujours. De toute façon, Jake comprendrait son absence et partirait avant qu'elle ne rentre.

Storm Dancer broutait joyeusement dans sa mangeoire

quand Eve poussa la porte de la stalle. La jument leva les yeux, mais ne vint pas vers elle, bien trop absorbée par son repas.

Eve s'assit un peu en retrait, sur une balle de paille posée contre le mur. Le simple fait de regarder l'animal apaisait ses nerfs à vif et, appuyant les coudes sur ses genoux, elle posa son menton dans ses mains.

Soudain, elle se rendit compte d'une présence. Elle redressa la tête et vit Jake, appuyé contre le box vide à côté de celui de Storm Dancer. Les bras croisés, il la regardait en silence.

Le fait qu'il soit entré dans les écuries sans qu'elle l'entende la mit terriblement mal à l'aise.

— Salut, dit-il doucement.

Au son de sa voix, une sensation troublante naquit au bas de son ventre et se répandit dans tout son corps. Elle voulut se lever, mais il l'arrêta d'un geste de la main.

— Ne bougez pas, dit-il en s'écartant du mur pour s'avancer vers elle. Nous pouvons aussi bien parler ici.

— Je crois que je devrais rentrer, murmura Eve.

— Pourquoi ?

« Oui, pourquoi ? » se demanda-t-elle en son for intérieur.

— J'ai froid, dit-elle, prenant le premier prétexte qui lui passait par l'esprit. Je suis restée immobile trop longtemps.

Jake ôta son manteau et le posa sur ses épaules avant de s'asseoir à côté d'elle. Le vêtement avait gardé la chaleur de son corps et les effluves de son eau de toilette montèrent aux narines d'Eve.

— Oui, je sais. J'ai attendu votre retour.

Eve frissonna, mais ce n'était pas à cause du froid.

— Comment avez-vous su où j'étais ?

— Mme Blackwood m'a dit que je vous trouverais probablement ici, répondit-il, son souffle chaud caressant sa joue.

Quand ses yeux se posèrent sur sa bouche, Eve sentit son propre souffle s'accélérer.

— Je croyais que vous partiriez après avoir vu Ellie.

— Vous le souhaitiez ? murmura-t-il, d'une voix basse et terriblement sensuelle. Est-ce pour cela que vous êtes restée ici ? Parce que vous espériez ainsi éviter de me revoir ?

« Oui ! »

— Non, dit Eve d'un ton peu convaincant. Pourquoi voudrais-je vous éviter ?

— Vous le savez très bien.

Il s'arrêta un instant avant de reprendre.

— Je voudrais m'excuser. Je n'aurais pas dû vous embrasser, l'autre jour.

La gorge d'Eve était nouée par une émotion d'une intensité extraordinaire, presque douloureuse, et elle eut du mal à parler.

— Je n'aurais pas dû réagir comme je l'ai fait, dit-elle d'une voix faible. Je vous ai fait mal ?

— Si je répondais : « oui », que feriez-vous ? Vous m'embrasseriez pour vous faire pardonner ?

Aussitôt, le visage de la jeune femme s'enflamma, mais quand elle tenta de se lever, Jake posa la main sur son genou pour l'en empêcher.

— Excusez-moi, dit-il d'un ton contrit. Je n'aurais pas dû dire cela, je suis vraiment désolé.

Il sentait son genou trembler sous sa main et se traita mentalement d'idiot. Bon sang, comment pouvait-il se comporter ainsi alors qu'il avait deviné qu'un salaud l'avait blessée cruellement, la rendant méfiante envers tous les hommes ?

— Ecoutez, dit-il, pouvons-nous oublier le passé et tout recommencer de zéro ?

— Il n'y a rien à recommencer, monsieur Romero ! s'exclama-t-elle. Et je crois que vous me confondez avec Cassandra.

— Non, certainement pas. Depuis que je suis parti de Watersmeet au mois de novembre, je n'ai pensé qu'à vous.

Il la vit se raidir.

— Vous plaisantez, n'est-ce pas ?

— Non, c'est la vérité.

— Oh, je vois, dit-elle d'un ton sceptique. Je suis censée croire que, tout le temps que vous faisiez l'amour avec Cassandra, vous pensiez à moi ? C'est plutôt malsain.

— Je n'ai pas couché avec Cassandra, répliqua-t-il, blessé par son sarcasme. Quel genre de salaud croyez-vous donc que je suis ?

— Je ne sais pas, monsieur Romero, répondit-elle d'un ton presque enfantin. Je vous connais à peine.

— Nous pourrions remédier à cela.

Avec le plus de délicatesse possible, Jake laissa ses doigts caresser l'intérieur de son genou. Il sentit un frisson la parcourir tout entière.

— Je désire vous connaître, dit-il.

— Pas moi, répliqua Eve.

Elle mentait, et sentit sa bouche s'assécher.

Les sensations qui avaient pris possession d'elle provoquaient des réactions totalement inattendues dans son corps et, alors qu'elle aurait voulu écarter sa main de son genou, une sorte de tentation, de désir irrésistible l'en empêchait.

— Vous ne voulez pas ? demanda-t-il en se penchant vers son oreille. Vous en êtes sûre ?

— Jake !

Son cri de protestation s'était transformé malgré elle en une supplication et, au lieu de détourner la tête, elle lui offrit son visage.

Quelque chose bascula alors en elle. Elle le contempla, fascinée. Ses yeux étaient noirs et ses prunelles dilatées. Il avait un si beau visage, songea-t-elle, et si viril ! Son regard se posa sur sa bouche sensuelle et bien dessinée.

A cet instant, il leva la main et lui caressa la joue. Eve sentit alors sa résistance fondre tandis qu'un violent tremblement s'emparait de ses épaules avant de se répandre dans tout son corps. Sa respiration était de plus en plus hachée et son cœur battait à tout rompre dans sa poitrine. Incapable de faire un geste, elle avait l'impression d'être envoûtée.

Quand le pouce de Jake vint frôler ses lèvres, Eve le caressa instinctivement avec sa langue. Sa peau avait un goût délicieux, songea-t-elle, émerveillée.

Jake accentua la pression de son doigt et, ivre de sa propre audace et du plaisir qu'elle découvrait, elle l'aspira dans sa bouche et le suça sans retenue.

Elle l'entendit haleter tandis qu'il la regardait avec une intensité qu'elle ne lui avait jamais vue. Cette découverte acheva de l'enivrer. Un désir inconnu la consuma tout entière : l'envie irrésistible de le toucher.

Ses mains se posèrent sur la douce matière de son pull, et elle laissa bientôt errer ses doigts sur son dos en de folles caresses.

— Je te désire comme un fou, dit-il, d'une voix rauque.

Eve ne put que lever les yeux vers les siens, l'invitant inconsciemment à continuer.

Encouragé, il glissa sa main chaude sur sa nuque, sous ses cheveux, et inclina sa tête vers la sienne. Quand il l'embrassa, son baiser fut différent du premier. Cette fois, il prit ses lèvres avec fougue, affirmant son exigence, comme s'il craignait qu'elle ne s'enfuie de nouveau.

Mais elle n'en fit rien. Elle ne le pouvait pas. Le feu de ce baiser avait supprimé toute résistance et allumé un brasier au plus profond de son intimité. Impuissante, elle s'abandonna.

A présent, plus rien n'importait que la chaleur du corps de Jake pressé contre le sien. Seule comptait la pression avide de sa langue qui s'enroulait à la sienne en une danse exquise et lancinante.

Insatiable, il l'embrassa longuement, encore et encore, jusqu'à ce qu'elle s'accroche à lui. Il avait glissé une cuisse entre les siennes, si bien qu'elle sentait son érection contre sa jambe. Elle frissonna. Il était si viril, si dangereux…

— J'ai tellement envie de toi, murmura-t-il d'une voix étouffée en lui mordillant l'oreille. Tu es si belle.

— Je… Je ne suis pas belle, protesta-t-elle faiblement.

Mais il ne l'écoutait pas. Il avait écarté son épais gilet et semblait fasciné par sa poitrine. D'une main fiévreuse, il remonta son T-shirt et, de l'autre, il dégrafa son soutien-gorge avec habileté.

Quand ses mains se refermèrent doucement sur ses seins, Eve se sentit chanceler. Déjà, ses pouces avaient trouvé les pointes sensibles qui se dressaient contre ses paumes, et elle était maintenant dévorée par son propre désir. Une vibration inconnue faisait palpiter son ventre tandis qu'une moiteur frémissante naissait entre ses jambes. Comment avait-elle pu vivre en ignorant ces délices ? se demanda-t-elle, éperdue.

Elle se sentait vivante et désirable, et, serrant le visage de Jake entre ses deux mains, elle attira de nouveau sa bouche vers la sienne.

— Doucement, ma *belle*, ma ravissante Eve, murmura-t-il contre ses lèvres.

Elle trembla. Comment pouvait-elle lui obéir alors que tout était si nouveau, si excitant, si différent de tout ce qu'elle avait expérimenté avant ? La langue de Jake se livrait à des caresses d'une volupté inouïe, et elle avait envie qu'elle explore tout son corps avec la même ardeur.

Pour la première fois de sa vie, elle envisageait sans crainte ni dégoût la possibilité qu'un homme lui fasse l'amour. Mon Dieu, elle le *désirait*…

— Nous avons toute la nuit, chuchota-t-il en la repoussant doucement en arrière, si bien qu'elle se retrouva presque allongée sur la paille.

La main de Jake descendit sur son ventre et vint se refermer sur son pubis, à travers l'étoffe de son jean. Eve aurait voulu la sentir sur sa peau.

— Personne ne va venir nous interrompre, ne crains rien, murmura-t-il à nouveau.

Personne, songea Eve en proie au vertige. Personne, pas même Cassie. Cassie…

Sa gorge se serra douloureusement. Tout à coup, elle se sentit gagnée par une paralysie glacée. Elle se souvint de qui était Jake. Avait-elle perdu l'esprit ? Etait-elle si bouleversée par la découverte de sa propre sexualité qu'elle envisageait de faire l'amour avec un homme qui fréquentait… Cassie ? Un homme qui, par toutes les lois de la décence, lui était interdit ?

Il avait penché la tête et allait prendre un mamelon épanoui dans sa bouche quand Eve dit d'une voix étranglée :

— Non. Non, il ne faut pas. Tu ne peux pas comprendre, mais c'est impossible.

Après s'être dégagée brutalement, elle referma en hâte les pans de son gilet sur sa poitrine. Puis elle releva la tête et regarda Jake dans les yeux, l'air terrifié, presque hagard.

Interdit, celui-ci la dévisagea.

— C'est à cause de Cassandra, n'est-ce pas ? Tu penses que parce qu'elle nous a présentés…

— Non. Non, ce n'est pas cela.

— Qu'y a-t-il, alors ? demanda Jake d'une voix plus dure.

Bon sang, sa patience avait des limites !

— Je t'ai dit que Cassandra ne m'intéressait pas, continua-t-il. D'accord, je sais que vous êtes des parentes éloignées, mais on n'y peut rien. Ce n'est pas grave et elle s'en remettra.

— Non ! Elle ne s'en remettra pas.

— Mais bon sang, explique-toi ! s'exclama-t-il en faisant un effort pour se calmer. Pourquoi devrions-nous nous soucier d'elle ?

— Cassandra est ma mère, dit Eve d'une voix tremblante. Maintenant, est-ce que tu comprends pourquoi rien n'est possible entre nous ? C'est ma *mère* !

10.

Jake partit sans revoir Eve, roula une bonne partie de la nuit et arriva à son hôtel dans un état d'agitation extrême.

Il était hors de lui. Comment avait-il pu être attiré par la fille de Cassandra. La *fille* de Cassandra, bon sang ! Pas étonnant qu'il n'y ait pas beaucoup d'affection entre elles.

Comme entre Cassandra et sa propre mère, songea-t-il en se souvenant de la conversation qu'il avait eue avec Mme Robertson avant son départ.

Quel monstre avait-il fréquenté pendant six mois ? Quelle sorte de femme était-elle donc pour avoir abandonné sa fille sans même dire à sa propre mère qu'elle avait eu un enfant ?

Il avait recueilli toute l'histoire de la bouche de la vieille dame, évidemment. Eve ne lui avait rien dit. Après avoir lâché sa bombe, elle ne s'était pas attardée pour répondre à ses questions.

Pourquoi ne lui avait-elle pas révélé plus tôt qu'elle était la fille de Cassandra ?

Sapristi, la femme qu'elle appelait Ellie était sa *grand-mère* ! Et sans son intervention, Eve…

Pour l'instant, il refusa de s'attarder là-dessus. Mais dès qu'il ferait jour, il avait bien l'intention d'aller voir Cassandra, afin d'entendre sa version de l'histoire avant de l'oublier une bonne fois pour toutes.

Comment diable allait-il *oublier* cette histoire, quelle que soit la version de Cassandra, songea-t-il en se moquant de lui-même. Ses sentiments envers Eve n'allaient pas disparaître aussi facilement. En effet, même s'il se répétait sans cesse qu'elle l'avait trompé autant que sa mère, il ne pouvait cesser de penser à elle.

Car il la désirait toujours. Non, plus que cela : il voulait être avec elle. Il voulait la prendre dans ses bras et achever ce qu'ils avaient commencé quelques heures plus tôt, dans les écuries. Et le fait qu'elle l'ait repoussé le déchirait.

Pourtant, il ne devait pas oublier qu'elle était la fille de Cassandra. Avec une mère pareille, la jeune femme ne pouvait qu'être une source d'ennuis. Il ferait mieux de se réjouir de s'en être rendu compte à temps, avant d'avoir commis l'irréparable. Comme lui faire l'amour, par exemple.

Il se sentait blessé au plus profond de lui-même, se rendit-il compte avec amertume. Et frustré. Eh bien, il allait infliger la souffrance qu'il ressentait à Cassandra ! se dit-il rageusement. Elle allait payer pour sa fille !

A présent, il était 3 heures du matin, et en dépit de l'adrénaline qui courait dans ses veines et qui lui avait permis de faire tout le trajet sans s'arrêter, il se sentait épuisé. D'ailleurs, il se souvint que la nuit précédente il avait à peine dormi.

Il fallait absolument qu'il se repose. Après s'être déshabillé en hâte, il s'effondra sur le lit sans même prendre une douche. Mais, malgré sa fatigue intense, il fut incapable de trouver le sommeil.

Le visage d'Eve le hantait. Il sentait encore le goût de sa bouche exquise sur sa langue, sentait encore les effluves de sa peau sur ses mains. La présence de ses doigts fins sur son dos lui manquait…

Après s'être retourné sur le ventre, il gémit et enfouit son visage brûlant dans l'oreiller. Peu importe qui elle était, peu importe comment elle l'avait traité, il la désirait comme un fou. Une érection impitoyable se chargeait d'ailleurs de le lui rappeler cruellement.

Après des minutes qui lui semblèrent interminables, il finit enfin par s'endormir. Quand il rouvrit les yeux, il faisait jour.

Il commanda du café et du pain grillé et alla prendre une douche avant qu'on lui apporte son petit déjeuner.

Plusieurs tasses du breuvage odorant et quelques tranches de toast le réconfortèrent un peu. Une demi-heure plus tard, il descendit à la réception où il prit les dispositions nécessaires pour faire rapporter au garage sa voiture de location.

Puis il sortit et héla un taxi.

Au préalable, il avait appelé Cassandra pour vérifier qu'elle était bien chez elle mais, dès qu'il avait entendu sa voix, il avait raccroché. En effet, il voulait être en face d'elle quand il lui demanderait des comptes. Il désirait voir son expression quand elle essayerait de lui expliquer pourquoi elle avait vendu sa propre fille à des étrangers aussitôt après sa naissance.

Cassandra demeurait à Notting Hill, quartier cossu et à la mode de Londres où vivaient bon nombre de célébrités. Elle y occupait une partie du dernier étage d'une belle maison victorienne. Bien qu'il ne soit jamais entré chez elle, Jake connaissait bien son adresse pour l'avoir raccompagnée plusieurs fois.

Après avoir sonné sans obtenir de réponse, il eut la chance qu'un autre habitant de la maison sorte. Jake s'écarta pour le laisser passer, mais réussit à empêcher la porte de se refermer.

Il regarda les noms sur les boîtes aux lettres et découvrit le numéro de l'appartement de « C. Wilkes ». Pourvu qu'elle ne soit pas sortie ! se dit-il en montant lestement au deuxième étage.

Au troisième coup de sonnette, Cassandra ouvrit enfin la porte. Apparemment, elle sortait du lit et apparut drapée dans son éternel kimono rouge. Nue en dessous, comme d'habitude.

Il vit tout de suite à son expression qu'elle avait compris qu'il avait quelque chose d'important à lui dire. Mais à la grande surprise de Jake, elle jeta un regard coupable par-dessus son épaule avant de refermer la porte aux trois quarts.

— Jake ! s'exclama-t-elle à voix basse. Que fais-tu ici ?

— Je voudrais te parler, dit-il simplement. Je peux entrer ?

Une fois encore, elle regarda nerveusement par-dessus son épaule.

— C'est impossible, chéri. Je me suis couchée à 2 heures du matin et je suis claquée. Il y a eu une soirée aux studios, tu comprends, et…

— Je me fiche de savoir où tu as été et avec qui, dit Jake, appuyant une main contre la porte pour l'ouvrir complètement.

Il faut que nous parlions, Cassandra — ou devrais-je plutôt dire *Cassie* ? C'est comme ça que ta fille t'appelle, n'est-ce pas ?

Aussitôt, il vit une lueur de stupéfaction traverser son regard. Un instant sous le choc, elle ne tenta pas de l'empêcher de pénétrer dans l'appartement. Mais elle se ressaisit bientôt et voulut l'arrêter.

— Tu ne peux pas entrer, dit-elle. Je ne suis pas seule.

— Tu crois que ça me gêne ?

Jake la repoussa et regarda autour de lui. Il devait se trouver dans la pièce principale, mi-cuisine, mi-living. Il y régnait un désordre indescriptible, avec des vêtements et des magazines dispersés au hasard sur le sol.

— Tu n'as pas le droit d'entrer chez moi de force, protesta-t-elle.

En hâte, elle se pencha pour ramasser ce qui ressemblait à une chemise d'homme avant de la fourrer derrière un coussin posé sur le sofa.

— Ce n'est pas drôle, Jake. Que dirais-tu si je débarquais dans ta chambre d'hôtel sans ta permission ?

— Oh, tu m'as invité ici de nombreuses fois, dit Jake brutalement. Alors, faisons comme si j'avais accepté ton invitation.

— Non, dit Cassandra en jetant un autre regard inquiet vers la porte qui devait mener à sa chambre. Je ne veux pas de toi ici.

— Tant pis, parce que je n'ai pas l'intention de partir.

S'asseyant sur le sofa, il croisa les mains derrière la tête.

— C'est très confortable, ici.

— Que veux-tu, Jake ? demanda-t-elle avec irritation.

— Ah, tu deviens raisonnable. Alors, pourquoi ne viens-tu pas t'asseoir pour que nous bavardions tranquillement ?

— Je ne veux pas m'asseoir. Je n'ai pas le temps. Je dois être aux studios dans une heure.

— Eh bien, cela devrait suffire. Alors, parle-moi un peu de ta fille.

Un éclair traversa les yeux bleus de Cassandra, mais elle redressa les épaules et lui dit d'un ton dédaigneux :

— Je n'ai pas de fille.

— Menteuse !

Furieuse, elle lui jeta un regard incendiaire.

— Je ne sais pas qui t'a raconté cette histoire absurde, mais…

— Demande à ta fille.

— Que t'a dit Eve ?

— Ai-je dit qu'il s'agissait d'Eve ? demanda-t-il froidement.

— Eh bien, qui d'autre aurait pu te raconter une histoire aussi ridicule ? riposta-t-elle en évitant de le regarder.

— Et ta mère ?

Elle tourna brusquement la tête et le fixa dans les yeux.

— Ma mère ? Oh, Jake, tu sais ce que cette vieille bique pense de moi ? Comment peux-tu croire ses sornettes ?

— Alors, ce n'est pas vrai ?

— Non, dit-elle en se détournant à nouveau. Bien sûr que ce n'est pas vrai. Seigneur, Eve a combien… vingt-cinq ans ? Je l'aurais donc eue à l'adolescence.

— Ta mère dit que tu as quarante-six ans, affirma Jake sans ménagement. Tu es donc assez vieille pour avoir une fille de vingt-cinq ans.

— Je n'ai pas quarante-six ans ! protesta vivement Cassandra.

— Non ?

— Non.

Il se pencha en avant et appuya ses coudes sur ses cuisses.

— Alors le certificat de naissance que m'a montré ta mère était un faux ?

Le visage blême, elle le regarda.

— Quel certificat de naissance ? Comment peux-tu avoir vu un certificat de naissance ? Veux-tu dire que tu es allé à Watersmeet ? Sans m'en parler ?

— Je ne savais pas que j'avais besoin de ta permission pour aller voir une vieille dame souffrante, dit Jake d'un ton ironique en se levant. Alors, c'est un faux ?

— Quel certificat de naissance as-tu vu ? demanda-t-elle d'une voix hésitante.

— Pas le tien, dit-il avec mépris. Mais peut-être pourrais-tu m'expliquer comment, si tu avais alors effectivement treize ans, tu te débrouillais pour vivre et travailler à Londres au moment de la naissance d'Eve ?

Les épaules de Cassandra s'affaissèrent.

— Je ne vois pas en quoi cela te regarde, dit-elle avec amertume. Je crois que tu ferais mieux de t'en aller.

— Oh, pas encore, dit durement Jake. Je veux entendre l'histoire de ta propre bouche. Je veux savoir comment tu as pu abandonner ta fille à des inconnus.

— Je ne l'ai pas abandonnée, se défendit Cassandra. Les Fulton ont été très bons avec moi, et sans eux, je me serais retrouvée à la rue.

— Mais tu ne les connaissais pas ! Ou à peine…, rugit-il. Tu les avais rencontrés dans un pub, bon sang !

— Oui, enfin…, commença-t-elle en cherchant ses mots. J'aurais pu me faire avorter, tu sais.

— Mais ils t'ont persuadée de ne pas le faire ?

— J'étais perturbée. Ils ont dit qu'ils m'aideraient.

— Où était le père de l'enfant ?

— Oh, il ne voulait rien savoir, répondit-elle aussitôt en resserrant son kimono autour d'elle. Après… après que j'ai découvert que j'étais enceinte, je ne l'ai jamais revu.

Jake ne la crut pas.

— Tu lui avais dit que tu attendais un enfant ?

— Bien sûr, je t'ai dit qu'il s'en moquait.

— D'après les recherches faites par ta mère quand elle a découvert qu'elle avait une petite-fille, tu as déclaré à l'état civil que tu ignorais qui était le père de l'enfant.

— Evidemment, il fallait bien que je dise quelque chose, dit Cassandra en rougissant.

— Pourquoi n'avais-tu pas dit à ta mère que tu étais enceinte ?

— Tu plaisantes ! s'écria-t-elle en le dévisageant d'un air horrifié. Est-ce que tu te rends compte de ce qui se serait passé si je l'avais fait ?

— Elle affirme qu'elle aurait été très heureuse que tu reviennes vivre ta grossesse à la maison et qu'elle aurait bien accueilli l'enfant.

— Oh, bien sûr ! dit-elle d'un ton dédaigneux. J'avais passé la moitié de ma vie à désirer m'évader de Falconbridge. Tu crois vraiment que j'aurais abandonné tout ce que j'avais construit durant les quatre dernières années pour revenir là-bas, parce que j'avais été assez stupide pour me retrouver enceinte ? Non, merci.

— Tu n'avais même pas dit à ta mère que tu attendais un enfant ! s'exclama Jake avec mépris.

— Non, évidemment. Elle aurait insisté pour que je le garde.

— Et ç'aurait été si terrible ?

— Réfléchis un peu ! Les choses n'étaient pas comme elles le sont aujourd'hui. Il y a vingt ans, une mère célibataire avait une vie très dure, socialement et matériellement.

— Alors, tu as vendu ton bébé ?

— Je… Ce n'est pas exactement cela.

— Non ? Comment qualifierais-tu ton acte ?

— Après la naissance d'Eve, les Fulton sont venus me trouver dans le studio minable où je vivais et m'ont proposé de s'occuper d'elle. Ils essayaient en vain d'avoir un enfant depuis des années. Ils m'ont promis qu'elle serait heureuse avec eux et… et qu'ils me donneraient une certaine somme d'argent si j'acceptais de leur laisser ma fille.

— Et tu l'as vendue ?

— Si tu insistes sur ce terme, oui, d'accord, je l'ai vendue.

— A un homme qui a tenté d'abuser d'elle quand elle avait douze ans !

— C'est ce qu'Eve raconte, répliqua sèchement Cassandra. Je ne suis pas forcée de la croire.

— Elle s'est enfuie. Trois fois.

— Et alors ? Beaucoup d'enfants font des fugues.

— En tout cas, les autorités ont fini par la croire. Elle a bien été placée dans un foyer, n'est-ce pas ?

— Elle était sauvage et n'en faisait qu'à sa tête.

Jake eut envie de l'injurier, de lui infliger une blessure cruelle dont elle ne se remettrait pas de sitôt, mais il fit un effort pour se contrôler.

— En tout cas, elle a passé les trois années suivantes entre les mains des services sociaux.

— Jusqu'à ce qu'elle s'enfuie à nouveau, avec un garçon qu'elle a emmené avec elle, lui jeta ironiquement Cassandra.

Quand ma mère les a retrouvés, ils vivaient dans un squat misérable, à Islington.

— C'est ce que m'a dit Mme Robertson, en effet, dit Jake. Je voudrais savoir comment elle a découvert qu'elle avait une petite-fille.

— Ne s'est-elle pas fait un plaisir de te le révéler ?

— Oh, si. J'aimerais juste te l'entendre dire. Si j'ai bien compris, tu n'as pas hésité à retourner à Watersmeet quand tu as cru que tu allais mourir…

— Tu es vraiment impitoyable, dit-elle en regardant à nouveau vers la porte de la chambre avec appréhension. Je… J'avais besoin d'aide.

— Oui, tu avais besoin d'aide, dit-il d'un ton méprisant. Tu avais besoin d'une greffe. Et comme tu craignais que le rein de ta mère ne soit pas assez bon, tu as dû lui apprendre que tu avais donné naissance à un enfant, mais que tu ne savais pas où il était, c'est bien cela ?

— Pourquoi me poses-tu la question, puisque tu sembles connaître la réponse ?

Il n'y avait aucun remords dans la voix de Cassandra et Jake sentit une vague de nausée lui monter aux lèvres.

— Mais en fait, le rein de ta mère était assez bon, n'est-ce pas ? Tu as dû t'en vouloir quand tu t'es rendu compte que tu t'étais confessée pour rien, n'est-ce pas ? Je me demande comment tu peux te regarder en face, désormais !

Cassandra redressa le menton et le toisa d'un air de défi.

— Et alors ? Qu'est-ce que tu as l'intention de faire, à présent ? Comptes-tu parler de cette histoire à quelqu'un d'autre ?

— A qui veux-tu que j'en parle ? demanda Jake avec mépris. Qui cela intéresserait-il ?

Elle haussa les épaules.

— Personne, en effet.

— Oh, je comprends. Tu as peur que j'aille tout révéler aux journaux à scandale, c'est ça ? Eh bien, tu n'as rien à craindre, Cassandra, je ne révélerai ton petit secret sordide à personne. Tu n'es pas la seule personne en cause.

Après l'avoir regardé un moment, Cassandra murmura :

— Bien sûr, suis-je bête ! Ce n'est pas pour voir ma mère

que tu es retourné dans le Northumberland, n'est-ce pas ? C'était pour Eve. Cette sainte-nitouche !

Puis elle éclata d'un rire dur.

— Mon Dieu, tu ne vaux pas mieux que moi !

— Tu te trompes, ma chère, dit-il d'un ton menaçant. Et je te conseille de surveiller tes paroles.

A présent, Jake se sentait incapable de contrôler la colère qui bouillonnait en lui et Cassandra sembla s'en rendre compte, car elle alla se réfugier rapidement derrière le sofa.

— En ce qui concerne Eve, puisque tu es sa mère, cela rend impossible toute relation entre nous, lui jeta-t-il, hors de lui. Mais tu veux que je te dise ? C'est parfait. Parce que je préfère ne rien avoir à faire avec une femme qui risquerait de tenir de toi, d'une façon ou d'une autre.

11.

Le petit avion commença à descendre vers San Felipe en fin d'après-midi, heure locale.

Après avoir embarqué à bord d'un énorme Boeing, elle se trouvait maintenant dans un appareil qui semblait minuscule en comparaison. Cela faisait maintenant des heures qu'elle voyageait. Et pourtant, Eve n'était pas fatiguée. Elle était bien trop excitée. Excitée, mais aussi pleine d'appréhension. Elle avait franchi un si grand pas... Bien qu'Ellie l'ait poussée à partir, elle ne pouvait s'empêcher de craindre que Jake ne soit pas vraiment heureux de la voir.

Tant de choses s'étaient produites en si peu de temps ! Elle était encore sous le coup de la décision de sa grand-mère de vendre la propriété de Watersmeet. Après son infarctus, la vieille dame avait en effet décidé que, désormais, elle était trop âgée pour y rester, avec Mme Blackwood pour toute compagnie quand Eve était au travail. Etant donné que cette dernière s'était vue contrainte d'accepter un poste à Newcastle, Ellie avait décidé d'honorer l'invitation d'Adam. Son fils lui avait en effet proposé de venir vivre avec sa famille.

Mme Blackwood ne s'en était pas formalisée. Elle-même était âgée et, depuis quelque temps, elle songeait à s'arrêter de travailler. Seule Eve représentait un problème, et bien qu'Adam ait proposé de l'accueillir elle aussi à la ferme, celle-ci avait décidé de prendre son indépendance et de se trouver un appartement en ville.

C'est alors que la lettre des services de l'éducation de San Felipe était arrivée. Apparemment, on recherchait une institutrice pour enseigner dans une petite école de l'île. Ils seraient heureux qu'Eve vienne occuper le poste vacant, disait la lettre, et ils lui proposaient une période d'essai de deux mois. Si cela ne marchait pas, elle pourrait rentrer en Angleterre et ils lui rembourseraient les frais du voyage.

Eve avait tout de suite deviné que Jake était derrière tout cela. Ce qu'elle ne comprenait pas, c'était pourquoi il agissait ainsi. Elle n'avait pas oublié sa réaction quand elle lui avait révélé que Cassie était sa mère, aussi n'avait-elle pas été surprise de ne plus entendre parler de lui depuis.

Sa grand-mère n'avait pas hésité à la pousser à accepter cette proposition inespérée. « Qu'as-tu à perdre ? lui avait-elle demandé quand Eve lui avait exprimé ses réserves. Il a été assez stupide pour s'engager dans une relation avec Cassie, mais je crois qu'au fond c'est un homme droit et d'honnête. Il t'aime bien, c'est évident, et comme je lui avais dit que tu allais perdre ton emploi à Pâques, il a dû penser que tu aimerais peut-être changer de décor. »

— Quand lui as-tu dit que je perdrais mon poste à Pâques ? avait alors demandé Eve d'une voix mal assurée.

Pour une fois, sa grand-mère était restée vague.

— Est-ce que c'est important ? C'est une occasion merveilleuse, Eve. Tu la mérites. Et si tu n'es pas heureuse là-bas, tu pourras toujours revenir en Angleterre.

Ellie avait eu raison, se dit à présent Eve. Pourtant, elle redoutait que cette aventure ne fasse que renforcer la tristesse dont elle ne parvenait pas à se débarrasser depuis cette dernière soirée passée avec Jake.

Evidemment, Cassie n'avait pas approuvé sa décision. Quand Ellie l'avait appelée pour lui dire qu'Eve allait partir, elle n'avait pas manqué de rappeler à la jeune femme, par l'intermédiaire de sa grand-mère, qu'on ne pouvait pas faire confiance à Jake. Apparemment, il était retourné voir Cassie avant de repartir à San Felipe, et Eve avait l'impression que leur liaison était désormais bel et bien terminée.

Eve n'avait parlé à personne de ce qui s'était passé dans les écuries, le soir où Jake était venu voir Ellie. En vérité, à certains moments, elle s'était demandé si elle n'avait pas rêvé toute la scène. Mais quand elle se réveillait le matin, son oreiller serré dans les bras et mouillé de pleurs, elle savait bien qu'un tel désespoir ne pouvait être le fait de sa seule imagination.

Et maintenant, comment se sentait-elle réellement ? se demanda-t-elle tandis que les contours de l'île se dessinaient sous ses yeux. Ne mourait-elle pas d'envie de revoir Jake, malgré ce qui s'était passé ? Même si toute relation restait impossible entre eux, elle désirait quand même le revoir, ne serait-ce que pour lui montrer qu'elle n'était pas comme sa mère.

L'avion survola des toits blancs disséminés parmi une végétation luxuriante. De longues plages de sable clair et le bleu profond de la mer des Caraïbes encadraient ce tableau exotique. Il n'y avait pas de grand aéroport à San Felipe. Eve aperçut quelques bâtiments aux couleurs délavées entourés par une clôture métallique, à l'extrémité de la courte piste d'atterrissage.

— Nous sommes arrivés, mademoiselle.

Le steward, un jeune homme vêtu d'une chemise blanche au col entrouvert et d'un pantalon noir, se leva de son siège et commença à sortir les bagages à main d'un casier situé à l'avant de l'appareil. Mis à part le pilote et lui-même, il n'y avait pas d'autre personnel à bord. Ce qui suffisait largement pour la douzaine de passagers qui se trouvaient dans l'avion.

Quand elle se trouva en haut des quelques marches qui menaient au tarmac, Eve se sentit happée par la chaleur suffocante.

— Bonnes vacances, lui dit le steward en souriant.

Elle ne se donna pas la peine de le détromper.

— Merci, dit-elle, en descendant prudemment.

Une fois qu'elle eut mis pied à terre, elle scruta les quelques personnes qui attendaient près de la barrière, et ne vit personne qu'elle connaissait.

Quelques secondes plus tard, son passeport avait été contrôlé et elle attendait sa valise quand elle sentit une main se poser sur son épaule.

— Vous devez être mademoiselle Robertson, dit une voix douce.

Elle se retourna et vit une jeune femme mince qui se tenait à côté d'elle.

— Oui, dit-elle. Bonjour.

— Bonjour, répliqua la femme avec un sourire amical. Jake m'a demandé de venir vous accueillir. Je suis Isabel Rodrigues.

— Mademoiselle Rodrigues ! s'exclama Eve avec stupéfaction.

Le courrier des autorités avait mentionné le nom de la directrice, *Rodrigues*, mais elle ne s'était pas attendue à ce qu'il s'agisse d'une personne aussi jeune. En outre, Isabel Rodrigues était belle, et Eve ne put s'empêcher de se demander quelle était la nature de ses relations avec Jake Romero.

— C'est très aimable à vous d'être venue m'accueillir, dit-elle en posant son sac à dos sur le sol.

— C'est la moindre des choses, dit Isabel de sa voix musicale. Avez-vous fait bon voyage ?

— Un *long* voyage, soupira Eve. Mais, oui, c'était merveilleux. Je n'étais jamais allée aussi loin auparavant.

— Vous n'étiez jamais venue aux Caraïbes ?

Hélas, la plupart des instituteurs n'avaient pas les moyens de se payer de telles vacances, songea Eve.

— Non, je n'ai jamais eu cette chance.

— Eh bien, je suis sûre que vous n'aurez aucun mal à vous habituer à notre île. Au début, la chaleur est un peu difficile à supporter, mais l'école commence assez tôt le matin et finit à l'heure du déjeuner. Vous n'aurez donc pas à travailler aux heures les plus chaudes de la journée.

— C'est parfait, dit Eve en s'éventant d'une main. Le soleil est plutôt difficile à supporter, n'est-ce pas ?

— Pas pour moi, répondit Isabel. Vous avez beaucoup de bagages ?

— Oh, non, seulement une valise, dit Eve avec embarras.

Isabel n'envisagerait sans doute jamais de voyager avec une seule valise et un sac à dos. Sa robe ajustée était assez simple, mais en soie, dont les nuances de jaune et d'orange clairs mettaient en valeur sa peau brune.

En jean et T-shirt, Eve se sentait terriblement déplacée. De plus, elle portait sur l'épaule la veste en cuir que sa grand-mère lui avait offerte avant son départ. En effet, quand elle avait quitté Londres, il faisait encore frais en ce début de mars et elle ne s'était pas attendue à cette chaleur. Même ses cheveux lui semblaient peser lourdement, et pour la première fois de sa vie, elle envisagea de les faire couper.

Quelques minutes plus tard, un porteur à leur suite, elles sortirent en plein soleil. Quelques taxis attendaient devant le bâtiment, mais Isabel la conduisit devant une Mazda décapotable qui les attendait.

— C'est ma voiture, dit-elle, avec une fierté évidente.

Bien qu'Eve ait espéré une voiture fermée avec air conditionné, elle ne put s'empêcher d'admirer le coupé rouge vermillon.

Après avoir mis les bagages dans le coffre, Isabel invita Eve à monter dans le véhicule. Heureusement, elle avait posé un tissu sur les sièges pour que le cuir ne leur brûle pas les jambes. Après s'être installée au volant, Isabel démarra.

Aussitôt, Eve se rendit compte que la voiture découverte n'était pas un problème. Isabel conduisait vite, et la brise venant de l'océan lui rafraîchissait le visage. D'autre part, elle pouvait profiter à loisir de la vue fantastique des plages désertes où venaient mourir des vagues d'un vert pâle frangées d'écume. A l'intérieur des terres, la végétation épaisse était parsemée d'éclats de couleurs stupéfiantes. Tout était si différent, si exotique, qu'Eve oublia son appréhension et s'abandonna au charme de la découverte de ce lieu magique.

— L'île n'est pas très grande, dit Isabel quand elles traversèrent un petit village de pêcheurs niché au-dessus d'une baie étincelante. Mais nous l'aimons. Et les Romero ont réussi à éviter qu'elle ne soit défigurée par les spéculateurs en tout genre.

Les Romero. Cassie n'avait-elle pas dit que la famille de Jake possédait l'île ? se rappela Eve. Elle se demanda à nouveau avec inquiétude si elle n'avait pas été complètement stupide de venir là.

— J'ai cru comprendre que l'école où vous travailliez avait fermé ? demanda tout à coup Isabel.

Eve se sentit tout à coup submergée par une vague de nostalgie envers sa grand-mère et Watersmeet, ainsi qu'envers tous les gens qu'elle avait laissés là-bas.

— Elle fermera dans une semaine, approuva-t-elle. Est-ce qu'il y a beaucoup d'enfants dans votre école, mademoiselle Rodrigues ?

— *Mon* école ? reprit Isabel en riant. Ce n'est pas mon école, mademoiselle Robertson. Ma mère en est la directrice, pas moi.

— Oh..., commença Eve avec embarras. Excusez-moi, je ne...

— Ne vous en faites pas, dit la jeune femme avec un regard amusé. Et, je vous en prie, appelez-moi Isabel.

— Très bien, alors vous n'enseignez pas... Isabel ?

— Dieu merci, non ! Je travaille pour Jake. Au bureau de la compagnie. Je m'occupe des commandes, du courrier... Je suppose qu'on peut dire que je suis son assistante personnelle.

Incapable de prononcer un mot, Eve approuva d'un signe de tête. Elle aurait dû s'attendre à ce qu'un homme comme Jake soit entouré de jolies femmes...

A présent, elles approchaient d'une petite ville et Isabel ralentit.

— Voici San Felipe, dit-elle en faisant un geste vers les rangées de maisons. C'est là que vivent la plupart des habitants, mais l'école se trouve à un peu moins d'un kilomètre de la ville, près de la partie touristique de l'île.

— Y a-t-il des hôtels ? demanda Eve.

— De petits hôtels, oui. Mais les gens qui viennent ici sont plutôt des pêcheurs en haute mer ou des plongeurs sous-marins.

— Je vois.

Eve ramena sa natte sur son épaule pour se rafraîchir la nuque en espérant qu'elles arriveraient bientôt à destination. La fatigue du voyage se faisait maintenant sentir, sans compter qu'elle n'avait pas vraiment bien dormi depuis qu'elle avait accepté ce poste.

Après être sortie de la petite ville, Isabel s'engagea sur une piste étroite qui menait vers la mer. Une route côtière longeait ensuite les dunes parsemées ici et là de fleurs sauvages. Un peu plus loin, un groupe de maisons aux toits blancs étaient rassemblées près d'une jetée en bois. Sur la plage en dessous du village, plusieurs bateaux de pêche avaient été tirés sur le sable.

— Nous y sommes, dit Isabel en agitant la main vers des enfants qui s'étaient arrêtés de jouer pour les regarder passer. L'école est juste là, et votre maison est un peu plus loin.

— Ma maison ! s'exclama Eve, stupéfaite. J'ai une maison ?

— Jake a pensé que vous préféreriez cela, dit Isabel d'un ton nonchalant. L'institutrice précédente logeait chez nous. Chez ma mère et moi, je veux dire.

Eve crut avoir perçu une pointe de ressentiment dans la voix de la jeune femme et ne sut quoi dire.

— Cela a l'air… merveilleux. Je n'ai jamais eu de maison à moi auparavant.

— Vraiment ? demanda Isabel d'un ton sincèrement surpris. Eh bien, c'est très petit, vous verrez. Il n'y a qu'un living et une cuisine, ainsi qu'une seule chambre et une salle de bains. Typique de San Felipe : simple et pratique.

— C'est tout ce dont j'ai besoin, dit Eve.

Néanmoins une vague d'inquiétude la traversa. Saurait-elle se débrouiller dans ce pays étranger ? D'autre part, comment était-elle supposée faire ses courses ?

Une heure plus tard, la plupart de ses questions avaient trouvé leur réponse. Isabel l'avait d'abord emmenée voir sa mère, la directrice de l'école. La classe était terminée pour aujourd'hui et Mme Rodrigues était chez elle.

Après l'avoir chaleureusement accueillie, celle-ci lui proposa rapidement de prendre quelques jours pour s'habituer à l'île, puis elle l'invita à venir dîner avec elle et Isabel le lendemain soir.

— Vous trouverez votre Frigidaire rempli et de l'eau potable au robinet, lui expliqua-t-elle. Nous avons de la chance à San Felipe, nous avons de l'eau en abondance, et elle est tout à fait potable.

Un peu plus tard, Eve découvrit aussi qu'elle avait une petite jeep à sa disposition, garée derrière sa maison.

— Il y a bien des bus, lui dit Isabel en l'aidant à porter ses bagages, mais ils ne sont pas très fiables. D'autre part, vous aurez sûrement envie de découvrir notre île durant votre séjour.

Eve repensa à ses dernières paroles tout en défaisant ses bagages. Qu'avait-elle voulu dire ? Isabel pensait-elle — *espérait*-elle — qu'Eve ne resterait pas trop longtemps ? Et, si oui, pourquoi ? Jake avait-il quelque chose à voir là-dedans ? Quelle relation entretenait-il avec la jeune femme ? se demanda-t-elle, incapable de refouler l'accès de jalousie qui s'emparait d'elle.

Mais elle le repoussa fermement, bien décidée à profiter de sa première soirée dans sa nouvelle maison, même si elle se sentait épuisée.

Après avoir pris une douche délicieusement fraîche, Eve alla vérifier le contenu du réfrigérateur.

Elle n'avait pas vraiment faim, mais à Falconbridge, on était déjà en fin de soirée, se dit-elle. Et si elle voulait bien dormir, elle ferait mieux de se caler l'estomac. De plus, si elle allait se coucher trop tôt, elle se réveillerait avant l'aube.

Dans sa petite cuisine, elle se prépara une salade d'avocat, puis elle se versa un verre de Coca décaféiné et l'emporta sur la véranda, située à l'arrière de la maison. Deux fauteuils en osier étaient installés à l'ombre d'un auvent rayé et Eve se laissa tomber dans l'un d'eux.

Il faisait presque nuit à présent, et bien qu'elle entendît le doux murmure de l'océan, elle ne pouvait plus voir l'eau venir caresser la baie, à une dizaine de mètres à peine. Mais demain matin, la vue magnifique l'attendrait à son réveil, songea-t-elle en étouffant un bâillement.

Demain matin, il faudrait qu'elle appelle sa grand-mère, mais ce soir, elle voulait juste savourer la paix et la tranquillité qui s'offraient à elle.

Elle avait dû s'endormir pendant quelques minutes quand le bruit d'un moteur de voiture la fit soudain sursauter. Elle n'eut pas peur, car quelques autres habitations entouraient sa maison.

Tout à coup, elle se rendit compte que la voiture s'était arrêtée et entendit des bruits de pas dans l'allée qui longeait le cottage. Elle cligna des paupières et regarda sa montre : *23 heures !* Elle aurait dû être au lit depuis longtemps.

Son cœur s'accéléra instinctivement. Elle avait l'impression de savoir qui était son visiteur et elle sentit une vague d'excitation déferler en elle à la pensée de le revoir. Cependant, elle aurait préféré qu'il ne vienne pas ce soir. Pas maintenant, alors qu'elle était si vulnérable…

En proie à un accès de panique, elle se leva de son fauteuil et attendit, le cœur battant la chamade.

Quand Jake apparut au coin de la véranda, au bas des quelques marches de bois qui y conduisaient, elle eut l'impression que son pouls s'arrêtait et que sa respiration se bloquait dans sa poitrine. Vêtu d'un T-shirt sans manches en coton blanc et d'un short large couleur kaki, il était d'une beauté à couper le souffle. Eve se rendit compte brutalement que, quelles que soient les circonstances, elle ne pouvait rester indifférente à cet homme.

— Bonsoir, dit-il en posant la main sur la rampe en métal. Je peux monter ?

Elle haussa les épaules d'un air insouciant.

— Cette maison t'appartient, dit-elle.

Puis elle se rassit dans son fauteuil en un mouvement contrôlé.

Jake grimpa les marches en se disant qu'il n'aurait pas dû venir. Au départ, il n'en avait pas eu l'intention. Quand il était parti de chez lui, il avait pensé seulement passer près du cottage, afin de s'assurer que tout allait bien. Mais quand il avait vu la lumière à l'intérieur, il n'avait pu résister au désir de s'arrêter. Ce n'était qu'après avoir garé sa voiture et coupé le moteur qu'il s'était rendu compte qu'il avait *besoin* de la voir.

— Tu te couches bien tard, dit-il. J'aurais pensé que tu dormirais, à cette heure-ci.

Il s'appuya au pilier et regretta qu'il n'y ait pas plus de lumière. En effet, dans la pénombre, il ne parvenait pas à distinguer nettement ses traits. Mais ce qu'il apercevait suffisait à lui nouer l'estomac et à accélérer les battements de son cœur.

— Est-ce pour cela que tu as attendu jusqu'à maintenant pour passer ? Parce que tu pensais que je dormais ?

— Non, dit Jake en enfonçant les mains dans les poches de son short. J'étais sorti pour faire un tour et j'ai vu la lumière.

— N'est-il pas *bien tard* pour aller faire un tour ? demanda-t-elle d'un ton ironique.

Jake haussa les épaules.

— Je ne sais pas. Je… Je ne dors pas très bien.

Ce qui était la pure vérité. Depuis qu'il était rentré d'Angleterre, il n'avait connu que quelques nuits de sommeil réparateur.

A cet instant, Eve le regarda franchement. Il eut l'impression qu'elle avait l'air un peu inquiète, mais il ne pouvait en être sûr. Il faisait si sombre…

— Tu devrais peut-être aller te coucher plus tôt ? suggéra-t-elle d'une voix faible en prenant son verre. Tu voudrais peut-être que je t'offre quelque chose à boire ?

Jake se dit qu'il devait refuser. Mais la tentation de la voir de plus près balaya toute prudence.

— Volontiers, dit-il. Aurais-tu une bière ?

Eve se leva aussitôt.

— Tu devrais le savoir, lui jeta-t-elle par-dessus son épaule en franchissant la porte. Suis-moi.

Cela faisait des années que Jake n'avait pas mis les pieds dans l'un de ces cottages, et il fut aussitôt frappé de voir à quel point celui-ci s'était détérioré. Il nota mentalement qu'il ferait venir un architecte d'intérieur pour le rénover, mais ces considérations pratiques s'envolèrent quand il regarda de nouveau Eve.

Elle portait une jupe courte jaune safran qui montrait ses longues jambes fines. Quel gâchis de les cacher sous des pantalons…, songea-t-il. Elle avait un haut assorti, avec de fines bretelles qu'il mourait d'envie de baisser sur ses épaules. Portait-elle un soutien-gorge ? Non, ses seins se dressaient librement sous le tissu léger. Il se sentit aussitôt tenaillé par un violent désir.

Si Eve était consciente de ses yeux avides posés sur elle, elle n'en montra rien. Elle se dirigea d'un pas assuré vers le Frigidaire et en sortit une canette de bière.

— Ça te va ?

— Oui, merci.

Jake lui prit la bière des mains, la décapsula et en avala la moitié d'un seul coup. Bon sang, il en avait grand besoin… Il avait remarqué qu'elle avait évité de le toucher quand elle lui avait tendu la canette. Et il était certain qu'elle était impatiente de le voir partir.

— As-tu fait un bon voyage ? lui demanda-t-il.

Après avoir croisé les bras sur sa poitrine, elle s'appuya au Frigidaire et le regarda d'un air étrange. Puis elle lui demanda :

— Tu dois déjà le savoir, non ?

— Que veux-tu dire par là ? demanda Jake, sincèrement surpris.

— N'as-tu pas envoyé Mlle Rodrigues pour m'accueillir ?

Jake se sentait attiré malgré lui par le décolleté de son T-shirt et dut faire un effort pour regarder ses yeux.

— Si, en effet. Je l'ai envoyée à ma place. J'étais certain que tu ne voudrais pas voir ma sale tête dès que tu sortirais de l'avion.

— Oh, je t'en prie, ne fais pas comme si tu ignorais que tu n'avais pas *une sale tête* ! s'exclama-t-elle.

— Serait-ce un compliment ? demanda-t-il en haussant les sourcils d'un air moqueur.

— C'est une constatation, un point c'est tout. Je suis fatiguée, Jake. Pourquoi es-tu venu ici ?

« Parce que je n'ai pas pu m'en empêcher. »

— Je croyais te l'avoir dit, commença-t-il. Je…

— Tu passais et tu as vu de la lumière, termina-t-elle à sa place. Très bien. Dois-je te remercier de m'avoir proposé ce boulot ?

— Cette réaction n'est pas digne de toi, protesta-t-il, choqué.

— Pourtant, je suis la fille de Cassie, dit-elle en pinçant les lèvres. Mais effectivement, je ne lui ressemble pas. Je ne lui ressemble *en rien.*

— Crois-tu que je ne le sais pas ?

Jake réprima un juron. La conversation avait pris une mauvaise tournure, une fois de plus.

— Après ce que j'ai appris sur ta mère, je n'oserais jamais insinuer une chose pareille.

— Que veux-tu dire ? Que t'a-t-elle dit ?

— La vérité. Etant donné que ta grand-mère avait commencé, elle n'avait pas vraiment le choix.

A présent, Eve semblait très mal à l'aise.

— Ainsi, tu sais à propos..., balbutia-t-elle,... à propos des Fulton et d'Andy Johnson ?

— Je sais que ta vie n'a pas été facile, dit-il d'une voix dure. Eve, cela n'a rien à voir avec le passé, ni avec ta mère. En t'offrant ce travail, je voulais simplement t'aider, c'est tout.

Ses beaux yeux gris fumée glissèrent sur lui avant de fixer le sol. Jake n'avait pas encore remarqué qu'elle était pieds nus, ce qui la rendait encore plus sexy.

— Tu es... tu es allé voir Cassie avant de quitter Londres ?

— Oui. Cela a-t-il de l'importance ?

— Pourquoi y es-tu allé ?

— Tu le sais.

Il leva la main pour masser la tension subite qui était née dans sa nuque.

— Tu ne croyais quand même pas que ta... ta révélation resterait sans conséquences ?

— Cela ne te regardait pas, dit-elle en frémissant.

— Bon sang ! Tu ne parles pas sérieusement ?

Il essayait de garder son calme, mais Eve devinait la colère qui couvait derrière ses paroles.

— Je voulais savoir pourquoi elle avait abandonné sa fille. Ta grand-mère m'avait seulement donné les grandes lignes de l'histoire. Je voulais entendre les détails de sa bouche.

— Pourquoi ? En quoi cela te concernait-il ?

— Contente-toi de savoir que cela m'intéressait, d'accord ? jeta-t-il brutalement.

Puis il lança la canette vide dans l'égouttoir et se tourna vers elle.

— Ecoute, je me rends parfaitement compte que j'ai eu tort de venir ici ce soir...

— Tu ne pouvais pas rester loin d'elle, n'est-ce pas ?

— Pardon ?

— Cassie. Tu as couché avec elle une dernière fois, n'est-ce pas ?

Soudain, elle ne put réprimer un violent frisson, comme si elle avait froid.

— Quand Ellie lui a téléphoné pour lui dire que j'allais partir, continua-t-elle, Cassie lui a demandé de me prévenir de ne pas te faire confiance. Je n'ai pas saisi sur le moment, mais maintenant je comprends. Tu…

Elle ne put finir sa phrase. En effet, il avait franchi la distance qui les séparait d'un pas. Puis il la saisit par les épaules et la souleva si bien qu'elle touchait à peine le sol. Sa bouche s'empara alors de la sienne et dévora ses lèvres avec toute l'ardeur et l'habileté qu'elle connaissait déjà.

En dépit de tous les obstacles qui les séparaient, de tout ce qui s'était passé entre eux, Eve sentit aussitôt tomber toutes ses résistances.

— Tu savais que je viendrais, n'est-ce pas ? murmura-t-il en s'écartant légèrement avant de glisser à nouveau sa langue entre ses lèvres et de l'enrouler à la sienne avec volupté.

Tout en l'embrassant, il glissa une main dans ses cheveux qu'elle avait dénoués tout à l'heure et son pouce caressa son cou.

Seigneur, elle respirait trop vite, songea-t-elle, en proie à un mélange de sensations exquises et affolantes. Elle se sentait gagnée par un vertige enivrant et s'y abandonnait totalement. La chaleur du corps de Jake, la pression ferme de son membre viril contre sa hanche, produisaient un effet hypnotique sur elle et elle eut soudain l'impression de flotter.

Instinctivement, elle posa les mains sur son dos et, creusant les reins, elle arqua son corps contre lui.

— Je n'ai pu m'en empêcher, murmura-t-il contre ses lèvres. Il fallait que je te voie.

Puis il la prit par les hanches et la pressa encore davantage contre lui.

— C'est pathétique, hein ? continua-t-il. Surtout alors que tu me prends pour un salaud, quoi que je fasse.

— Non, protesta Eve, à peine consciente de ce qu'elle disait. Cela n'a aucune importance, Jake.

Car elle ne voulait pas parler, elle ne voulait même pas penser. Elle voulait seulement qu'il continue à l'embrasser, qu'il ne s'arrête jamais.

Aussi soudainement qu'il l'avait prise dans ses bras, il laissa échapper un juron et la libéra. Stupéfaite, elle le regarda sans comprendre, sentant ses jambes vaciller sous elle. Pourquoi la contemplait-il avec un tel mépris, quelques secondes à peine après avoir fait naître en elle des sensations aussi merveilleuses ? C'était plus qu'elle ne pouvait supporter.

— Jake…

— Je n'ai pas couché avec Cassandra, laissa-t-il tomber d'une voix dure. Et si tu crois que je l'ai fait, alors je perds mon temps.

— Je… Je n'ai pas dit que…

— Oublie ce qui vient de se passer, dit-il en se dirigeant vers la porte. Moi, je n'y pense déjà plus.

12.

Jake étudiait les conventions maritimes avec l'un de ses associés quand il entendit des hauts talons arpenter le pont, au-dessus de leurs têtes.

Pendant un instant, une pensée folle lui traversa l'esprit. Il s'imagina que c'était Eve et il se demanda comment il réagirait s'il se retrouvait face à face avec elle. Elle était encore sur l'île, devenant de plus en plus populaire auprès des enfants, ainsi que du personnel de l'école et des parents, mais il doutait beaucoup qu'elle désire le revoir.

Car il ne lui avait pas reparlé depuis le soir de son arrivée, presque cinq semaines plus tôt. De toute façon, il avait été parti la plupart du temps, participant à des salons nautiques au Japon et en Amérique du Sud. Néanmoins, il était tout à fait conscient qu'elle faisait tout son possible pour l'éviter.

Ce qui n'était pas facile sur une île aussi petite que San Felipe. En vérité, Jake l'avait aperçue à plusieurs reprises, mais toujours de loin. Il ne voulait pas l'admettre, mais même après tout ce qui s'était passé, elle occupait toujours ses pensées, et la voir, même de loin, lui était devenu aussi nécessaire que respirer.

C'était pour cela qu'il avait fait en sorte que la directrice de l'école lui propose ce poste. En réalité, l'établissement n'avait pas vraiment besoin d'une institutrice supplémentaire. Mais d'après Mme Rodrigues, Eve se révélait un atout de grande valeur. Son arrivée avait en effet permis de réduire les effectifs des classes, et comme elle venait d'une école anglaise, elle était en mesure d'apporter les dernières méthodes d'enseignement.

— Jake ! Tu es là ?

C'était la voix de sa mère. Après avoir lancé un regard d'excuse à son associé, Jake se dirigea vers l'escalier métallique.

— Oui, j'arrive ! cria-t-il en montant les degrés. Tout va bien ?

— Oui. Pourquoi en serait-il autrement ?

A son grand soulagement, Jake vit que, respectueuse du pont en teck, elle avait ôté ses chaussures à talons et s'était installée dans la cabine du pilote, les jambes allongées confortablement sur les sièges recouverts de cuir bleu marine.

— Alors, voici donc la dernière acquisition de la flotte ?

— Oui, dit Jake en s'appuyant d'une épaule contre l'encadrement de la porte et en croisant les bras. Il te plaît ?

Sa mère haussa négligemment les épaules. Bien qu'ayant été élevée dans le Massachusetts, où pratiquement tout le monde naviguait, elle ne s'était jamais intéressée aux bateaux. Elle se trouvait bien plus à l'aise sur les terrains de golf, ou au volant de son coupé Mercedes, et Jake était surpris de la voir là.

— Il est très beau, dit-elle simplement.

— Ne te force surtout pas, répliqua-t-il un peu sèchement. Mais ce n'est pas pour le voir que tu es venue ici, n'est-ce pas ?

— Non, en effet.

Lucy Romero reposa ses pieds sur le sol et tira la jupe de son tailleur en soie gris perle sur ses genoux. Puis elle le regarda en souriant.

— Cela fait longtemps que nous ne t'avons pas vu. Pour ne rien te cacher, je me demandais si tu allais bien.

Jake réussit à se forcer à rire.

— Tu plaisantes, n'est-ce pas ? Je vois papa pratiquement tous les jours.

— Oui. Au bureau ou ici, précisa-t-elle. Cela fait une éternité que tu n'es pas venu dîner à la maison.

— J'ai été très occupé, dit-il en haussant les épaules.

— Par quoi, exactement ? Ton père me dit que tu passes la plupart de tes soirées seul. Quand t'es-tu rendu à une soirée pour la dernière fois ? Depuis combien de temps n'as-tu pas vu ton frère et sa femme ? Je vais te le dire : depuis des mois !

— Je ne me rendais pas compte que tu surveillais mon

emploi du temps, répliqua Jake d'une voix un peu tendue. Je n'ai plus vingt ans, maman.

— Que veux-tu dire par là ?

— Souviens-toi. La dernière fois que tu t'es immiscée dans ma vie, je me suis retrouvé marié avec Holly Bernstein. Tu vois ce que je veux dire ?

— Holly était une fille charmante.

— Parle pour toi. Vous avez eu beau vouloir que nous restions ensemble, toi et sa mère, Holly était stupide, maman. Et je n'ai pas de temps à perdre avec des femmes comme elle.

— Vraiment ? répliqua vivement sa mère. Eh bien, peut-être pas récemment, en effet. Mais d'après ce que j'ai entendu dire, c'était le seul genre de femmes auxquelles tu consacrais un peu de ton temps.

Jake soupira.

— Laisse tomber, maman. Je suis heureux comme je suis.

— En es-tu sûr ? insista-t-elle. Tu as maigri.

— Maman ! protesta Jake.

— Ton père et moi ne voulons que ton bonheur, tu sais.

— Alors, laissez-moi tranquille !

— Je ne peux pas. Viens dîner demain soir. S'il te plaît, Jake. Je demanderai à Rosa de préparer ton dessert préféré.

— Tu sais ce que tu veux, n'est-ce pas ?

— Tu voudrais que je sois différente ?

— Non, je ne crois pas, dit Jake en souriant avec malice.

— Alors, tu viendras ?

— Ai-je le choix ?

— Très bien, dit sa mère en se levant de la banquette. Disons à 19 heures ?

Jake fronça les sourcils tandis qu'elle l'embrassait.

— Dis-moi, il ne s'agit pas d'une réception, n'est-ce pas ?

— Juste un ou deux amis, répondit innocemment Lucy. De toute façon, il est trop tard pour changer d'avis, Jake. Tu as dit que tu viendrais et je compte sur toi !

Eve poussa un long soupir en se regardant dans le miroir. La petite robe noire que sa grand-mère lui avait achetée, et qui convenait si bien en Angleterre, ne convenait pas du tout au climat tropical. Ce qui l'avait obligée à aller s'acheter une nouvelle toilette. Mais maintenant qu'elle contemplait son reflet, elle se demandait avec inquiétude si elle avait bien choisi. Comment s'habillait-on pour une réception à San Felipe ? Et en particulier une soirée où Jake Romero serait présent ?

Elle sentit un frisson d'inquiétude la parcourir. Elle avait opté pour une robe en soie ivoire que la vendeuse du magasin avait dit parfaite pour l'occasion, mais maintenant elle n'était plus très sûre de son choix. N'était-elle pas trop décolletée et ne découvrait-elle pas trop ses bras ? Ne moulait-elle pas son corps de façon indécente ? Et puis, elle était si courte... La seule chose qui lui plaisait entièrement était la chaîne couleur bronze qui entourait ses hanches.

Elle soupira à nouveau. Elle ne savait pas non plus comment se coiffer. Même si Isabel lui avait assuré que ses longs cheveux n'étaient pas du tout adaptés à ce climat, elle ne les avait fait couper qu'un peu. Ils étaient encore assez longs pour être noués en queue-de-cheval, mais ce soir, elle les laissa tomber librement sur ses épaules.

Durant ces dernières semaines, elle et Isabel étaient devenues amies et Eve n'avait pas voulu blesser la jeune femme en refusant sa proposition de l'accompagner chez les Romero. Mais à présent, elle regrettait d'avoir accepté son invitation.

Ce n'était pas comme si Jake avait été à l'origine de cette initiative. Depuis le premier soir de son arrivée sur l'île, elle ne l'avait pas revu. Elle avait entendu dire ici ou là qu'il était à l'étranger, mais elle savait très bien qu'il revenait régulièrement à San Felipe.

Non, si elle allait à ce dîner, c'était à cause de Mme Rodrigues. En effet, elle et sa fille avaient été invitées à la réception que donnait Mme Romero, mais la directrice de l'école ne se sentait pas bien depuis quelques jours et elle avait insisté pour qu'Eve accompagne Isabel à sa place.

Comment Eve aurait-elle pu refuser sa proposition ? Elle n'avait pas voulu décevoir Mme Rodrigues ou Isabel, mais au fond d'elle-même, elle devait reconnaître qu'elle mourait d'envie de revoir Jake. Ce qui était ridicule, évidemment.

Soudain, on frappa à la porte. Elle jeta un dernier regard à son reflet avant d'aller ouvrir à son amie.

Quand elle vit Eve, Isabel eut l'air stupéfait.

— Oh… tu es belle, dit-elle d'un ton hésitant.

— Tu trouves ? demanda Eve avec inquiétude.

— Eh bien, en tout cas, tu es différente. Je ne t'aurais jamais reconnue. Comparée à la façon dont tu t'habilles pour aller à l'école…

Eve se demanda si elle imaginait l'acidité qui perçait sous ses paroles.

— Ça ne convient pas ?

— Je n'ai pas dit cela.

A présent, il n'y avait plus aucun doute sur la dureté de son ton.

— De toute façon, nous devons y aller, reprit Isabel. Je ne veux pas arriver en retard.

Eh bien, la soirée ne commençait pas sous les meilleurs auspices, songea Eve tandis que la voiture se dirigeait vers la villa des Romero. Heureusement, Isabel était concentrée sur la conduite et resta muette.

Bien qu'elle ne soit jamais allée chez les parents de Jake, Eve savait à peu près où se situait leur demeure. Elle s'élevait sur une superbe péninsule, à quelques kilomètres au sud de San Felipe. Installée à l'écart de la route, elle apparut soudain, au bout d'une allée bordée d'hibiscus en fleur.

— Nous sommes arrivées.

Isabel freina brutalement et Eve se trouva projetée en avant tandis que la voiture franchissait les barrières en fer forgé. Une cour entourée de palmiers et éclairée par de hautes lampes colorées les accueillit. Au centre bruissait doucement une haute fontaine dont les jets d'eau scintillaient de multiples reflets. Quelques voitures étaient déjà garées sur un côté.

En d'autres circonstances, Eve se serait sentie intimidée, mais elle était si fascinée par la beauté de l'immense villa qui s'élevait sur deux étages qu'elle en oublia ses craintes. Un balcon courait tout autour de la maison et devait donner une vue merveilleuse sur la mer dont les vagues venaient lécher la péninsule de toutes parts, pensa-t-elle. D'autre part, les murs de la haute bâtisse étaient recouverts de bougainvillées et d'autres plantes grimpantes tropicales.

— Impressionnant, n'est-ce pas ?

Tout à coup, Isabel sembla retrouver ses bonnes manières.

— Le grand-père de Jake a fait construire cette maison un peu après la Première Guerre mondiale.

— Elle est très belle, dit Eve en sortant de la voiture.

Soudain, l'appréhension reprit possession d'elle.

— Je suppose que tu connais très bien les Romero ? demanda-t-elle.

— Je les ai toujours connus, dit Isabel.

Mais à cet instant, un serviteur en veste blanche apparut en haut du perron et elle prit Eve par le bras.

— Viens. On nous attend.

Tout en montant les escaliers en pierre, Eve se demanda si c'était vrai. Isabel était attendue, sans aucun doute, mais qu'en était-il d'elle, Eve ? Après tout, elle n'avait pas été invitée…

De toute façon, il était trop tard pour s'inquiéter de cela, songea-t-elle en essayant de se rassurer. Quand elles débouchèrent sur une terrasse éclairée par de superbes lampadaires anciens, et où étaient disposés des fauteuils blancs recouverts de coussins bordeaux, une grande femme aux cheveux blonds sortit de la villa pour venir à leur rencontre.

— Isabel ! s'exclama-t-elle, en tendant la main à la jeune femme et en l'attirant pour l'embrasser rapidement sur les deux joues. Comme c'est agréable de vous revoir. Votre mère m'a prévenue qu'elle ne pourrait pas venir. Quel dommage qu'elle ne se sente pas bien… J'espère qu'elle va se remettre rapidement.

— Merci, madame Romero, dit Isabel d'un ton très chaleureux, sans plus aucune trace de l'acidité de tout à l'heure. Laissez-moi vous présenter l'une des institutrices de ma mère, Eve Robertson. Elle est arrivée d'Angleterre il y a quelques semaines.

— Ah, oui. Mme Rodrigues a bien fait de vous demander de venir à sa place, mademoiselle Robertson. J'ai entendu parler de vous et je suis heureuse de faire votre connaissance.

Stupéfaite, Eve vit la mère de Jake lui prendre la main et la regarder avec des yeux d'un bleu perçant.

— Je crois que mon fils a joué un rôle dans votre venue ici, n'est-ce pas ?

Elle s'interrompit un instant avant de reprendre.

— Je crois que vous vous êtes rencontrés lors de son séjour à Londres, c'est bien cela ?

— Oui… Enfin… C'est exact, bredouilla Eve. Vous êtes très aimable de me recevoir, madame Romero. Votre maison est superbe.

La mère de Jake eut l'air sincèrement contente du compliment.

— Merci. Nous l'aimons beaucoup, dit-elle. Eh bien, venez que je vous présente au reste de la famille. Jake n'est pas encore arrivé, mais il ne devrait pas tarder à nous rejoindre.

Un peu soulagée, Eve suivit Isabel et leur hôtesse dans l'immense salle de réception, au plafond de laquelle étincelait un énorme lustre en cristal. Une douzaine de personnes s'y trouvaient déjà, rassemblées en petits groupes. Quand la mère de Jake apparut avec les deux jeunes femmes, le bruit des conversations diminua sensiblement.

Un homme aux cheveux gris, M. Romero, vint les accueillir et présenta ensuite Eve au frère de Jake, Michael, et à sa femme, Julie. Celle-ci était enceinte d'au moins six ou sept mois, estima Eve, mais elle réussissait néanmoins à rester élégante dans une robe moulante en satin vert jade qui lui arrivait aux genoux. A son grand soulagement, elle constata que la plupart des femmes portaient des robes courtes. Quant aux hommes, ils étaient plutôt décontractés, en chemise et pantalon.

Julie sembla se prendre aussitôt d'amitié pour Eve, et quand son beau-père s'éloigna, elle lui dit :

— Vous devez trouver la vie de l'île un peu limitée, n'est-ce pas ? C'est ce que j'ai pensé quand je suis arrivée ici.

— C'est… différent, commença Eve.

— C'est parce que tu n'es pas d'ici, l'interrompit Isabel d'un ton détaché. Et si cela ne te convient pas, tu peux toujours rentrer en Angleterre.

Etait-ce un avertissement ? se demanda Eve tandis qu'elle

voyait que Julie, visiblement choquée, ouvrait la bouche pour dire quelque chose. A cet instant le frère de Jake les rejoignit et son arrivée détendit l'atmosphère.

— Trouvez-vous votre travail gratifiant, mademoiselle Robertson ? lui demanda-t-il gaiement. J'ai déjà du mal à être patient avec un enfant, alors quand il s'agit de toute une classe…

— Tu ferais bien de t'y habituer, dit aussitôt sa femme en riant.

— Je vous en prie, appelez-moi Eve, dit-elle à Michael.

Il ressemblait beaucoup à son frère, mais ne possédait pas son charme sensuel.

Soudain, au moment où le père de Jake tendait un cocktail à Eve, elle comprit qu'un nouvel arrivant venait d'entrer dans la pièce. Et bien avant qu'elle entende Michael accueillir son frère, elle devina qu'il s'agissait de Jake.

Incapable de résister, elle regarda par-dessus son épaule. Elle avait l'impression de ne pas l'avoir vu depuis des siècles, et le fait de savoir qu'il était à quelques mètres d'elle réveilla aussitôt toutes les sensations qu'elle avait refoulées.

Elle comprit immédiatement qu'elle avait perdu son temps. Terrifiée, elle se rendit alors compte que ce qu'elle ressentait pour lui dépassait la simple attirance physique. Elle était tombée amoureuse de Jake. Eperdument. Même la pensée de le partager avec une autre femme était plus supportable que celle de ne jamais le revoir.

Quand leurs regards se croisèrent, elle retint son souffle et lui la surprise dans ses yeux. Apparemment, il ignorait qu'elle serait là et elle se demanda s'il lui en voulait d'avoir osé venir chez ses parents.

Seigneur, elle avait l'impression que son cœur allait cesser de battre… En proie à une panique folle, elle se détourna.

Une poigne de fer se referma sur son bras et la ramena brutalement à la réalité. Ouvrant les yeux, elle fut à peine surprise de voir qu'il l'avait rejointe et qu'il la contemplait d'un regard froid et méfiant.

— Crois-moi si tu veux, mais j'ignorais que tu avais été invitée. Si je l'avais su, je ne serais pas venu.

— Je ne savais pas non plus que tu serais là, commença-t-elle d'une voix basse, consciente que les autres invités pouvaient les entendre. Mais je… J'avoue que j'espérais te voir. Cela t'ennuie ?

Elle sentit les doigts de Jake frémir sur son bras et quand elle se risqua à regarder son visage, elle vit que ses yeux brillaient de colère. Lui prenant son verre de la main, il le posa sur une table. Puis, après avoir marmonné quelques mots d'excuse à l'attention des invités qui les entouraient, il conduisit Eve vers les doubles portes qui donnaient sur le jardin.

Qu'allait-il faire ? se demanda-t-elle avec crainte. Peut-être était-ce sa façon de la jeter dehors ?

Sans un mot, il l'entraîna vers une partie du jardin éclairée seulement par la lune.

Eve portait des hauts talons, et ses chevilles lui faisaient terriblement mal. Il s'arrêta enfin derrière un buisson de chèvrefeuille qui les abritait des regards indiscrets avant de la faire pivoter devant lui.

— Ça te plaît de me tourner en ridicule ? lui jeta-t-il sauvagement.

13.

Eve cligna des paupières. Le visage de Jake était dans l'ombre, mais elle sentait la colère qui l'habitait.

— Je ne comprends pas de quoi tu parles.

— Tu mens. La dernière fois que nous nous sommes rencontrés…

— Tu m'as quittée brutalement, l'interrompit-elle, sur la défensive. Ne dis pas le contraire.

— Et tu sais parfaitement pourquoi, répliqua-t-il aussitôt.

Quand il leva la main pour repousser une mèche de cheveux qui lui tombait sur le front, Eve remarqua qu'ils avaient poussé durant les dernières semaines, et que ses doigts tremblaient.

— Tu m'as accusé d'avoir couché avec ta mère, une fois de plus. Je n'ai jamais couché avec elle, tu m'entends ? *Jamais*. Pour qui me prends-tu ?

Eve frissonnait à présent.

— Tu es parti, dit-elle avec désespoir. Qu'est-ce que je pouvais penser d'autre ?

Jake la saisit par le bras, comme s'il avait besoin de s'accrocher à elle pour rester en équilibre.

— Tu voulais que je parte, dit-il d'une voix sourde. Tu m'as dit qu'il ne pouvait rien y avoir entre nous à cause de… à cause de ta mère.

— Je sais, dit-elle en tremblant. Mais… tu n'as pas protesté…

— Oh, très bien. Tu lâches une véritable bombe et tu t'étonnes des conséquences ? Réfléchis, Eve. J'étais fou. Fou contre Cassandra, contre toi, mais surtout contre moi.

— Parce que… tu croyais que je m'étais moquée de toi ?

— Franchement, ça t'étonne ?

Son pouce caressa l'intérieur de son poignet.

— Tu aurais dû me dire qui tu étais, dit-il d'une voix sévère. M'expliquer comment tu étais venue vivre à Watersmeet avec ta grand-mère. Ce soir-là dans la bibliothèque, par exemple. Alors j'aurais pu comprendre pourquoi tu t'étais effondrée parce qu'un homme venait de t'embrasser de force.

— Ce n'était qu'un baiser, dit Eve.

— Mais cela signifiait beaucoup pour toi.

— Oui, dit-elle en le regardant dans les yeux. Cela m'a rappelé toutes ces nuits où je dormais dans la salle de bains, quand je vivais chez les Fulton. Parce que c'était la seule pièce de la maison qui comportait un verrou.

— Bon sang, n'en as-tu parlé à personne ?

— Si, je l'ai dit à Emily — c'était sa femme. Mais elle ne m'a pas crue. Ou peut-être a-t-elle préféré ne pas me croire. En tout cas, c'est pour ça que je me suis enfuie.

Jake poussa un juron étouffé avant de dire doucement :

— Je suis si désolé pour toi, ma chérie.

Puis il pencha la tête et appuya son front contre le sien.

— Cassandra est vraiment coupable de bien des choses.

— Pour être juste, elle n'en savait rien, dit-elle d'une voix rauque, en levant une main pour la poser sur sa joue.

Il tourna légèrement son visage et sa bouche caressa aussitôt sa paume.

— Tu crois que ça l'excuse ? demanda-t-il. Pas étonnant que tu ne veuilles pas t'intéresser à moi.

— Ce n'est pas vrai ! protesta-t-elle. Tu… tu m'as troublée. Jusqu'alors, je n'avais jamais été attirée par aucun homme. Je pensais vraiment que je ne le serais jamais, que… que j'étais heureuse ainsi, vivant avec Ellie et faisant mon travail. Je ne désirais rien d'autre.

— Et ?

— Et alors, quand tu es apparu, je t'en ai voulu. A cause des émotions que tu faisais naître en moi.

Les yeux de Jake s'assombrirent.

— Quelles émotions ?

— Tu le sais bien, protesta-t-elle.

— Peut-être. Mais je voudrais te l'entendre dire.

Eve secoua la tête.

— Je savais simplement que c'était mal, c'est tout. Je croyais que tu étais l'amant de Cassie et que je n'avais pas le droit d'éprouver quelque chose envers toi.

— Mais tu éprouvais quelque chose ?

— Tu sais ce que j'éprouvais, dit-elle timidement. Même ce soir-là dans la bibliothèque. Je… J'ai compris que tu n'étais pas comme les autres.

Jake posa sa main sur la sienne.

— Tu aurais dû me le dire.

— Comment aurais-je pu ?

— Oh, ma chérie…, murmura-t-il en laissant échapper un long soupir. Cassandra et moi n'avons jamais eu de liaison amoureuse. Je crois que c'est pour cela qu'elle m'a invité à Watersmeet.

— Pourquoi as-tu accepté de l'accompagner, dans ce cas ?

— Crois-moi si tu veux : je me suis posé cette question dès que nous avons quitté Londres.

Il laissa quelques instants ses lèvres errer sur sa paume, mais il se reprit et poursuivit :

— Je n'ai aucune excuse. Je m'ennuyais, probablement, et je pensais que cela pourrait être intéressant de voir une nouvelle région du pays. Ce n'est que quand je t'ai rencontrée que j'ai réalisé que c'était un coup du destin.

Eve scruta son regard.

— Tu n'es pas sérieux ?

— Qu'en penses-tu ? demanda-t-il avec tendresse. En tout cas, je dois reconnaître que j'ai très mal pris ton rejet, après t'avoir embrassée, dans le box de Storm Dancer.

Eve retint son souffle.

— A présent, tu comprends pourquoi je t'ai parlé ainsi, n'est-ce pas ?

— Oui. Qu'est-ce qui a changé maintenant ? demanda-t-il en la fixant.

— Tout. Rien, dit Eve en haussant les épaules. Pourquoi parlons-nous de tout cela ? Tu m'as proposé un emploi. Etait-ce, comme tu l'as dit, seulement parce que tu voulais m'aider ?

Jake fit glisser ses mains sur ses bras.

— De quoi pourrait-il s'agir d'autre ? demanda-t-il malicieusement.

— Je ne sais pas, murmura Eve. Es-tu toujours en colère contre moi ?

— Je plaisantais, dit-il d'une voix émue en l'attirant contre lui. Pour l'amour du ciel, Eve, je suis sûr que tu savais ce que je ressentais quand je suis venu te voir, le soir de ton arrivée sur l'île. Bon sang, je n'ai pas pu m'en empêcher…

— Tu es sincère, n'est-ce pas ? demanda-t-elle, sans oser y croire.

— Je n'ai jamais été aussi sincère de toute ma vie.

— Oh, Jake !

Elle passa les bras autour de son cou et plongea son regard incrédule dans le sien.

— J'ai tellement peur que tout ceci ne soit qu'un rêve, que tout à coup j'ouvre les yeux et que tout disparaisse…

— J'ai ressenti de telles craintes, moi aussi, dit Jake avec ferveur. Surtout quand j'ai cru que tu allais laisser Cassandra gâcher le reste de ta vie.

— Effectivement, dit-elle en soupirant. Oh, Jake, il y a quelques semaines, je me suis rendu compte que, désormais, je me fichais de ce qui s'était passé entre elle et toi. Mais je ne savais pas comment te le dire.

Jake pencha alors sa bouche vers la sienne quand, soudain, ils entendirent quelqu'un l'appeler.

— Jake ! Jake ! Où es-tu ? Nous allons nous mettre à table !

— C'est ma mère, chuchota-t-il. Tu as faim ?

— Pas du tout, dit-elle tout bas.

— Moi si ! s'exclama-t-il. Mais pas de nourriture. Attends-moi ici.

— Est-elle en colère ? lui demanda Eve avec inquiétude quand il revint quelques minutes plus tard.

— Ma mère ? s'exclama Jake en riant. Pas le moins du monde. Pourquoi le serait-elle ? Elle a organisé cette soirée pour essayer de me changer les idées. Elle sera donc ravie d'avoir réussi.

— Oh, mais… elle ne me connaît même pas.

— Vous n'allez pas tarder à faire plus ample connaissance, ne t'en fais pas.

Jake lui prit alors la main pour l'entraîner vers les dunes basses qui conduisaient à la plage.

— Je crois qu'elle pensait à Isabel, reprit-il, mais si elle m'avait demandé mon avis, je lui aurais dit qu'elle perdait son temps.

Puis il baissa les yeux.

— Tu devrais peut-être ôter tes chaussures, le sable est humide.

Eve suivit son conseil et les retira tout en regardant autour d'elle avec émerveillement.

— C'est si beau, dit-elle tandis qu'il lui prenait ses escarpins des mains. Allons-nous faire un tour sur la plage ?

— Tu verras, dit-il d'un ton mystérieux. Et avant que tu ne commences à te faire de fausses idées sur Isabel, laisse-moi te dire que nous n'avons jamais été autre chose que des amis.

Eve le regarda dans les yeux.

— Je te crois.

— Tu as intérêt, dit-il. En fait, ma mère a compris que quelque chose n'allait pas depuis mon retour d'Angleterre. Tu ne l'as pas remarqué, mais j'ai maigri et je ne dors presque plus.

Tout en marchant sur le sable, Eve s'accrocha à son bras et appuya sa tête sur son épaule.

— Comment a-t-elle réagi tout à l'heure, quand tu lui as parlé ? Attend-elle notre retour ?

— Pas de sitôt, dit Jake d'une voix rauque. Elle m'a seulement demandé : « C'est elle ? » et je lui ai répondu : « oui ».

Elle pouvait à peine respirer. Elle était remplie d'une excitation si intense qu'elle était stupéfaite de pouvoir poser un pied devant l'autre.

Les yeux flous, elle se força à regarder devant elle. Les alentours étaient totalement déserts, et une bande de sable d'un blanc pur luisait sous la lune. Bien que le bras de Jake la tienne en sécurité contre lui, et que sa hanche frôle la sienne à chaque pas, Eve ne pouvait s'empêcher de persister à craindre que tout cela ne soit qu'un rêve qui allait disparaître tout à coup.

Quand ils arrivèrent au bout de la baie, au pied des falaises qui en surplombaient l'extrémité, Jake lui désigna une villa qui avait été construite derrière les dunes. Ses murs clairs se fondaient dans le paysage et de la lumière brillait aux fenêtres.

— Viens, dit-il. Je veux te montrer où je vis.

— C'est ta maison ? demanda Eve.

— Oui, tu vas voir.

Un quart d'heure plus tard, ils étaient installés dans l'immense salon. Deux grandes photographies de paysages se faisaient face sur les murs blancs, de chaque côté d'une haute cheminée en pierre. A la grande surprise d'Eve, Jake affirma qu'il s'en servait de temps en temps. Sur le plancher en teck étaient installés un sofa et des fauteuils en daim grège. Au centre, une table ovale en marbre reposait sur un épais tapis où s'étalaient de grands motifs abstraits aux tons vifs.

— C'est beau, dit Eve, incapable de trouver un autre adjectif. Tu vis seul, ici ?

— Oui, avec Luigi.

Dès leur arrivée, il l'avait présentée à son vieux serviteur italien.

— Pourquoi ? Croyais-tu que j'entretenais un harem ?

Eve, qui s'était assise sur le sofa, le regardait s'affairer dans la pièce et poussa un soupir.

— Non, reconnut-elle. Enfin… je ne…

— En réalité, j'ai été marié. Pendant à peu près six mois, dit Jake en faisant la grimace. Mais il y a déjà longtemps de cela et, si tu veux le savoir, nous ne vivions pas ici, mais à San Felipe.

— J'en suis heureuse, dit-elle en se mordant aussitôt la lèvre. Tu ne veux pas venir t'asseoir ?

Il se dirigea vers le petit bar encastré dans le mur.

— Tu désires boire quelque chose ?

— Et toi ?

— Non, mais je t'ai privée du cocktail que mon père t'avait préparé…

— Je ne veux rien boire, murmura-t-elle. Je veux simplement que tu m'embrasses.

— C'est ce que je désire moi aussi, dit Jake avec une lueur

malicieuse dans les yeux. Mais ce n'est pas tout. Et je ne sais pas si j'aurai la force de me limiter à des baisers.

— Moi non plus, dit-elle, étonnée de sa propre audace.

Aussitôt, il se rapprocha du sofa et la regarda au fond des yeux.

— Eve…, il faut que nous parlions.

— Nous parlerons plus tard, lui promit-elle, prenant ses mains dans les siennes. Viens t'asseoir à côté de moi.

Jake s'exécuta et, avec un gémissement étouffé, il se tourna vers elle et l'embrassa avec fièvre.

Brûlante et exigeante, sa bouche prit possession de la sienne, la rendant folle de désir. Eve répondit à son baiser avec fougue, comme si elle voulait lui prouver qu'avec lui elle n'avait peur de rien. Que lui seul avait le pouvoir d'effacer les souffrances passées.

Quand il releva la tête et la regarda, elle fut bouleversée par l'intensité de son regard. Son beau visage était tendu par l'émotion, par les sentiments qu'il essayait en vain de contrôler.

— Tu ne peux pas savoir combien j'ai envie de toi, murmura-t-il en faisant glisser les bretelles de sa robe sur ses bras et en penchant la tête pour caresser son épaule avec ses lèvres. Mais je ne veux pas te brutaliser.

— Tu ne me brutalises pas, protesta-t-elle. Et si tu changeais d'avis maintenant, je ne pourrais le supporter.

— Moi non plus, murmura Jake. Tu es si belle…

Ebloui, il découvrit le fin soutien-gorge qu'elle portait sous sa robe. Deux demi-coques de dentelle transparente contenaient à peine les seins magnifiques qui s'offraient à lui, leurs mamelons bruns saillant fièrement sur sa peau claire.

Elle était toute en ivoire et en ébène, songea-t-il, avec ses cheveux épais et sombres qui lui tombaient sur les épaules. Quand il se pencha vers elle pour prendre à nouveau ses lèvres, des mèches douces vinrent lui frôler le visage.

— Jake…

Bon sang, elle ne se rendait probablement pas compte de l'effet qu'elle lui faisait en prononçant son prénom de cette voix sensuelle. Il sentit son corps se raidir et son membre viril se durcir impitoyablement.

Ses doigts trouvèrent alors l'agrafe qui fermait son soutien-gorge. Après avoir libéré les deux globes parfaits, il la poussa doucement contre les coussins. Puis il pencha la tête et, tout en caressant ses seins, il prit un téton dressé dans sa bouche. Elle gémit et posa ses mains sur sa nuque, dans un geste de soumission muette.

Puis elle glissa les doigts sous son col, afin de lui caresser les cheveux. Elle aussi était rongée par le désir, il le sentait. Il se demanda depuis combien de temps elle n'avait pas laissé un homme la toucher. S'était-il agi d'Andy Johnson, l'adolescent avec qui elle s'était enfuie ? Avaient-ils couché ensemble ? Jake songea qu'il tuerait volontiers quiconque l'avait approchée contre sa volonté.

A cet instant, elle laissa échapper une plainte langoureuse. L'intensité de sa réponse à ses caresses le rendait fou et quand elle écarta les jambes, il ne put s'empêcher de glisser sa cuisse entre les siennes.

— Eve..., gémit-il tandis qu'il passait une main sous le bas de sa robe avant de remonter sur sa peau douce.

Quand elle se cambra sous ses doigts, Jake faillit en perdre la tête. Il désirait tant la pénétrer, sentir sa chair se resserrer autour de lui.

Eve eut soudain l'impression que le souffle lui manquait. Elle s'arrêta presque de respirer quand il glissa les doigts sous sa culotte et frôla le fin duvet qui protégeait son intimité.

Agissant par pur instinct, elle descendit la main et déboutonna sa chemise. Quand elle saisit ensuite la boucle de son ceinturon, il l'arrêta.

— Attends, dit-il d'une voix enrouée par le désir. Je ne crois pas que tu te rendes compte de ce que tu me fais. Je ne suis pas de marbre, tu sais.

— Moi non plus, murmura-t-elle. Je te désire et je veux faire l'amour avec toi.

— Viens, dit Jake en portant sa main à ses lèvres. Je vais te montrer ma chambre. D'ailleurs, je ne voudrais pas que nous soyons interrompus par Luigi qui pourrait venir voir si nous n'avons besoin de rien.

Puis il se leva et la souleva dans ses bras sans effort.

Une volée d'escaliers ouverts conduisait à l'étage de la villa. Après avoir fait quelques pas dans un couloir aux murs lambrissés de bois clair, il entra dans une vaste chambre, dont les longues baies vitrées donnaient sur la mer.

Il déposa Eve sur le large lit recouvert d'un tissu damassé. Une seule lampe éclairait doucement la pièce, mais à l'extérieur, la lune projetait un halo argenté sur les eaux sombres. Ses reflets ondoyants ajoutaient une note étrange à la beauté magique de l'endroit, et quand Jake s'étendit à côté d'elle, Eve se tourna vers lui avec fièvre.

A présent, il la touchait avec précaution et délicatesse, même si elle devinait l'urgence de son désir sous ses caresses. Quand il se pencha pour mordiller un téton épanoui, elle fut incapable de contrôler le frisson qui agitait tout son corps. Il releva alors la tête pour la regarder tendrement.

— N'aie pas peur, je suis heureux que tu ne sois pas si experte. Et que tu ne te rendes pas compte à quel point tu es sexy.

— Personne ne m'avait dit cela avant toi.

— Eh bien, les autres étaient aveugles, murmura Jake contre son sein, heureux d'être le premier.

Après avoir aisément fait glisser sa robe sur ses hanches, il abandonna son mamelon gonflé et laissa sa bouche descendre vers son nombril. Elle frissonna de nouveau tandis qu'il se servait de ses dents pour se débarrasser de sa minuscule culotte en dentelle. Quand son souffle vint frôler le puits de sa féminité, elle tressaillit violemment.

— Tu ne peux pas… Il ne faut pas…, commença-t-elle.

Mais Jake ne tint pas compte de sa faible protestation et sentit bientôt qu'elle s'abandonnait sous ses lèvres.

Quelques instants plus tard, elle poussa une longue plainte et il ralentit ses caresses avant de s'écarter d'elle. Il se redressa, ivre de son miel. L'intensité de son plaisir le ravissait, exacerbant son désir, et cette fois, quand elle posa la main sur la boucle de son ceinturon, il ne l'arrêta pas.

Mais quand ses doigts fins entourèrent son érection, il dut faire un effort surhumain pour ne pas perdre le contrôle de lui-même. Il voulait atteindre la satisfaction suprême *en elle* et, malgré ses protestations, il s'écarta pour se débarrasser lui-même de ses vêtements.

Puis il s'installa au-dessus d'elle. Bien qu'un peu effrayée, Eve écarta volontiers les jambes.

— Est-ce que je t'ai dit que tu étais la plus belle femme que j'aie jamais rencontrée ? chuchota-t-il dans un souffle.

Au même moment, elle sentit la chaleur de son érection s'enfoncer dans la moiteur de son intimité.

Il l'avait pénétrée d'un seul coup de reins, vigoureux et doux à la fois. Stupéfaite, Eve ne put réprimer un cri de douleur. En effet, elle n'avait pas soupçonné que son corps se rebellerait à cette invasion inconnue.

Jake se retira aussitôt et la contempla, les yeux remplis d'étonnement et d'inquiétude.

— Tu étais vierge, dit-il d'une voix étranglée. Mon Dieu, pourquoi ne me l'as-tu pas dit ?

14.

— Je suis tellement stupide, reprit-il. Je croyais que… après ce que tu avais traversé…

— A cause de Graham Fulton ? demanda Eve avec un pauvre sourire. Je t'ai dit que je passais toutes mes nuits dans la salle de bains. Quant à Andy, il savait ce que je ressentais, et il m'a protégée.

Elle le regarda et lui caressa la joue avec tendresse.

— Jusqu'à ce que je te rencontre, je ne pouvais supporter qu'un homme me touche, avoua-t-elle d'une voix sourde. Tu es le premier.

— Oh, ma chérie… Je suis un idiot.

— Ce n'est pas grave, murmura-t-elle en suivant le contour de ses lèvres. Tu me désires encore ?

— Bien sûr que je te désire, gémit-il. Et plus que jamais. Mais…

— Il n'y a pas de *mais*, dit Eve d'un ton ferme en posant les mains de Jake sur ses seins. J'ai envie de toi depuis si longtemps. Si tu ne ressentais pas la même chose, il me semble que je ne pourrais le supporter.

— Bon sang ! Je crois que je t'ai attendue toute ma vie, dit-il en tremblant. Mais je ne veux pas te faire mal comme tout à l'heure.

— Tu ne me feras plus mal. S'il te plaît, murmura-t-elle en caressant son membre dressé, tu ne peux pas t'arrêter maintenant.

« Non, certainement pas », approuva Jake dans un élan sauvage. Mais il voulait qu'elle partage son plaisir et, bien qu'il s'en veuille de s'être comporté aussi brutalement, il brûlait de la pénétrer à nouveau.

Doucement, il écarta ses cuisses et entra en elle, tout en l'embrassant avec volupté pour la tranquilliser. Cette fois, elle l'accueillit avec un gémissement de plaisir.

Aussitôt, Jake se retrouva emporté par sa douceur. Elle était tout ce qu'il désirait chez une femme, et les muscles de son ventre se tendirent quand il sentit qu'elle atteignait rapidement le sommet de sa jouissance.

Pour Eve, ce fut bouleversant. Maintenant, elle savait à quoi s'attendre, et pourtant elle n'était pas préparée aux sensations exquises que le lent va-et-vient de Jake faisait naître en elle. Quand il se retirait à moitié avant de s'enfoncer à nouveau en elle, des vagues d'une volupté insensée se soulevaient au plus profond de sa féminité. Un plaisir inconnu déferlait alors dans tout son être, lui faisant oublier tout ce qui n'était pas lui, tout ce qui n'était pas son amour.

Soudain, une vague plus forte que les autres l'emporta avec une telle force qu'elle eut l'impression que tout basculait, en elle et autour d'elle.

Sans réfléchir, elle leva les jambes et entoura ses hanches, comme si elle craignait qu'il n'interrompe le tourment exquis auquel il la soumettait. Quelques secondes plus tard, elle poussait un cri rauque et sombrait dans l'extase.

Prêt à la rejoindre, Jake inspira profondément quand, soudain, il se rendit compte qu'il allait commettre une nouvelle erreur stupide. En effet, dans sa hâte de faire l'amour avec Eve, il n'avait pas mis de préservatif. Bon sang, il était encore assez lucide pour pressentir qu'elle n'était sans doute pas protégée.

Non, songea-t-il, il ne pouvait pas lui faire cela. Mais quand il voulut s'écarter d'elle, elle resserra ses jambes autour de lui.

— Ne t'arrête pas, murmura-t-elle d'une voix rauque, le souffle haletant.

— Tu ne comprends pas…

Mais elle se contenta de coller sa bouche à la sienne.

— Si, murmura-t-elle contre ses lèvres.

Et bien qu'il sache ce qu'il devait faire, la tentation de lui céder fut irrésistible.

En outre, elle poussait maintenant des petites plaintes érotiques qui le rendaient fou. Il était vivre de son parfum, de son odeur féminine, et, s'abandonnant à une force qui l'emportait sur sa volonté, il se répandit en elle.

Après un moment qui lui parut infini, les ondes de plaisir s'apaisèrent tout à fait. Jake se sentait totalement épuisé. Mais aussi rassasié et heureux, ce qui ne lui était jamais arrivé auparavant.

Il se rendit alors compte qu'il s'était affaissé sur Eve, mais quand il voulut rouler sur le côté, elle l'en empêcha à nouveau.

— Je vais t'écraser, protesta-t-il.

Mais elle referma ses bras autour de son cou et le contempla avec de grands yeux emplis d'adoration.

— Je m'en fiche, murmura-t-elle d'une voix rauque. Et je me fiche aussi d'être enceinte.

— Eve…

— Je suis sincère, Jake. Et je ne veux pas que tu croies que tu en serais responsable. Tu es un homme loyal, je le sais, mais c'était *ma* décision…

Jake la fit taire d'un baiser avant de la regarder et de s'exclamer :

— Bon sang, je t'aime ! Je t'aime depuis le premier moment où je t'ai vue. Et si tu crois que, maintenant, je vais te laisser partir, tu te trompes lourdement.

— Je… Je ne sais pas quoi dire, murmura Eve, les yeux brillants de larmes.

— Eh bien, tu pourrais dire que tu m'aimes un peu, toi aussi.

Ôtant les bras qui entouraient son cou, il roula sur le dos et observa les ombres qui jouaient sur le plafond.

— A moins que je n'aie été trop vite, une fois de plus…

— Non ! s'écria Eve en se redressant pour le regarder. Ce n'est pas ça. Je… Je suis si surprise…

Jake lui effleura la joue.

— Tu n'ignorais pas que tu comptais pour moi ?

— Non, bien sûr. Mais tu viens de dire que tu m'aimais.

— Oui, et c'est vrai.

— Mais… comment peux-tu m'aimer ?

— Pourquoi pas ? répliqua-t-il aussitôt. Tu représentes

tout ce que j'ai toujours désiré, aussi bien physiquement que moralement.

Puis, incapable de résister au désir de goûter à nouveau ses lèvres, il attira sa bouche vers la sienne.

— Tu pourrais peut-être me dire ce que tu ressens pour moi, maintenant, murmura-t-il dans un souffle.

Eve prit son visage entre ses mains.

— Tu sais que je t'aime, s'exclama-t-elle avec ferveur. Mais même maintenant, je n'arrive pas à croire que tu veuilles de moi.

— Depuis que tu es arrivée sur cette île, je suis devenu fou, dit Jake d'une voix rauque, fou de toi. Je savais que je devais te laisser du temps, mais comme je te l'ai dit tout à l'heure, je n'arrivais plus à manger, ni à dormir, je ne pouvais penser à rien d'autre qu'à être avec toi.

Eblouie par l'ardeur de son amant, Eve sentit alors la fermeté de son désir s'appuyer contre sa hanche.

— Tu as encore envie de moi ? murmura-t-elle, émerveillée de constater qu'elle exerçait un tel pouvoir sur lui.

— Sans cesse, dit-il en glissant sa main entre ses cuisses. Oh, ma chérie, tu ne peux pas t'imaginer à quel point…

De longues heures plus tard, Jake déclara qu'il était temps de dîner. Après avoir passé un peignoir en soie brune, il disparut pour revenir bientôt avec un grand plateau portant une bouteille de champagne, deux verres en cristal et un compotier rempli de fraises. C'était une excellente façon de célébrer leurs fiançailles, décréta-t-il en grimpant sur le lit.

Eve le regarda avec de grands yeux.

— *Nos fiançailles* ?

— Eh bien, tu vas m'épouser, non ? demanda-t-il en souriant.

Eve s'assit en tailleur à côté de lui. Il fallait qu'elle lui parle, absolument, avant que leurs fiançailles deviennent officielles.

— Je dois te parler de mon père, dit-elle, avant d'accepter une fraise trempée dans le champagne qu'il présentait devant ses lèvres.

— Ton père ? répéta Jake, fasciné par sa sensualité inconsciente. Je croyais que ta mère ne savait pas qui il était ?

— Oh si, elle le savait. Ma grand-mère l'a forcée à lui dire la vérité. Il était cubain, et Cassie n'avait pas voulu le dire aux Fulton au cas où ils changeraient d'avis.

Jake émit un long sifflement.

— Eh bien ! L'as-tu rencontré ?

— Non. Ellie a découvert qu'il était mort dans un accident d'avion alors qu'il se rendait à Cuba, quelques semaines après avoir quitté ma mère. Cassie ne mentait pas sur ce point, au moins. Il ne voulait rien savoir de l'enfant qu'il avait conçu.

— Oh, ma chérie, murmura Jake en l'attirant contre lui. Tu as vécu de drôles de choses.

— Cela ne te gêne pas ?

— Pourquoi cela devrait-il me gêner ?

— Oh, je ne sais pas, hésita Eve. Je t'aime tant…

— Oui, mon amour, murmura Jake. C'est pour cela que tu vas m'épouser.

Six mois plus tard, Eve était installée sur la terrasse de leur villa, à côté de Julie Romero qui donnait le sein à sa petite fille âgée de quatre mois. Eve se demanda quel effet cela faisait d'allaiter un bébé. Eh bien, elle le saurait bientôt, quand leur enfant serait né.

A vrai dire, à part la famille proche de Jake et Ellie, personne ne savait qu'Eve était enceinte. Pour l'instant, cela se voyait en effet à peine, bien qu'Eve se rende compte que sa taille s'épaississait de jour en jour.

Julie écarta sa fille de son sein et rajusta son chemisier avant de la placer contre son épaule.

— Elle a enfin terminé, soupira Julie. Je ne me doutais pas qu'un nourrisson avait autant de force dans les mâchoires.

— Passe-la-moi, dit Eve en souriant.

— Elle est lourde, tu sais.

— Pas tant que ça.

Puis, après avoir installé le bébé contre son épaule, elle demanda :

— A quelle heure rentre Mike ?

— Bientôt, j'espère ! Enfin…, je ne veux pas dire que

je n'apprécie pas que Jake et toi m'ayez permis de rester ici pendant son absence, se reprit-elle aussitôt. Mais il me manque terriblement. Même s'il n'est parti que depuis quatre jours…

— Je sais, dit Eve.

Elle comprenait très bien ce que voulait dire sa belle-sœur car, dès que Jake partait à l'étranger, elle ne supportait pas de rester sans lui et l'accompagnait, où qu'il aille.

A cet instant, comme s'il avait deviné qu'elle pensait à lui, Jake sortit de la maison et se dirigea vers elles.

— Mike a appelé, dit-il à Julie en regardant sa femme et la petite Rachel. Il vient d'atterrir. Il sera là dans quelques instants.

— Oh, c'est merveilleux ! s'extasia Julie.

Jake lui tapota l'épaule avant de s'asseoir à côté de son épouse.

Julie se leva aussitôt.

— Je vais aller me faire belle. Tu peux garder Rachel encore quelques instants, Eve ?

— Bien sûr, ne t'en fais pas.

Jake sourit en regardant la jeune femme rentrer dans la maison, puis il se retourna vers Eve et caressa son bras nu.

— Tu sais, recevoir des invités peut devenir frustrant, murmura-t-il. Cela fait presque une semaine que je ne t'ai pas fait l'amour ailleurs que dans notre chambre.

— Cela te cause un problème ?

— Qu'en penses-tu ? demanda-t-il en posant les lèvres sur son épaule. Je préfère être seul avec toi.

— Et quand le bébé sera né…

— Pendant pas mal d'années, il se moquera pas mal de ce que font son père et sa mère, tu ne crois pas ?

— Nous avons encore six mois devant nous, dit Eve. D'ici là, tu en auras peut-être assez de me faire l'amour.

— Je ne me lasserai jamais de te faire l'amour, affirma-t-il avec force. Avant de te rencontrer, j'ai l'impression d'avoir passé mon temps à sommeiller. Maintenant que tu m'as réveillé, je n'ai pas l'intention de me rendormir !

Eve appuya sa tête contre l'épaule de son mari.

— Tu es adorable, mon chéri. Et je suis la femme la plus heureuse du monde, dit-elle en souriant.

Soudain, Jake vit son visage se fermer.

— Je crains que Cassie ne soit pas ravie d'apprendre qu'elle sera bientôt grand-mère…

— Je me fiche bien de ce qu'elle peut penser !

— Elle a quand même fait un effort et nous a envoyé un cadeau de mariage, dit Eve. Et je ne peux m'empêcher de lui être reconnaissante, Jake. Sans elle, nous ne nous serions jamais rencontrés.

Il soupira.

— D'accord. Mais je ne peux pas oublier la façon dont elle t'a traitée quand tu n'étais encore qu'un bébé. Tu peux me demander de lui pardonner, mais je ne l'oublierai jamais.

« Moi non plus. Et le petit être qui grandit dans mon ventre ne manquera jamais d'amour », songea Eve tandis que Jake passait un bras autour d'elle et la serrait contre lui avec tendresse.

Tout enfant ne méritait-il pas d'être aimé ? se dit-elle en caressant doucement le dos de sa nièce.

Comme si elle l'avait comprise, la petite Rachel blottit sa tête au creux de son épaule et s'endormit aussitôt.

HARLEQUIN
www.harlequin.fr